Ruth Hoffmann

Stasi-Kinder

Ruth Hoffmann

Stasi-Kinder

Aufwachsen im Überwachungsstaat

Propyläen

Propyläen ist ein Verlag der Ullstein Buchverlage GmbH
www.propylaeen-verlag.de

ISBN 978-3-549-07410-7

© Ullstein Buchverlage GmbH, Berlin 2012
Lektorat: Karin Schneider
Alle Rechte vorbehalten
Gesetzt aus der Minon
Satz: LVD GmbH, Berlin
Druck und Bindearbeiten: GGP Media GmbH, Pößneck
Printed in Germany

Inhalt

Anhang

Einleitung

Eigentlich sollte es eine Reportage werden. »Die Kinder der Frankfurter Allee« sollte sie heißen. Schauplatz: das Ostberlin der Siebziger- und Achtzigerjahre. Ich hatte Jörg Richert kennengelernt. Einen Sozialarbeiter, der in diesem Teil von Berlin-Lichtenberg aufgewachsen war. Er erzählte mir, dass in seiner Klasse fast ausnahmslos Kinder gesessen hatten, deren Eltern zur Nomenklatur der DDR gehörten – Parteifunktionäre, Diplomaten, Offiziere der Staatssicherheit. Sein eigener familiärer Hintergrund war ein ganz anderer. Weder Mutter noch Vater machten ein Geheimnis daraus, dass sie dem System ablehnend gegenüberstanden. Dass sie 1973 eine Wohnung in den schicken neuen Hochhäusern an der Frankfurter Allee bekamen, grenzte daher an ein Wunder: Das Viertel wurde gerade im Auftrag des MfS, des Ministeriums für Staatssicherheit, errichtet, weil hier, in unmittelbarer Nähe zur Zentrale, ein Großteil der Mitarbeiter angesiedelt werden sollte.

Mich interessierte das Nebeneinander dieser so gegensätzlichen Welten, und so fing ich an, einige von Jörgs ehemaligen Klassenkameraden zu interviewen. Schon die ersten vier – ein Mann und drei Frauen – kamen aus »Stasi-Familien«: Ihre Väter, bei zweien auch die Mütter, waren Mitarbeiter des MfS gewesen. Je mehr ich darüber erfuhr, was diese »Kinder« erlebt hatten, desto klarer wurde mir, dass hier mein eigentliches Thema lag. Also machte ich mich auf die Suche nach weiteren Gesprächspartnern.

Sie zu finden war schwierig. Das Brandmal Stasi tragen eben auch jene, die sich gar nicht selbst für diese Tätigkeit entschieden haben und nur durch ihre Eltern – meist die Väter – damit in

Berührung gekommen sind. Sippenhaft. Auch 23 Jahre nach dem Mauerfall.

Doch während ehemalige MfSler auf Tagungen, Diskussionsveranstaltungen oder in Dokumentarfilmen längst selbstbewusst ihre Sicht der Vergangenheit schildern, schweigen ihre Töchter und Söhne. Entsprechend wenig Material gibt es über sie. Keine Bücher, keine soziologischen oder psychologischen Untersuchungen, nicht einmal ein Forum im Internet.

Trotz der vielen Filme, Bücher und Berichte, die im Laufe der Zeit über die Staatssicherheit entstanden sind, ist das Bild seltsam eindimensional: Die Stasi – das ist entweder der Apparat, monströs und letztlich immer noch undurchschaubar, durch den ein ganzes Volk überwacht und terrorisiert wurde, oder das Netz von Spitzeln, das sich durch alle Schichten der DDR-Gesellschaft zog. Diejenigen aber, die hinter alledem standen, die im Auftrag des MfS tagtäglich ihre Arbeit versahen – in der Berliner Zentrale oder einer der vielen Kreis- und Bezirksverwaltungen –, bleiben dahinter verborgen, genau wie ihr Privatleben.

Dabei waren diese Hauptamtlichen die eigentlichen Akteure – nicht die IM, die inoffiziellen Mitarbeiter, auf die sich noch immer das überwiegende Interesse der Öffentlichkeit richtet. Anders als jene standen sie in direktem Dienst- und Befehlsverhältnis zur Staatssicherheit, auf die sie einen lebenslang gültigen Eid abgelegt hatten. Sie genossen viele Privilegien und bezogen ein Gehalt, das deutlich über dem DDR-Durchschnitt lag, waren zugleich aber an einen ganzen Katalog von Regeln und Vorschriften gebunden, die auch die privatesten Bereiche ihres Lebens bestimmten – und ihr gesamtes Umfeld betrafen.

Es war nicht egal, in wen sich die Tochter verliebte, für welchen Fußballclub der Sohn schwärmte oder ob die Ehefrau Briefe an ihre Tante in München schrieb: Jede Abweichung von der sozialistischen Norm fand ihren Weg in die Akten. Schon kleinste Vergehen konnten zu unangenehmen Befragungen durch die Disziplinarabteilung führen; ein Sohn, der in den Westen wollte, eine Tochter, die sich in Kirchenkreisen bewegte, gar das Ende der Karriere bedeuten. Die zahllosen Dienstvorschriften, die regelmäßig verfassten Beurteilungen der hauptamtlichen Mitarbeiter und Zitate aus den Akten der Eltern, manchmal auch der Kinder, dokumentieren Härte und Unerbittlichkeit des »Apparats«, der auf familiäre Bindungen keine Rücksicht nahm.

Die in vielen und natürlich auch westdeutschen Familien üblichen Auseinandersetzungen um Benehmen, Kleidung, Freundeskreis oder Musik – im Kosmos Stasi standen sie immer unter existenziellen Vorzeichen und waren darum weit mehr als ein Konflikt zwischen den Generationen. Wer hauptamtlich beim MfS arbeitete, war gezwungen, die eigene Familie auf Linie zu halten – oder es zumindest so aussehen zu lassen. Der Druck, der dadurch auf allen Beteiligten lastete, muss gewaltig gewesen sein. In dem, was die heute erwachsenen Kinder erzählen, lässt er sich erahnen, in den Kaderakten der Eltern wird er offenbar.

Die Kinder und ihre Erlebnisse stehen im Mittelpunkt dieses Buches. Um aber auch die vom MfS bestimmte Lebenswelt der Eltern zu beleuchten, erklären kleine Exkurse, welchem Diktat sie sich mit ihrer eidesstattlichen Verpflichtung unterworfen hatten.

Ich habe über zwanzig ausführliche Interviews geführt. Die Geschichten von insgesamt dreizehn Kindern fanden Eingang in dieses Buch, fünf sind anonymisiert: Frank Dohrmann, Martin Kramer, Stefan Herbrich, Silke Ziegler und Anna Warnke sind nicht die richtigen Namen. Ihre Schilderungen werfen Schlaglichter auf eine Welt, die letztlich nur diejenigen wirklich beurteilen können, die sie selbst erlebt haben. Sie zeigen, dass es nicht die typische »Stasi-Familie« gab, nicht das typische »Stasi-Kind«: Es gab Väter, die sich nicht an das Kontaktverbot zu ihren »staatsfeindlichen« Töchtern gehalten haben und dafür dienstliche Nachteile in Kauf nahmen, aber auch Väter, die den Anweisungen folgten und sich mit allen Konsequenzen von ihnen lossagten. Es gab Söhne, die unter dem weitergegebenen Druck zerbrachen, und Töchter, die noch bis weit in ihr Erwachsenenleben hinein und lange nach dem Fall der Mauer im Sinne ihrer Eltern funktionierten. Es gab Kinder, die über Nacht mit der Agententätigkeit ihrer Väter konfrontiert wurden und deren Leben dadurch von heute auf morgen eine dramatische Wendung nahm. Und es gab Jugendliche, die sich in einem Kampf gegen das System und gegen Vater und Mutter erschöpften, den sie so nie gewollt hatten.

Die Kinder von damals sind längst erwachsen, haben teilweise selbst schon Kinder und Enkel. Der Apparat, dem ihre Eltern einst dienten, ist seit über zwanzig Jahren Geschichte. Die Folgen seiner Eingriffe in die innersten familiären Beziehungen aber wirken bis heute nach.

Gehorchen

Berlin, 1972. Ein Spielplatz in einer Bombenlücke, umgeben von braungrauen Wänden. Wenn man den Kopf weit in den Nacken legt, kann man von der Sandkiste aus ein Stück Himmel sehen, doch auch der ist in Frank Dohrmanns frühesten Erinnerungen grau und trist. Genau wie die Straßen ringsum, die durch die hohen Häuser wie bedrohliche Schluchten wirken. Jeden Morgen bringt ihn seine Mutter in die Krippe – unendlich weit weg von zu Hause und allem Vertrauten, das Schutz geben könnte, so kommt es dem Dreijährigen vor. Wenn sie ihn abends abholt, im eleganten Kostüm, die Haare hochgesteckt, ist er erschöpft vom vielen Weinen.

Es ist schwer, mit ihr Schritt zu halten. Sie geht schnell und entschlossen, tak, tak, tak machen die Absätze ihrer hohen Schuhe auf dem Gehweg. Schön ist sie, findet Frank. Und wünscht sich nichts mehr, als dass sie sich zu ihm runterbeugt, ihn anlächelt, ihm mit der Hand über Kopf oder Wange streicht. Doch sie bleibt abweisend und stumm.

Familie Dohrmann lebt in einem Hinterhaus in Friedrichshain. Es fällt kaum Tageslicht in die enge Einzimmerwohnung, so nah stehen die Nachbarhäuser. Die Wohnung ist feucht und wird trotz der Ofenheizung nie richtig warm. Zum Glück wohnen die Großeltern nur ein paar Straßen weiter. Frank freut sich, wenn sie dorthin gehen. Er mag die Heimeligkeit des wuchtigen Sofas, die Anrichte mit den blank geputzten Scheiben, die Häkeldeckchen auf den Lehnen, durch deren sternförmige Maschen man den Finger bohren kann. Und er liebt seinen Opa Heinrich, der als Lehrmeister in einer Metallfabrik arbeitet – ein kleiner, stiller Mann, dessen Händen man das lebenslange Schuften ansieht. Zärtlichkeiten sind nicht seine Sache, aber von ihm gehen Wärme und Zuneigung aus, die Frank von seinen Eltern nicht kennt.

Bei Mama und Papa fühlt es sich immer irgendwie anders an. Was dieses »andere« ist, wird Frank erst als Erwachsener beim Namen nennen können. Jahrzehnte später. Die Angst vor den Eltern aber wird schon bald sein Leben bestimmen. Noch spürt er nur ihre Kühle. Und irgendwo ganz tief im Bauch: ein leise keimendes Misstrauen.

Franks Vater Ernst Dohrmann arbeitet beim Ministerium für Staatssicherheit der DDR, Hauptabteilung VI: Grenzkontrolle und Tourismus. Am Flughafen Berlin-Schönefeld kontrolliert er die Pässe der Ein- und Ausreisenden. Anfangs fiel es ihm schwer, sich auf die strengen Verhaltensregeln des neuen Dienstherrn einzustellen: Schon in den ersten Monaten wurde er mehrfach zu »Aussprachen« gebeten. Nach gerade mal zwei Jahren Dienst stand sogar seine Entlassung im Raum: Genosse Dohrmann, warnte der Leiter der Grenzübergangsstelle, sei ein »Unsicherheitsfaktor«. Seine »gesamte Einstellung« lasse daran zweifeln, dass er »zu einem wertvollen Mitarbeiter unseres Organs« werden könne. »Leichtgläubig« habe er auf dem Flughafen »persönliche Verbindungen zu einem bulgarischen Bürger« aufgenommen, der »ständig Westberliner Reisegruppen begleitet«, heißt es in seiner Akte. Zudem habe er bei DDR-Bürgern »zwar Westkontakte festgestellt, bezeichnet diese aber als allgemein üblich« und habe dazu »keine informationswürdigen Ergebnisse für unser Organ« erarbeitet.

Besonders bedenklich aus Sicht der Stasi aber war die mittlerweile »gefestigte Verbindung« zu seiner Freundin: In der Wohnung ihrer Eltern »ist es bereits vorgekommen, ... dass das Westfernsehen lief bzw. Westsender gehört wurden. Genosse D. nahm dagegen, da er der Meinung ist, in dieser Wohnung nur Gast zu sein, nicht Stellung. ... Dadurch lässt er sich ständig mit den Einflüssen des Westfernsehens konfrontieren. Abgesehen davon, dass dieses schon Anlass genug ist, das Verhältnis ... seinerseits zu überprüfen, findet er sich auch mit einer Reihe weiterer Westkontakte, die in der Familie bestehen, ab.« Obwohl ihm »bekannt ist, dass er die Kaderabteilung von seinen Verbindungen unterrichten muss, ist er der Meinung, dass er dies selbst einschätzen kann, wenn der richtige Zeitpunkt gekommen ist«. Hieraus werde ersichtlich, »dass er die Sicherheitsfragen in arroganter Weise missachtet«.

Die Drohgebärden zeigten Wirkung: Ein halbes Jahr später bescheinigten ihm seine Vorgesetzten das Bemühen, »seine falsche Einstellung ... zu beseitigen«. Er durfte bleiben. Sein Verhalten müsse jedoch »weiterhin ... durch planmäßige und zielstrebige Erziehung« gefestigt werden. Ernst Dohrmann – inzwischen verheiratet – versprach, sich zu bessern. Seitdem strengt er sich an. Doch die »aktiven Westverbindungen« der Schwiegereltern setzen seinem Ehrgeiz enge Grenzen. Der Vater seiner Frau hat eine Schwester in Köln und sogar einen Bruder in Kanada, der die Familie regelmäßig besucht.

Während seiner gesamten Dienstzeit wird Dohrmann sich immer wieder dafür rechtfertigen müssen. Und beteuern, selbst keinerlei Kontakt zu diesem Teil der angeheirateten Verwandtschaft zu haben. So meldet er auch im Sommer 1971 gewissenhaft den Besuch des Onkels aus Kanada: Seine Ehefrau habe »abends ihre Eltern noch einmal aufgesucht« und sei »beim Verlassen der Wohnung ... dem Westbesuch in die Arme gelaufen«. Sie sei dabei jedoch allein gewesen und es sei »lediglich zur Begrüßung gekommen«. Nach dieser Mitteilung wurden sofort »Maßnahmen eingeleitet«: »Genosse D. wird für die Zeit des Aufenthaltes der Kanadier in der DDR mit Ehefrau und Kind im Naherholungsobjekt der HA VI ... untergebracht.« Vierzehn Tage Verwandtschaftsquarantäne.

Doch damit ist es nicht getan. »Es kommt ... darauf an«, heißt es im folgenden Bericht, dass »durch den Genossen Dohrmann systematisch auf die Schwiegereltern eingewirkt wird, damit sie ihre Westkontakte liquidieren«. Ob ihm das gelingt, will man in der Diensteinheit nicht abwarten: Vorsichtshalber versetzt man den 31-Jährigen in die Fahrbereitschaft – »auf Grund kaderpolitischer Probleme, sachbezogen auf Verwandtschaft 2. Grades im kapitalistischen Ausland«. Es muss ihm wie eine Strafe vorkommen. Und letztlich ist es das auch.

Immerhin weist ihm das MfS im Sommer 1973 endlich die lang ersehnte neue Wohnung zu: Die Dohrmanns ziehen in ein Hochhaus an der Frankfurter Allee. In der Zweiraumwohnung mit dem schmalen Flur riecht es noch nach Farbe und Teppichkleber – das Haus ist eben erst fertig geworden. Auch das Gelände rundherum ist noch eine große, unübersichtliche Baustelle: Die Stasi lässt hier, in unmittelbarer Nähe zur Zentrale, dem sogenannten Dienstobjekt Lichtenberg, elf- und dreizehnstöckige Plattenbauten für ihre Mitarbeiter errichten. Auch in den Nachbarstraßen hat die MfS-eigene Verwaltung in den letzten Jahren immer mehr Wohnungen übernommen. Für den vierjährigen Frank ist das Viertel ein einziger Abenteuerspielplatz. Mit seinem neuen roten Roller erkundet er das Gelände, holpert über aufgerissene Straßen, vorbei an Baugruben und Schuttbergen, und sieht stundenlang zu, wie schlammverkrustete Bagger Fundamente ausheben.

Die neue Wohnung ist im Vergleich zur alten nahezu Luxus, die moderne Ausstattung mit Zentralheizung, Teppichboden und Badewanne für DDR-Verhältnisse keine Selbstverständlichkeit. Für individuelle Gestaltung allerdings lässt der normierte Grundriss der Plattenbauten wenig Raum. Und so bietet sich in den Wohnungen nur allzu oft das gleiche Bild: im Wohnzimmer die obligatorische Schrankwand mit dunklem Kunstfurnier, dazu eine gepolsterte Sitzgruppe mit höhenverstellbarem Couchtisch, der Esstisch an der Durchreiche zur Küche – alles zweckmäßig, platzsparend und ohne Schnörkel, ganz wie es die populäre »Wohnraumfibel« empfiehlt: »Unsere Wohnung soll doch in erster Linie dem Ablauf unseres täglichen Lebens dienen« und »ein Höchstmaß an Zweckmäßigkeit und rationeller Raumaufteilung mit einem Höchstmaß an Arbeitsersparnis und Behaglichkeit« verbinden.[1]

Manchmal setzt sich Ernst Dohrmann dazu, wenn sein Sohn auf dem Wohnzimmerteppich mit Autos spielt. Frank genießt die seltenen Momente der Zuwendung, weiß aber auch, wie zerbrechlich sie sind. Wenn er nach Meinung des Vaters »nicht ordentlich spielt«, zu wild oder unkonzentriert ist, bekommt er dessen Zorn zu spüren, und das Spiel ist schlagartig vorbei. Mit jeder kindlichen Unachtsamkeit handelt sich Frank minutenlange Standpauken ein, die er mit gesenktem Kopf über sich ergehen lässt. Beim Spielen versucht er, den Ausdruck im Gesicht des Vaters im Blick zu behalten. Er weiß: Wenn das wohlwollende Lächeln verschwindet, ist es zu spät. Er muss die Zeichen schon früher bemerken.

Draußen im Park vergisst Frank manchmal, dass er auf der Hut sein muss. Es ist so schön, mit Papa herumzutoben und ihn lachen zu hören. Frank mag einfach nicht aufhören, wenn der Vater »Schluss!« sagt. »Noch ein bisschen, Papa«, bettelt er, obwohl er weiß, dass es keinen Zweck hat. Dass der kleine Mann mit dem schütteren schwarzen Haar keinen Ungehorsam duldet. Schon gar nicht von ihm. Trotzdem: Er kann nicht widerstehen, klettert noch mal und noch mal auf die Rutsche, flitzt noch mal im Zickzack über den Rasen, bis ihn der Vater schließlich mit festem Griff am Oberarm packt – »Kannst du nicht hören? ›Schluss‹ hab ich gesagt!«

Wohlverhalten und Wachsamkeit – Frank weiß, worauf es ankommt. Möglichst still sein, brav und folgsam, dann geht es meistens gut. Doch dann wacht er eines Tages beim Mittagsschlaf im Kindergarten in einer Pfütze auf – er hat ins Bett gemacht. Und es bleibt nicht bei dem einen Mal. Die Eltern werden informiert. Sie geben der Erzieherin die Schuld und bestehen darauf, dass Frank in eine andere Gruppe kommt. Als das nicht hilft, richten sich Zorn und Scham von Marion und Ernst Dohrmann auf ihren Sohn. »Es ist eine Schande!«, bekommt er wieder und wieder zu hören. »Du bist fast fünf und benimmst dich wie ein Baby!«

Gut vier Stunden dauert die Fahrt von Berlin in das kleine Städtchen Rathen in der Sächsischen Schweiz. Die Dohrmanns sind schon früh im voll gepackten Trabant aufgebrochen, zwei Wochen Ferien liegen vor ihnen. Durch die heruntergekurbelten Fenster weht Sommermorgenluft. Frank sitzt hinten, neben dem Korb mit Reiseproviant, und reckt den Hals, um keinen neuen Autotyp zu verpassen. Er kennt sie fast alle, Autos sind einfach das Größte. Und heute ist Papa auch gar nicht genervt, wenn er ihn mit Fragen löchert. Es wirkt fast so, als hätte er Spaß daran, ihm etwas zu erklären. Überhaupt scheinen die Eltern mit jedem Kilometer, den sie sich von Berlin entfernen, entspannter zu werden. Als sie mittags in Rathen ankommen, ist die Stimmung so gelöst wie schon lange nicht mehr.

Die Familie bezieht ihr Quartier in einer großen Jugendstilvilla am Ortsrand – ein Ferienheim des MfS. Vor dem Haus rauschen dicke Buchen, dahinter beginnen Felder, auf denen es blüht und summt und duftet. Frank staunt. Noch nie hat er einen so schönen Ort gesehen. Zum ersten Mal in seinem Leben bekommt er ein eigenes Zimmer, und abends darf er mit den Eltern in den Speisesaal, wo Kellnerinnen mit weißen Schürzen das Essen servieren. Vater bestellt Bier für sich und seine Frau, Frank bekommt eine Brause mit Strohhalm. Er darf länger aufbleiben und fühlt sich sehr erwachsen.

Tagsüber unternehmen die Dohrmanns Ausflüge und Wanderungen in die Umgebung, besichtigen die Festung Königstein, überqueren mit der Seilfähre die Elbe und steigen hoch zur berühmten Bastei. Frank läuft vorneweg, bekommt Seitenstiche und merkt es kaum, so verzaubert ist er: Von Wurzeln durchzogene Pfade winden sich durch das grüne Halbdunkel einer Felsenklamm, die Wege sind glitschig von Moosen und Flechten. Mal weitet sich der Weg, gibt den Blick frei auf riesige Gesteinsbrocken, die aussehen, als seien sie eben vom Himmel gefallen, dann wieder wird er schmal, und die modrig-feuchte Kühle, die von den Felswänden ausgeht, macht auf Franks nackten Armen eine Gänsehaut. Der Kontrast zur grauen Enge Berlins, der sterilen Ordnung der elterlichen Wohnung könnte nicht größer sein. Hier will ich bleiben, denkt Frank. Hier, hier, hier.

Eines Morgens bemerkt er beim Aufwachen erschrocken, dass sein Schlafanzug wieder mal nass ist. Das Herz klopft ihm bis zum Hals. Ist das Glück jetzt vorbei? Wird er ausgeschimpft werden, eine Ohrfeige bekommen? Oder wird vielleicht doch alles wieder gut, einfach so? Vielleicht schimpfen Mama und Papa ja nur ein bisschen und hinterher gehen sie alle zusammen ein Eis essen?

Doch dann sieht er, wie sich das Gesicht seiner Mutter verhärtet, und er weiß, dass sich seine Hoffnung nicht erfüllen wird. Noch im Bett sitzend bekommt er eine Strafpredigt. Das Frühstück findet in eisiger Atmosphäre statt. Frank kriegt kaum etwas runter. Dann die Treppe nach oben, zurück ins Zimmer. Tür zu, die sich entfernenden Schritte des Vaters.

Durch das kleine Fenster scheint die Sonne auf Franks Gesicht, das nass ist von Rotz und Tränen. Draußen beginnt ein neuer Sommertag, und er darf nicht dabei sein. Er rollt sich auf dem Bett zusammen, zieht die Knie unters Kinn, macht sich so klein es nur geht. All das Schöne, da ist er sich sicher, ist unwiederbringlich verloren. Die Harmonie ist zerbrochen, und er ist schuld daran.

Am nächsten Tag versucht er, besonders lieb zu sein, achtet darauf, seine Hose nicht schmutzig zu machen und beim Essen nicht zu kleckern. Bloß keinen neuen Anlass zum Schimpfen geben! Die Eltern sollen merken, dass er alles wiedergutmachen will. Zu seiner Erleichterung sprechen sie die Sache nicht mehr an, und auf der nächsten Wanderung schlägt der Vater sogar vor, mit ihm den schwierigeren Weg über eine steile Anhöhe zu nehmen. Als Frank abrutscht, fürchtet er schon, wieder etwas falsch gemacht zu haben, und schaut besorgt zum Vater. Doch der bleibt stehen, lächelt sogar ein bisschen, zieht seinen Gürtel aus der Hose, schlingt ihn durch eine Schlaufe an Franks Hosenbund und zieht seinen Sohn Schritt für Schritt mit nach oben.

Drei Tage später sind sie auf dem Weg zurück nach Berlin. Frank ist weh ums Herz, der Abschied fällt ihm schwer. Ob er die Felsen und Schluchten, den Wald und die duftenden Wiesen einmal wiedersehen wird? Und wird es je wieder eine so schöne Zeit zu dritt geben, wo er doch alles vermasselt hat?

Tatsächlich wird das Thema Bettnässen von nun an die Beziehung zwischen Eltern und Kind beherrschen. Es passiert nicht jede Nacht, aber doch immer wieder. Die Mutter reagiert jedes Mal wie auf einen persönlichen Affront, für den Vater ist es eine Frage mangelnder Disziplin: »Du willst es einfach nicht« ist ein Vorwurf, den Frank häufig zu hören bekommt. Der eigene Sohn erweist sich als Schwächling – wie peinlich!

Bei der Stasi wacht Leutnant Dohrmann inzwischen über die Visumanträge für Einreisen in die DDR. Dort gehört es zu seinen Aufgaben, Informationen über die Antragsteller und deren Motive zu gewinnen. Seine Abteilung, die HA VI, ist innerhalb kürzester Zeit zum mitarbeiterstärksten operativen Bereich des MfS herangewachsen – eine Reaktion auf die kürzlich von Bundeskanzler Willy Brandt eingeleitete Entspannungspolitik: Durch die neuen Vereinbarungen hat der Reiseverkehr von West nach Ost massiv zugenommen – und mit ihm die Gefahr, dass »politisch-negative Personen« und freiheitliches Gedankengut in die DDR gelangen. Oder DDR-Bürger in den Kofferräumen westdeutscher Pkw in die BRD.

Von seiner zwischenzeitlichen Tätigkeit als Fahrlehrer wurde Ernst Dohrmann entbunden. Bei ihm seien nur »ungenügende pädagogische Fähigkeiten im Umgang mit den Menschen vorhanden«, heißt es in seiner Beurteilung. Vor allem »Genossinnen, die im Ausbildungsprozess zum Erwerb der Fahrerlaubnis standen« hätten sich immer wieder über »sein überwiegend zynisches und überhebliches Auftreten« beschwert. Ansonsten aber beweise Dohrmann eine »positive Einstellung zu Partei und Regierung und zum Organ selbst«. Er studiere »die aktuellen Materialien der Partei selbständig und gründlich« und wirke »als Vorbild bei der Umsetzung der Parteitagsbeschlüsse«.

Auch auf »Ehefrau und Schwiegereltern« nehme er »ständig positiven Einfluss … sodass die Westkontakte immer mehr eingeengt werden«.

*

Berlin-Hohenschönhausen, mehr als zwanzig Jahre nach dem Mauerfall. Martin Kramer steht mit seinem zwölfjährigen Sohn Lukas vor dem Haus, in dem er als Kind gelebt hat. »Da oben, im dritten Stock, das Fenster da, das war mein Zimmer. Die Fassade war eher bräunlich, nicht so schön weiß, aber hübsch ordentlich und sauber war es hier auch damals schon«, sagt er und deutet auf die knöchelhohen Buchsbaumhecken, die die Rasenflächen vor der Eingangstür einrahmen. »Und das ist der Baum, in dem damals der Schlüssel hing. Davon hab ich dir erzählt, weißt du noch?« Lukas nickt. Die Geschichte kennt er gut. Für ihn ist sie eine Episode aus fernen Zeiten, für Martin eine weitere bedrückende Erinnerung an seine Kindheit.

»Welcher Ast war es denn?«, will Lukas wissen und blinzelt in die Krone der Linde, die das fünfstöckige Mietshaus um einige Meter überragt. Martin zuckt mit den Schultern. »Auf jeden Fall war er so weit oben, dass da kein Rankommen war.«

Die Geschichte spielt Anfang der Siebzigerjahre an einem Samstag im Herbst. Martin ist sechs Jahre alt und geht seit ein paar Wochen zur Schule. Ein bisschen früh, findet seine Mutter, doch der Vater sagt: »Je eher sich der Junge an den Ernst des Lebens gewöhnt, desto besser.« Dass Martin darauf besteht, seinen Teddy mitzunehmen, findet er albern. Doch die Mutter setzt sich durch, und der Teddy kommt mit. »Ich war eigentlich noch zu klein, da hatte meine Mutter durchaus recht«, sagt Martin. »Ich hab damals noch völlig in meiner Kinderwelt gelebt mit Tieren und Märchenfiguren und konnte im Unterricht gar nicht verstehen, was man von mir wollte.«

An diesem Tag geht Martin darum einfach irgendwann nach Hause und denkt sich nichts dabei. Er trödelt ein bisschen und schleudert den Haustürschlüssel, der an einem langen Band hängt, durch die Luft. Ab und zu bleibt er stehen, wirft ihn so hoch er kann und fängt ihn zwei Schritte später wieder auf. Immer höher fliegt er, einmal zählt Martin sogar drei Schritte, bevor Schlüssel und Band wieder herunterkommen. Einmal noch, kurz vor der Tür, und dann – verfängt sich der Schlüssel in einem Baum und rührt sich nicht mehr. Unerreichbar weit oben.

Martin wird mulmig zumute. Sein erster Impuls ist weglaufen, irgendwohin. Wenigstens noch einmal um den Block. Doch was, wenn der Schlüssel in der Zwischenzeit herunterfällt und irgendjemand ihn mitnimmt? Martin sammelt Stöcke und Steine, versucht, zumindest den Ast zu treffen, an dem sich das Band verfangen hat, doch er kommt noch nicht mal in die Nähe. Es hilft nichts, er muss zu Hause klingeln.

Beide Eltern sind da, Martin druckst ein bisschen herum, bevor er erzählt, was passiert ist. Der Vater zögert nicht lange, verpasst ihm eine Ohrfeige und schiebt ihn ins Kinderzimmer: »Da bleibst du jetzt. Und Spielen im Hof kannst du dir erst mal abschminken!«

Auf Zehenspitzen steht Martin am Fenster und späht vorsichtig nach draußen, wo die zur Hilfe gerufene Hausgemeinschaft versucht, den Schlüssel aus dem Baum zu holen. Der Kloß in seinem Hals geht nicht weg. Er hat das Gefühl, etwas besonders Schlimmes gemacht zu haben. Unten bringt jemand eine Leiter, Frau Koepke von nebenan kommt mit einem Seil. Schließlich rücken sie dem Ast sogar mit einer Säge zu Leibe. Doch alles Vergeblich.

»Ich glaube, das Ganze war so ein Drama, weil unsere Wohnung zum MfS gehörte und man den Schlüssel nicht einfach nachmachen konnte. Wahrscheinlich hängt er immer noch da oben«, sagt der erwachsene Martin und grinst. Dem kleinen Martin auf Stubenarrest aber ist überhaupt nicht zum Lachen. Er schämt sich und schwört im Stillen, ab jetzt immer artig zu sein. Das Gefühl, eingesperrt und ständig unter Beobachtung zu sein, wird ihn bis ins Erwachsenenalter begleiten.

Wie die meisten hier im Viertel arbeitet auch Martins Vater Gerd Kramer für die Staatssicherheit, seine Mutter ist Lehrerin an einer Grundschule. »Städtchen« nennen die alteingesessenen Hohenschönhauser das Wohngebiet der Stasimitarbeiter, so geschlossen wirkt es auf sie.

Gerd Kramer ist aufstrebender MfS-Funktionär mit mustergültigem Lebenslauf: Schon 1956 – da ist er noch nicht ganz achtzehn und Schüler in Leipzig – wirbt die Stasi ihn als »Nachwuchskader« und schickt ihn zur zweijährigen Ausbildung auf die Hochschule des MfS in Potsdam-Eiche. Als »Sonderschule geschlossenen Charakters« dient sie zu dieser Zeit der Vorbereitung vielversprechender Neulinge und »mittlerer leitender Kader« für den Aufstieg in höhere Positionen. Auf dem Stundenplan stehen unter anderem »Grundfragen der operativen Arbeit«, »Zersetzungstätigkeit«, »operative Psychologie« und Strafprozessrecht.

Gleich nach seinem Abschluss wird Gerd Kramer in der Hauptabteilung II eingestellt: Spionageabwehr. Ein Bereich also, der im Selbstverständnis der Stasi den eigentlichen Kern geheimdienstlicher Tätigkeit bildet, den Kampf gegen Feinde. Die aber kommen nicht nur von außen: Gemäß der von Behördenchef Erich Mielke vertretenen Doktrin der »politisch-ideologischen Diversion«, der »PID«, ist grundsätzlich jeder DDR-Bürger, auch der loyalste, potentiell anfällig für die Einflüsterungen feindlicher Kräfte. Aus diesem Grund ist die Hauptabteilung II nicht nur zuständig für die »operative Bearbeitung« westlicher Geheimdienste, sondern auch an der Bekämpfung politisch Andersdenkender im eigenen Land beteiligt, zeigt sich doch nach Stasi-Logik in jeder abweichenden Haltung der Einfluss des Westens. Die Welt teilt sich in Freund und Feind, dazwischen gibt es nichts. Wer nicht für uns ist, ist gegen uns, so lautet die Maxime. Und Gerd Kramer sitzt mittendrin.

»Ich gelobe an Eides Statt«, heißt es in der handschriftlich abgelegten Verpflichtungserklärung des Zwanzigjährigen, »mit aller Entschlossenheit den Kampf gegen die Feinde der Deutschen Demokratischen Republik zu führen und so zu leben, wie es die Grundsätze der sozialistischen Moral und Ethik von einem bewussten sozialistischen Menschen verlangen.«

Wie alle neuen Kader bekommt auch Gerd Kramer Zeit, sich den Gepflogenheiten der »Firma« anzupassen und ihre Denk- und Verhaltensnormen zu verinnerlichen. In der Abschlussbeurteilung tadelt die MfS-Hochschule: »Obwohl Genosse Kramer parteilich diskutiert, gibt er mitunter doch unklassenmäßige Einschätzungen.« Ganz auf Linie ist der junge Mann also noch nicht. Und auch nach anderthalb Jahren Dienst bescheinigt ihm die Hauptabteilung II, er habe sich mehr um die »Aufklärung und Werbung neuer inoffizieller Mitarbeiter« zu bemühen. Dafür müsse er sich noch »Kenntnisse im Umgang mit Menschen aneignen und gewisse Hemmungen ablegen«.

Auch sein Privatleben bleibt dem neuen Dienstherrn nicht verborgen: »Von der Zeit an, wo Genosse Kramer seine jetzige Verlobte kennenlernte, ließen seine fachlichen Leistungen etwas nach«, heißt es ein Jahr später über den Unterleutnant. »Dieses Verhältnis ist wahrscheinlich auch der Anlass dafür, dass er jetzt oft persönliche Dinge etwas in den Vordergrund rückt und nicht immer das Verständnis für bestimmte Härten, die unser Dienst verlangt, aufbringt.« Überhaupt sei er »charakterlich ... als etwas unausgereift und weich einzuschätzen«.

Mit der Zeit aber mausert sich Genosse Kramer vom eifrigen, aber noch unerfahrenen Hilfssachbearbeiter zu dem, was von ihm erwartet wird: einem vorbildlichen Tschekisten. So nennen sich die hauptamtlichen Mitarbeiter der DDR-Staatssicherheit stolz in Anlehnung an die sowjetische Geheimpolizei Tscheka, nach deren Vorbild das MfS gegründet worden war. Die »tschekistische Persönlichkeit« setzt sich laut MfS-interner Definition aus bedingungsloser Einsatz- und Opferbereitschaft, Härte, Standhaftigkeit und Mut zusammen. Als »entscheidende Grundlage für den leidenschaftlichen, unversöhnlichen Kampf gegen den Feind« gehören zu ihr aber auch die »tiefen Gefühle des Hasses, des Abscheus, der Abneigung und Unerbittlichkeit«.[2]

Sämtliche Verhaltensregeln und die Arbeit selbst sollen dazu beitragen, die tschekistische Persönlichkeit herauszubilden und zu schärfen. Bei Gerd Kramer geht das Konzept auf: Schon nach fünf Dienstjahren heißt es in der Begründung für seine Beförderung anlässlich des zwölften Jahrestages der DDR 1961, er versuche »ständig neue Personen für die Zusammenarbeit mit dem MfS zu schaffen«. Und wieder ein Jahr und eine Beförderung später: »Gen. Kramer ist politisch zuverlässig und parteiverbunden. Er ist stets einsatzbereit und stellt seine persönlichen Belange stets in den Hintergrund.« Anerkennend ergänzt der Leiter der Abteilung: »Durch die operative Arbeit ist in seinem Charakter eine gewisse Wandlung eingetreten. Er ist im Gegensatz zu früher energisch und kämpferisch.«

Die Entwicklung verläuft also ganz im Sinne des MfS – der »Perspektivkader« erweist sich als gute Wahl: »In letzter Zeit hat er aktiv mit dazu beigetragen, eine Reihe gefährlicher Spione zu liquidieren«, heißt es 1963 im Vorschlag für die nächste Beförderung. Zudem sei er »hauptverantwortlich für die Bearbeitung eines wichtigen ZOV«, eines »Zentralen operativen Vorgangs«, »aus dem laufend Festnahmen durchgeführt werden«.

Als Martin acht Jahre alt ist, zieht die Familie von Hohenschönhausen nach Lichtenberg in die Frankfurter Allee. Gerd Kramer ist mittlerweile Hauptmann und stellvertretender Referatsleiter in der Hauptabteilung II. Martin kommt in die dritte Klasse der Polytechnischen Oberschule Hilde Coppi. Fast alle seine Klassenkameraden sind genau wie er neu hier im Viertel, und wenn die Lehrer nach den Berufen der Eltern fragen, antworten viele: »Mein Vater ist beim MdI.« Auch Martin wird zu Hause eingeschärft, das zu sagen. Das Kürzel steht für Ministerium des Innern und ist eine typische Legende, um die Arbeit für die Stasi zu verschleiern. So typisch, dass die meisten Lehrer sie sehr wohl zu deuten wissen.

Den Leuten im Viertel ist ebenso bewusst, dass sie es bei ihren Nachbarn oftmals mit Angehörigen des MfS zu tun haben. Der lange Hochhausriegel, in den die Kramers ziehen, gilt allgemein als »Stasi-Block« – zumal er in unmittelbarer Nähe der Zentrale liegt: Vom Balkon aus kann Martin die Wachposten sehen.

Wie ein Geschwür hat sich das MfS im Laufe der Zeit in das einst kleinbürgerliche Lichtenberg gefressen: Wo es ein paar Jahre zuvor noch Laubengärten, Wohnhäuser und kleine Handwerksbetriebe gab, ragen jetzt die mächtigen Dienstgebäude der Behörde auf. Ganze Straßenzüge werden dem neuen Sperrgebiet einverleibt und verschwinden für immer vom Stadtplan Berlins – wie die kopfsteingepflasterte Müllerstraße, in der Anfang der Siebzigerjahre noch eine fast ländliche Idylle herrscht. Die Arbeiten finden hinter Zäunen und Sichtblenden statt, die beteiligten Betriebe sind zum Schweigen verpflichtet, und auch bei der Räumung der zum Abriss vorgesehenen Häuser bemüht sich das MfS um größtmögliche Geheimhaltung. Trotzdem weiß jeder im Viertel, wer der mächtige Bauherr ist. Bis 1989 wird das streng bewachte Areal auf fast zwei Quadratkilometer anwachsen.

Martin geht gern zur Schule und findet schnell neue Freunde. Zu schaffen machen ihm nur die Reaktionen des Vaters, für den seine eher mittelmäßigen Leistungen ein ständiges Ärgernis sind. »Wer seinen Teil beitragen will zu diesem Staat, der muss auch etwas leisten«, lautet dessen immer wiederkehrende Predigt. Martin gibt sich alle Mühe, den Erwartungen zu entsprechen. Er möchte ja seinen Teil beitragen zum Gelingen des Sozialismus. Das blaue Halstuch der Jungpioniere trägt der Neunjährige mit Stolz, und ihre zehn Gebote rattert er flüssig herunter: »Wir Jungpioniere lieben unsere Deutsche Demokratische Republik«, »Wir lieben unsere Eltern«, »Wir Jungpioniere lernen fleißig, sind ordentlich und diszipliniert«. Doch während er in Deutsch und Geschichte gute Noten nach Hause bringt, hapert es in Mathe und Russisch, was seinen Durchschnitt erheblich verschlechtert – zum Ärger des Vaters.

Martin fürchtet sich vor den Momenten, wenn er ihm seine Hefte zeigen muss. Er weiß, dass sein Kopf ihm den Dienst versagt, sobald er eine der zackig gestellten Fragen beantworten muss und mit jedem Zögern, jedem Fehler die Ungeduld des Vaters wächst. »Wieso geht dir das nicht endlich in den Kopf? Es ist doch nicht so schwer! Du träumst einfach zu viel!« Meist knallt der Vater nach einer Weile entnervt das Heft auf den Tisch: »Hoffnungslos!«

»Irgendwann hat er es dann aufgegeben und sich im Grunde gar nicht mehr um mich gekümmert«, erzählt Martin. Es ist die Mutter, die sich mit ihm hinsetzt, den Dreisatz erklärt und russische Grammatik übt. Als Martin vierzehn ist, bleibt sie sogar ein Jahr zu Hause, um ihm auf die Sprünge zu helfen. Den Ansprüchen des Vaters genügt er trotzdem nie. Der war, wie er immer wieder betont, in seinem Alter längst Klassenbester. Wie kann es da sein, dass sein eigen Fleisch und Blut so ein Versager und Träumer ist?

Tatsächlich – die Stasi war gründlich – belegen die Akten den Eifer des Schülers Gerd Kramer: Der »Ermittlungsbericht« der zuständigen Bezirksverwaltung zum hoffnungsvollen Nachwuchskader listet 1956 gleich mehrere Auszeichnungen seiner bisherigen Schullaufbahn auf, darunter die Abzeichen »Für gute Arbeit in der Schule«, »Für gutes Wissen« und die Erntenadel in Silber. Seine Fähigkeiten, heißt es weiter, »liegen über dem Durchschnitt«. »Auf Grund der proletarischen Erziehung von seinen Eltern hat er eine ausgesprochen klare politische Linie.«

Als »negative Punkte« finden die ermittelnden Genossen zwar zwei in Westdeutschland lebende Schwestern der Mutter, fügen jedoch hinzu: »Der Kandidat sowie dessen Eltern haben zu diesen *keine Verbindung.*« Von seinem Großvater, hebt der Bericht lobend hervor, habe er sogar verlangt, »die lose Briefverbindung zu seinen zwei Töchtern aufzugeben«, obwohl der 86-Jährige ihnen »nur ganz inhaltlos und selten« schreibe.

Manchmal gehen Vater und Sohn zusammen angeln. Fahren sonntags früh mit dem Trabant nach Köpenick, zum Gosener Kanal oder an den Müggelsee und haben ein paar Stunden später meist schon den Eimer voller Barsche und Plötzen. Martin ist mit Feuereifer dabei. Er genießt es, mit »Vati« über die Wahl des richtigen Köders zu diskutieren. Wenn er seine Sache gut macht, bekommt er sogar mal ein anerkennendes Schulterklopfen.

Wirkliche Vertrautheit aber entsteht bei den seltenen gemeinsamen Unternehmungen nicht. Zu stark bestimmen Respekt und Gehorsam ihre Beziehung. »Beim Angeln ging es eben ums Angeln und um sonst nichts«, erinnert sich Martin. »Er hat nie gefragt, wie es mir geht oder was ich so denke. Ich glaube, es hat ihn gar nicht interessiert. Ich sollte gut funktionieren, immer schön auf Linie sein und ihm keine Schande machen. Wirkliche Gespräche gab es bei uns zu Hause nicht. Das war wie in einem Vakuum.«

Das Vakuumgefühl verstärkt sich in der Schule, wo Martin vieles sieht, was ihm streng verboten ist: »Die anderen hatten ihre Levi's, während ich die blöden DDR-Nietenhosen tragen musste. Und natürlich haben auch alle Westfernsehen geguckt und immer darüber geredet.« Ein Mitschüler hat manchmal sogar Hubba-Bubba-Kaugummi dabei und lässt die rosa Blasen immer extra auffällig zerplatzen. Den klebrig-süßen Geruch hat Martin noch heute in der Nase: »Für mich war total klar: So riecht der Westen! Und ich war furchtbar neidisch, weil ich wusste, dass ich so etwas nie bekommen würde.«

Auch Martins Freunde entgehen der Aufmerksamkeit des Vaters nicht. Hin und wieder heißt es: »Mit dem spielst du nicht mehr – die Eltern haben Westkontakte.« Woher der Vater das weiß und was das alles mit ihm und seinen Kumpels zu tun hat, erfährt Martin nicht. Er käme auch nicht auf die Idee, danach zu fragen. »Das war eben so. Man kannte es ja gar nicht anders«, sagt er heute und wechselt dabei wie so oft aus der Ersten Person in die Dritte, zum neutralen »man«, als brauche er auch sprachlich Abstand zu damals.

Dass sein Sohn zu den »bewaffneten Organen« gehen wird, steht für Gerd Kramer fest. Am liebsten sähe er ihn in der Offiziersausbildung und dann als Mitarbeiter der »Firma«. Wie viele seiner Kollegen hat er der Abteilung Kader und Schulung bereits eine entsprechende Meldung gemacht, denn an Nachwuchs aus den eigenen Reihen ist das MfS besonders interessiert.

In den Siebzigerjahren stoßen die Werbeoffiziere allerdings selbst bei Mitarbeiterkindern immer öfter auf Vorbehalte, obwohl sie doch ganz im Sinne der Partei erzogen wurden. Auch Martin wird vom vorgezeichneten Weg abweichen. Noch aber ist er mit der Laufbahn einverstanden, die sein Vater für ihn plant. Mit vierzehn wird er sogar FDJ-Sekretär. Die Wahl gewinnt er, weil er beweisen kann, dass sein Gegenkandidat »Westen guckt«.

*

»Die Prügel«, sagt Stefan Herbrich, »waren gar nicht mal das Schlimmste. Die gehörten halt dazu. Viel schlimmer war es, wenn der Alte mich im Keller eingesperrt hat. Da hatte ich richtig Schiss, vor allem, wenn er dann noch die Sicherung rausgedreht hat und es zappenduster war.«

Die Kellerstrafe kann für jedes kleine Vergehen verhängt werden: ein falsches Wort bei Tisch, die nicht geputzten Schuhe, die Fünf in Mathe. Angst ist für Stefan ein sehr vertrautes Gefühl, und eine seiner ersten bewussten Erinnerungen geht so: Er ist fünf. Sein Vater hat ihn im Kindergarten auf einen Tisch gestellt, hält ihn mit der einen Hand fest und schlägt mit der anderen zu – auf den nackten Po, die Beine, ins Gesicht: Stefan hat sich in die Hose gemacht. Nicht zum ersten Mal, und dann auch noch »groß«, was für eine Blamage!

Es sind die beginnenden Sechziger, die Mauer steht erst seit drei Jahren. Die Stasi hat Stefans Vater Siegfried gerade in den hauptamtlichen Dienst übernommen, nachdem er sich einige Jahre als Informant in einem großen Betrieb bewährt hatte. Nun arbeitet er in der Abteilung XVIII der Bezirksverwaltung Gera, die für die Kontrolle der Volkswirtschaft zuständig ist. Die Familie lebt in einer Reihenhaussiedlung am Stadtrand. Alles schick und gepflegt, mit Möbeln der gehobenen Kategorie, hinter Glas in der Schrankwand ein Teller mit Leninrelief, großer Garten nach vorn und hinten – bei Herbrichs legt man Wert darauf zu zeigen, was man ist und hat. Und vor der Tür parkt ein stets auf Hochglanz polierter Trabant de luxe, mit rotem Dach und verchromten Stoßstangen: das erste und lange Zeit auch einzige Auto in der Straße.

Wenn sie gefragt werden, schärfen die Eltern Stefan und seiner drei Jahre jüngeren Schwester Jana ein, sollen sie sagen, ihr Vater sei Angestellter beim MdI. Das ist nervig und peinlich, findet Stefan. Schließlich haben die Väter der anderen Kinder allesamt richtige Berufe, sind Bäcker, Klempner oder Fabrikarbeiter, darunter kann man sich doch etwas vorstellen! »MdI? Und was macht dein Vater da?« Stefan weiß es selbst nicht. »Und wenn ich ihn gefragt habe, gab's, zack, eins auf den Hinterkopf. So waren sie, die Weltverbesserer.«

Fragen ist generell riskant und gilt schnell als Aufsässigkeit. Dass diesseits der Mauer die Guten leben und dahinter Faschisten und Kriegstreiber – was gibt's da zu fragen? So ist es eben. »Das Denken überlass mal den Pferden, die haben den größeren Kopf«, sagt Siegfried Herbrich gern.

Dabei hätte Stefan durchaus noch die ein oder andere Frage. Warum er zum Beispiel fast immer als Letzter übrig bleibt, wenn vom Bahnhofsvorplatz die Busse in die Ferienlager starten, voller fröhlich durcheinanderquatschender Mädchen und Jungen in seinem Alter. Ganz elend ist ihm jedes Mal, wenn die Listen vorgelesen werden, und wieder ist sein Name nicht dabei. Dann reden Mutter oder Vater mit diesem und jenem, manchmal geht ein Papier hin und her, und irgendwann darf Stefan dann schließlich in einen der Busse einsteigen. Als Letzter. »Da hattest du gleich das Schild auf der Stirn: Mit dem stimmt was nicht.« Niemand erklärt ihm, dass er als »Mitarbeiter-Kind« gewissermaßen inkognito fährt und darum nicht auf den Listen der Betriebe steht.

Auch in der Schule fühlt Stefan sich oft als Außenseiter. Vor allem wenn sich die anderen über Sendungen unterhalten, die am Tag vorher im Westfernsehen gelaufen sind. Zu Hause sind die Programme tabu. Abends hört er heimlich unter der Bettdecke Deutschlandfunk, das eine Ohr an den Lautsprecher gepresst, das andere ständig auf Empfang, um zu lauschen, ob der Vater ins Zimmer kommt. Wenn Stefan nicht schnell genug ist, gibt es »eine hübsche Belohnung«, wie er es heute mit bitterem Lachen nennt.

Doch der Wunsch dazuzugehören ist größer als die Angst, und so guckt er Westsender, wann immer es geht. Am liebsten »Disco« mit Ilja Richter im ZDF, aber im Grunde ist es egal – Hauptsache Westen. Das Wohnzimmerfenster geht zur Straße raus, sodass Stefan sieht, wenn der Vater vom Dienst nach Hause kommt, und rechtzeitig umschalten kann. Manchmal setzt sich die Mutter dazu. Dann sehen sie gemeinsam »Mein lieber Onkel Bill« – ein Stück heile Familienwelt aus Amerika, geteilt in heimlichem Einverständnis. Die Haustür schließen sie ab und lassen den Schlüssel von innen stecken. Wenn der Vater dann klingelt, erklärt ihm seine Frau, sie habe Angst vor den Nachbarn. Man wisse ja nicht, wer hier noch so wohne.

Einmal – Stefan ist zwölf und hat seine neue Hose zerrissen, wofür ihn die Mutter links und rechts ohrfeigt und mehrmals auf den Hinterkopf schlägt – droht er ihr: »Wenn du weitermachst, sag ich dem Alten, dass du Westen guckst!« Den Ausdruck in ihrem Gesicht hat er noch heute vor Augen, vierzig Jahre danach: erst ein Moment des Erschreckens, dann blanke Wut. Sie bückt sich, zieht ihren Hausschuh aus und schlägt mit der harten Plastiksohle auf ihn ein.

Als Kind hat Stefan jahrelang immer wieder den gleichen Traum: Er spürt sich selbst in freiem Fall und höchster Gefahr, sieht dann erleichtert unter sich den Boden, der ihn auffangen wird. Doch der öffnet sich plötzlich und er fällt in die Tiefe. Mit rasendem Herzen wacht er auf. Oft sitzt ihm der Todesschreck noch Stunden später in den Knochen, wenn er längst auf dem Weg zur Schule ist. Manchmal fürchtet er sich schon vor dem Einschlafen. Doch niemals würde er jemandem davon erzählen, am allerwenigsten den Eltern. »Das Denken überlass den Pferden ...«

Wenn er Freunde besucht, staunt er über den freundlichen Umgangston, der dort herrscht. Bei manchen klingt es richtig kameradschaftlich, fast so, als wären die Kinder genauso wichtig wie die Erwachsenen. Manchmal macht ihn das traurig, doch dann tröstet er sich: So was werde ich sowieso nie haben, wozu also traurig sein? Wenn der Vater einen guten Tag hat, kann er schließlich auch nett sein. Dann lässt er Stefan mit seiner Dienstwaffe spielen oder sie machen waghalsige Spritztouren mit dem Auto. Er kann klasse fahren, findet Stefan. Mit ordentlichem Tempo und rasanten Manövern, fast wie in Amerika.

Auf dem Rücksitz liegt meistens ein Gewehr. Siegfried Herbrich ist begeisterter Jäger. Sobald er am Waldrand oder auf einer Wiese Wild entdeckt, lenkt er den Wagen blitzschnell aufs freie Feld, lässt ihn mit abgeschaltetem Motor ausrollen, greift nach hinten, den Blick unverwandt auf das Tier gerichtet, lädt, zielt, schießt – und trifft. Kaninchen, Rehe und Wildschweine finden so ihr blutiges Ende. Stefan ist von den väterlichen Schießkünsten tief beeindruckt.

Einmal hält sie in der Stadt die Polizei an: Der Vater war zu schnell – wie schon so oft. »Ausweis und Fahrzeugpapiere«, verlangt der Vopo barsch. Siegfried Herbrich reicht ihm mit herablassender Geste ein Lederetui. Der Beamte wird blass, gibt das Mäppchen zurück und steht stramm, bis der Stasimann außer Sicht ist.

Auch wenn er es nie explizit ausspricht: Die Überzeugung, Teil einer Elite, eines verschworenen, besonderen Zirkels zu sein und mitzuarbeiten an der einen, ganz großen Sache, durchströmt Siegfried Herbrich auf Schritt und Tritt. Stefan sieht es in seinem überlegenen Lächeln, in der lauten, selbstbewussten Art zu sprechen, den raumgreifenden Schritten, im einvernehmlichen Handschlag mit Kollegen beim Dienstsport nach Feierabend, zu dem er ihn manchmal begleiten darf. »Eines Tages«, sagt er bei solchen Gelegenheiten oft, »gehörst du dazu, dann kommst du zu mir in die Firma.« Meist schiebt er dann noch hinterher: »Aber wer befehlen will, muss erst gehorchen lernen.«

Stefan weiß nicht, ob er überhaupt mal befehlen will, wagt aber nicht zu widersprechen. Er hat nichts gegen die DDR, und auch der Gedanke, sie später einmal vor den Angriffen des »imperialistischen Westens« zu schützen, kommt ihm nicht abwegig vor. Er kennt die Argumente ja alle, hört und liest sie in der Schule und bekommt sie Tag für Tag zu Hause gepredigt und vorgelebt. Warum also nicht zur Staatssicherheit?

Dass er sich allein schon wegen dieser Pläne mit Fünfen zu Hause nicht blicken lassen kann, ist ihm völlig klar. So zeigt er die Einsen und Zweien vor und fälscht für die schlechten Noten mal die Unterschrift der Mutter, mal die des Vaters. Doch als es am Ende der achten Klasse darum geht, wer die Erweiterte Oberschule besuchen darf – wie überall in der DDR sind es nur zwei von dreißig Schülern –, fliegt der Schwindel auf: Wutschnaubend wird Siegfried Herbrich vorstellig beim Direktor – wie es denn sein könne, dass sein Sohn nicht dabei sei, wo er doch ausschließlich gute Noten habe.

»Eine solche Tracht Prügel hab ich lange nicht gekriegt«, sagt Stefan.

Exkurs: Unterdrückung im Dienste
des Friedens – der Apparat

»Schild und Schwert der Partei« nennt sich die DDR-Staatssicherheit – und zeigt damit deutlich, was ihre Aufgabe ist: der Schutz der niemals durch demokratische Wahlen legitimierten Herrschaft der SED, der Sozialistischen Einheitspartei Deutschlands. Ihr ist sie verpflichtet, nicht etwa dem Staat oder dem Volk. 1950 nach dem Vorbild der sowjetischen Geheimpolizei Tscheka gegründet, trägt das Ministerium für Staatssicherheit von Anfang an die Züge eines Unterdrückungsapparates, der die »Diktatur des Proletariats« unerbittlich gegen ihre – echten oder vermeintlichen – Feinde zu verteidigen hat. An der Spitze des militärisch und streng hierarchisch strukturierten »Organs« steht seit 1957 Erich Mielke als Minister für Staatssicherheit. Ab 1971 ist er zugleich Mitglied des Politbüros.

Das Ministerium in Berlin-Lichtenberg ist Zentrale und Hauptquartier. Im Rest des Landes lenken Bezirksverwaltungen und Kreisdienststellen den Apparat. Meist sind sie in weit verzweigten Gebäudekomplexen untergebracht. In wichtigen Wirtschaftsbetrieben wie dem VEB Zeiss Jena unterhält das MfS außerdem sogenannte Objektdienststellen. In gesellschaftlich oder sicherheitspolitisch bedeutsamen Institutionen wie Universitäten oder dem Außenhandelsministerium sind »Offiziere im besonderen Einsatz« installiert, deren zivile Dienstverhältnisse in erster Linie ihren eigentlichen Auftrag verschleiern sollen: die Arbeit für die Stasi.

Die verschiedenen Fachbereiche innerhalb des Apparates sind nach dem sogenannten Linienprinzip organisiert: Den Hauptabteilungen in der Zentrale stehen meist entsprechende Referate in den Bezirks- und Kreisverwaltungen gegenüber, die für dieselben Bereiche auf lokaler Ebene verantwortlich sind. Das Spektrum reicht von nachrichtendienstlichen Kernaufgaben wie Auslandsspionage durch die HV A oder Spionageabwehr – HA II – über die Kontrolle der Volkswirtschaft und des Verkehrs – in den HA XVIII und HA XIX – bis hin zur Überwachung von Kultur und Kirche durch die HA XX und der Zentralen Koordinierungsgruppe für Flucht und Übersiedlung, der ZKG. Die Passkontrolle an den Grenzübergängen – HA VI – ist genauso Aufgabe der Stasi wie die Rundumversorgung der Politbüromitglieder in der Wandlitzer Waldsiedlung. Das MfS verfügt in der HA XIV über eigene Haftanstalten, die HA VIII nimmt selbständig Observationen und Verhaftungen vor, die HA IX ermittelt für Strafprozesse und führt diese auch durch. Im Fall eines Krieges oder einer Revolte stehen außerdem bewaffnete Einheiten parat, darunter das Wachregiment »Feliks D. Dzierzynski« mit über 11.000 Mann und die paramilitärischen Spezialtrupps der HA XXII, die für Terroranschläge im Hinterland eines möglichen Gegners ausgebildet sind oder beispielsweise Mordanschläge auf Fluchthelfer verüben.

»Eine solche Bandbreite von Aufgaben unter dem Dach eines einzigen Apparates ist selbst für kommunistische Diktaturen ungewöhnlich«, sagt Jens Gieseke, Historiker am Zentrum für Zeithistorische Forschung in Potsdam. Genau wie die schiere Größe: Alle zehn Jahre verdoppelt das MfS seinen Personalbestand. 1989 stehen 91.015 Hauptamtliche in Lohn und Brot – auf einen Mitarbeiter kommen also etwa 180 DDR-Bürger. Zum Vergleich: Selbst beim mächtigen KGB beträgt das Verhältnis 1 zu 595, in der Tschechoslowakei 1 zu 867, und in Polen stehen einem Geheimdienstler sogar 1574 Bürger gegenüber.[3]

Als »Hauptwaffe im Kampf gegen den Feind« unterhält das MfS noch dazu ein Netz aus inoffiziellen Mitarbeitern, den IM, die es mit Informationen aus allen Teilen der Gesellschaft versorgen und oft auch »operative Aufgaben« übernehmen. Zuletzt sind es rund 173.000, 90 Prozent davon Männer.[4] Darüber hinaus kann sich die Staatssicherheit auf die Auskünfte der »Partner des operativen Zusammenwirkens« verlassen, dazu zählen die Volkspolizei, Schulen, Staatsanwaltschaften, Banken, Krankenhäuser, das Amt für Arbeit und andere Einrichtungen der DDR.[5] Auch an den nötigen Mitteln fehlt es nicht: Ab Mitte der Sechzigerjahre steigt der Etat des MfS Jahr für Jahr um mindestens 100 Millionen Mark. Nur ein einziges Mal, 1983, verfügt die Parteiführung eine geringe Kürzung um 25 Millionen Mark. Doch schon zwei Jahre später liegt der Zuwachs wieder bei 322 Millionen Mark. Und noch 1989 – die desolate Haushaltslage ist längst offensichtlich – lässt sich die DDR-Führung ihren Sicherheitsapparat stattliche 4,195 Milliarden Mark kosten.[6]

Der stetige Ausbau und der immer umfassender werdende Kontrollanspruch der Stasi folgen der Logik der sogenannten politisch-ideologischen Diversion, im MfS-Jargon kurz PID genannt. Ihr zufolge ist jede Unruhe in der Gesellschaft, aber auch jede abweichende Meinung Einzelner auf den Einfluss »imperialistischer Feindzentralen« zurückzuführen. Selbst der loyalste Bürger könnte eines Tages schwach werden und den Einflüsterungen des Gegners erliegen, und sei es in Gedanken. Um, wie es heißt, »vorbeugend ein Wirksamwerden feindlich-negativer Kräfte zu unterbinden«, müsse man daher ausnahmslos jeden präventiv im Auge behalten. Nur so sei die Sicherheit der DDR – und der Partei – zu gewährleisten. »Genossen, wir müssen alles wissen!«, lautet Mielkes Losung.

Zur Umsetzung dieses Generalplans steht der Staatssicherheit neben purer Manpower das gesamte geheimdienstliche und kriminalistische Instrumentarium zur Verfügung: Postkontrolle und Wohnungsdurchsuchungen, Überwachung durch Kameras, Richtmikrofone und »Wanzen«. Allein in Berlin können 20.000 Telefonanschlüsse gleichzeitig abgehört werden.[7] Bei Verhören nimmt das MfS sogar unbemerkt Geruchsproben und verwahrt sie, sorgfältig beschriftet, in Gläsern, um bei Bedarf Spürhunde einsetzen zu können. Präzise Dienstanweisungen regeln die systematische Verletzung grundlegender Bürger- und Menschenrechte; der immerwährende »Kampf für den Frieden«

und gegen den »Feind« liefert die nötige Legitimation. Sämtliche »Maßnahmen« sind mit behördlicher Exaktheit in festgelegte, formalisierte Arbeitsschritte unterteilt, die ihnen den Anschein von Objektivität und Rechtmäßigkeit verleihen. Dass es dabei letztlich immer um das Schicksal einzelner Menschen geht, ist für den ausführenden Mitarbeiter so leicht zu verdrängen.

Wer im Volk nicht auf Linie ist, wird »operativ bearbeitet«. Zum Arsenal der üblichen »Maßnahmen« zählen Ausspionieren und Dauerbeschattung genauso wie handfeste Drohungen bis hin zur Einschüchterung in Untersuchungshaft mit entsprechenden Verhören. Ziel der »OV« – der »operativen Vorgänge« – ist es, Beweise für strafbare Handlungen zu finden, mit denen die Hauptabteilung IX dann Ermittlungsverfahren eröffnen kann – 90.000 sind es im Laufe von vier Jahrzehnten DDR.[8] Daneben bedient sich das MfS sogenannter Zersetzungsmaßnahmen – ein Instrument, das die Möglichkeit bietet, politisch missliebige Bürger auch ohne formales Urteil zu bestrafen und kaltzustellen. Für die Verfolgungspraxis gewinnt es in den Siebzigerjahren an Bedeutung, als die DDR sich um außenpolitische Anerkennung bemüht und ihr Image nicht durch Verhaftungen oder Verurteilungen von Regimekritikern gefährden will. Vor allem, wenn es sich dabei um Prominente handelt.

Um das Drohpotential dennoch aufrechtzuerhalten, rückt das MfS Umweltgruppen, Kirchenkreisen, Ausreisewilligen, Schriftstellern, Musikern und anderen kritischen Köpfen mit dem leisen Terror der Zersetzung zu Leibe: Es sorgt zum Beispiel für berufliche Misserfolge, streut und befeuert Gerüchte mit gefälschten Briefen und kompromittierenden Fotos oder schürt mithilfe eingeschleuster IM Streit und Zwietracht, um politisch aktive Gruppen auseinanderzubringen. All diese Aktionen laufen verdeckt und sollen nicht auf die Stasi zurückzuführen sein. Die entsprechende Richtlinie 1/76 nennt sie »rationelle und gesellschaftlich wirksame Vorgangsbearbeitung«.[9]

Für den »Tag X« sieht das MfS mit Segen der Partei Isolierungslager für missliebige Bürger vor: Schon seit den Fünfzigerjahren überarbeitet und verfeinert es regelmäßig die Pläne, aktualisiert die Namenlisten, hält sie, wie es heißt, »tagfertig« und veranstaltet Übungen, damit die Verhaftungen und Transporte im Ernstfall innerhalb der vorgesehenen 24 Stunden abgeschlossen sind. »Vorbeugekomplex« nennt sich das gigantische Unterfangen. Erfasst sind darin »Personen«, die eine »feindlich-negative Einstellung zu den gesellschaftlichen Verhältnissen in der DDR besitzen«, sich in der »staatlich unabhängigen Friedensbewegung« engagieren, Kontakte »zu reaktionären klerikalen Kräften und anderen inneren Feinden der DDR« unterhalten oder »Auffassungen über einen ›demokratischen Sozialismus‹« vertreten – kurz: alle, die dem Sicherheitsorgan in irgendeiner Weise negativ auffallen. Im Dezember 1988 stehen 85.939 Namen auf der Liste.[10]

Das MfS ist zu diesem Zeitpunkt längst ein bis an die Zähne bewaffneter Geheimdienst-Gigant, der sich zum weitaus größten Teil mit der Überwachung und Verfolgung der eigenen Landsleute befasst – alles im Dienste der »Feindbekämpfung«. Was es dabei zu tun gibt, ist hochgradig arbeitsteilig organisiert. Jedes Rädchen dreht sich immer nur an seiner eigenen, überschaubaren Stelle, was später das Eingeständnis individueller Verantwortung wirkungsvoll verhindert: Viele ehemalige Stasimitarbeiter berufen sich nach 1989 darauf, mit ihrer Arbeit niemandem direkt geschadet zu haben.

Als die DDR zusammenbricht und mit ihr das einst so mächtige Ministerium, liegen in den Stahlschränken und Regalen der Berliner Zentrale, der Bezirks- und Kreisdienststellen gewaltige Berge von Material – Dokumente aus vierzig Jahren akribischer Erfassung, Überwachung und Auswertung. Viele Akten werden noch im Herbst 1989 in Mielkes Auftrag von den Mitarbeitern geschreddert, zerrissen oder verbrannt, bevor es Bürgerrechtlern gelingt, die Archive zu sichern. Als der Runde Tisch beschließt, die HV A aufzulösen, die im MfS für die Auslandsspionage zuständig war, nutzt diese die Gelegenheit für die nahezu komplette Vernichtung ihrer Unterlagen.

Der gerettete Gesamtbestand ist dennoch gewaltig: 111.000 laufende Meter Akten, wovon 12.000 allein die 39 Millionen personenbezogenen Karteikarten ausmachen. Dazu kommt Material auf Datenträgern wie Mikrofiches und Sicherungsfilmen, das ausgedruckt noch einmal 46.550 Meter ergeben würde, außerdem 1,6 Millionen Papierbilder, Dias und Negative, fast 30.000 Tondokumente und 2756 Filme und Videos. Die zerrissenen Unterlagen füllen mehr als 17.000 Säcke. Noch immer werden kleinste Schnipsel mühsam wieder zusammengesetzt.[11]

Ein »Staat im Staate« sei das MfS gewesen, behauptet Honeckers kurzzeitiger Nachfolger Egon Krenz nach dem Ende der DDR. Es habe selbständig und »unter Verletzung jeglichen demokratischen Prinzips« Entscheidungen über »Fragen der staatlichen Sicherheit« und der »konkreten, operativen Arbeit« getroffen. Dabei war Krenz als Sekretär für Sicherheitsfragen seit 1983 höchstpersönlich für die bewaffneten Organe zuständig. Und bei aller Machtfülle: Das MfS bewegte sich zu keiner Zeit außerhalb der Kontrolle der Parteiführung, deren Willen es ausführte. Selbst im Herbst 1989 folgt es widerspruchslos ihrem neuen »Wende«-Kurs und wartet bei den großen Leipziger Montagsdemonstrationen vergeblich auf die Order, dem konterrevolutionären Spuk ein Ende zu bereiten. So ist die Stasi, wie die *Märkische Oderzeitung* treffend bemerkt, »ein letztes Mal Schild und Schwert« der Partei, indem Politiker wie Egon Krenz, Gregor Gysi oder Erich Honecker ihr allein die Schuld für das Unrecht zuweisen, von dem sie angeblich nichts gewusst haben.

Erwachen

Mitte der Siebzigerjahre ziehen die Herbrichs in eine kleine Stadt nordöstlich von Berlin, direkt an der polnischen Grenze: Der Vater ist mittlerweile Hauptmann in der gerade neu gegründeten Abteilung XXII: »Terrorabwehr«. Dort arbeitet er als Ausbilder tschekistischer Untergrundkämpfer, die für terroristische Aktionen in der Bundesrepublik eingesetzt werden sollen. Gerade hat er einen Abschluss an der Hochschule des MfS in Potsdam-Eiche gemacht und trägt nun den Titel Dr. jur. Drei Jahre lang war er darum immer nur an den Wochenenden zu Hause. Paradiesische Zeiten waren das, findet Stefan. Jetzt steht er wieder unter Dauerbeobachtung, und die triste Neubausiedlung entspricht exakt seinem Lebensgefühl. Immerhin hat er inzwischen gelernt, sich zu wehren. Einmal war er sogar mutig genug, dem Vater mit einem erhobenen Stuhl zu drohen, als der ihn wieder mal verprügeln wollte. Seitdem hat zumindest der körperliche Terror ein Ende.

Es dauert lange, bis Stefan in der neuen Schule Freunde findet. Jeder scheint zu wissen, was dahintersteckt, wenn er sagt, sein Vater sei beim MdI. Der Sechzehnjährige spürt die Vorbehalte, sieht die wachsame Vorsicht in den Augen der anderen. Und er kann sie verstehen. Er weiß ja selbst nicht, was sein Vater eigentlich macht, wenn er frühmorgens in Zivil das Haus verlässt.

Jana scheint immer alles richtig zu machen. Zumindest hat sie nicht halb so viel Ärger mit dem Vater wie Stefan. Vor allem mit dessen schulischen Leistungen ist Hauptmann Herbrich nach wie vor unzufrieden: Wem nützt eine Eins in Deutsch? Im wirklichen Leben geht es schließlich auch nicht zu wie im Roman. Wenigstens konnte er den Kollegen in Berlin schon melden, dass sein Sohn wie geplant eine Laufbahn beim MfS anstrebe und dafür nach Abschluss seiner Lehre die Offiziershochschule der NVA in Löbau besuchen werde. Vor diesem Hintergrund ist der Notendurchschnitt zwar immer noch beschämend, findet der Vater, aber auch nicht mehr ganz so entscheidend.

»Ich habe damals gar nicht weiter nachgedacht und alles hingenommen, wie es eben war«, sagt Stefan. »Ich hatte ja auch keine eigene Meinung, geschweige denn irgendwelche Vorstellungen oder Wünsche für mein Leben. Ich konnte noch gar nicht wirklich ›ich‹ sagen. War ja immer kleingehalten worden, auch äußerlich: alle vier Wochen mit Vattern zum Friseur, ich sah aus wie 'ne Rolle Drops.« Mit siebzehn lässt er sich die Haare wachsen, wie seine Kumpels. »Das erledigt sich, wenn du bei der Armee bist«, sagt der Vater.

Den ersten richtigen Knacks bekommt das Verhältnis, als Stefan volljährig ist und seine Freundin Bettina heiraten will. Ihr gegenüber hatte sich Siegfried Herbrich immer reserviert verhalten. Jetzt lässt er durchblicken, warum: Sie habe Verwandtschaft im Westen und sei daher kein Umgang. Bisher habe er noch ein Auge zugedrückt, jetzt wo es ernst werden soll, müsse er aber einschreiten. Als angehender Tschekist habe Stefan schließlich eine Verantwortung zu tragen. Er solle sich also entscheiden, ob er eine Stütze der Gesellschaft werden oder in eine vermutlich staatsfeindliche Familie einheiraten wolle.

Doch die Drohung zwischen den Zeilen verfehlt ihre Wirkung. Das spürt Siegfried Herbrich, auch wenn Stefan sich nicht traut, ihm direkt zu widersprechen. Er sei mit der Hochzeit einverstanden, räumt der Vater schließlich ein, vorausgesetzt, Stefan vermeide jeden Kontakt zu Bettinas Verwandtschaft. Und ja: Das Kontaktverbot betreffe selbstverständlich auch ihre Eltern. Wenn er verspreche, sich daran zu halten, und jetzt wie geplant die Offiziersschule besuche, ginge das beim MfS schon in Ordnung. Er könne das regeln.

Stefan zuckt mit den Schultern, so weit denkt er noch gar nicht. Vor allem aber stellt er überrascht fest, dass er sich nicht mehr so eingeschüchtert fühlt wie früher. Vielleicht liegt es daran, dass es in seinem Leben zum ersten Mal etwas gibt, woran der Vater nicht rühren kann: Bettina ist schwanger. Und als ein paar Monate später Alexander zur Welt kommt, ist Stefan plötzlich klar, dass er die Ausbildung in Löbau nicht antreten wird. Denn das hieße schließlich, Frau und Kind drei Jahre lang fast gar nicht zu sehen. »Das war keine politische Entscheidung«, sagt er heute. »Ich wollte bloß nicht auf meine Familie verzichten.«

Stefan ist mulmig, als er das Gebäude des Wehrkreiskommandos betritt. Er hat einen Termin beim Leiter der Abteilung, um seinen Verzicht auf die Ausbildung zu erklären. Reine Formsache, denkt er, reine Formsache, die Worte wie einen Bannspruch im Kopf. Ich habe mich eben umentschieden, aus rein privaten Gründen. Das wird doch wohl möglich sein. Ist es nicht, wird er belehrt, dafür sei es jetzt zu spät. Als Stefan entgegnet, dass er einen kleinen Sohn habe und die Erwartungen, die das Kollektiv zu Recht an einen Offiziersanwärter stelle, ohnehin nicht erfüllen könne, fängt der Oberst an zu schreien: »Für wen halten Sie sich eigentlich? Was bilden Sie sich ein, hierherzukommen und rotzfrech einen Ausbildungsplatz zurückzuweisen, nach dem sich Tausende die Finger lecken würden? Sie werden von uns hören!«

Als Stefan danach wieder auf der Straße steht, noch ganz benommen von »DDR konkret«, wie er es heute nennt, kommt ihm zum ersten Mal der Gedanke, dass es die Menschlichkeit des Sozialismus, an die er immer geglaubt hatte, in Wirklichkeit vielleicht gar nicht gibt. Für seine Zukunft jedenfalls macht er sich nach diesem Erlebnis keine allzu großen Hoffnungen mehr.

Siegfried Herbrich ist stinksauer: Wie steht er denn jetzt vor den Kollegen da? Und was sollen seine Vorgesetzten denken? Tatsächlich kann es für hauptamtliche MfSler schwierig werden, wenn sich ihre Kinder nicht staatskonform verhalten, denn das lässt auch ihre eigene Linientreue in zweifelhaftem Licht erscheinen. Um ihre Karriere und – wie es immer heißt – »das Vertrauensverhältnis zu den Vorgesetzten« nicht zu gefährden, treten viele daher die Flucht nach vorn an und geben bereitwillig Auskunft. In den Akten haben diese Familiendramen immer wieder Spuren hinterlassen: »Aus einem Gespräch meiner Ehefrau mit meiner Tochter Ulrike wurde Folgendes bekannt«, beginnt zum Beispiel ein Oberst Gassner sein Schreiben an die nächsthöhere Dienststelle, um dann ausführlich den »Personenkreis« zu schildern, mit dem Ulrike Umgang hat, darunter Musiker, die ein illegales Jazzfest veranstaltet hätten.

Und Generalmajor Neumann meldet diensteifrig die illegale Ausreise seiner Tochter Grit, deren Ursache auch in seinem eigenen Versagen zu suchen sei. »Wir beide – auch meine Frau – verurteilen diesen Schritt des Verrats an unserem Staat.« Die »Konsequenzen« dieser Angelegenheit müsse er seiner Frau jedoch »schonend klarmachen, da es für uns nur eine endgültige Trennung oder für mich eine Entlassung aus dem MfS geben kann«.

Auch Siegfried Herbrich, inzwischen Major, bemüht sich um Distanz zum abtrünnigen Sohn: Über das Wohnungskontingent des MfS besorgt er der jungen Familie eine neue Bleibe. Stefan ist für ihn der Nestbeschmutzer, der Schandfleck auf der makellosen Außenfassade, und das lässt er ihn auch spüren: »Meine Tür ist erst mal zu!«

Im Winter 1978 bekommt Stefan die Einberufung zum regulären Wehrdienst: erst in Prenzlau, dann als Bausoldat bei Neuruppin – noch einmal anderthalb Jahre »DDR konkret«. Zur Tristesse des Kasernenlebens kommen die gebellten Befehle und Erniedrigungen der Vorgesetzten. Stefan hat sie bis heute im Ohr: »Seien Sie froh, dass Sie überhaupt hier sein dürfen! Sie sind nämlich das Allerletzte, merken Sie sich das! Ihnen sollen die Eier abfaulen!« Das hier ist also das richtige Leben, denkt er. So klingt es, so schmeckt es, so fühlt es sich an – im Friedensstaat, der sich den Humanismus sogar in die Verfassung geschrieben hat. »Langsam dämmerte mir, dass das, was in den Zeitungen und auf den Losungsfahnen der Parteitage steht, herzlich wenig mit der Wirklichkeit zu tun hat.«

Ein Kamerad schenkt ihm ein Buch des regimekritischen Schriftstellers Günter Kunert, das Stefan gleich mehrmals hintereinander liest. Ein Staat, schreibt Kunert, könne in den Träumen seiner Untertanen zwar viel finden, habe dort aber nichts zu suchen. Die Formulierung bleibt dem Neunzehnjährigen im Gedächtnis, genau wie ein Satz von Adorno: »Es gibt kein richtiges Leben im falschen«, von dem er das Gefühl hat, er richte sich direkt an ihn. In der Bibliothek besorgt er sich Hermann Hesse und Thomas Mann, liest mehrmals »Stiller« von Max Frisch. »Durch die Bücher habe ich zum ersten Mal kapiert, dass es nicht den einen, einzig wahren Weg gibt. Dass man die Dinge hinterfragen und selber denken muss.«

Zwar sitzt ihm noch immer die vertraute Mischung aus Angst und Gehorsam in den Knochen und hindert ihn am offenen Aufbegehren. Doch jetzt gibt es Worte für das Unbehagen – erst geliehene, bald aber auch eigene: Stefan fängt an, Tagebuch zu schreiben, füllt abends die linierten Seiten kleiner DIN-A5-Hefte mit Zitaten und seinen Gedanken. »Unsere, die DDR-Gesellschaft, steckt jegliches Individuum in die ihr genehme Zwangsjacke«, notiert er am 25. April 1979. »Wer imstande ist, sich aus ihr zu befreien, oder es zumindest versucht, muss, laut Fahneneid der NVA, mit der Verachtung aller Werktätigen des Staates und jeder denkbaren Bestrafung rechnen, welche ihm der Zwangsjacken-Staat auferlegt.« Und: »Eigener Wille kann Berge versetzen, heißt es, doch wie überwindet man die Gletscher der Autorität und der deutschen Bürokratie?«

Anderthalb Jahre später werden diese Hefte bei einer Hausdurchsuchung von der Stasi beschlagnahmt und im Gerichtsprozess gegen Stefan Herbrich verwendet. Dort dienen sie als zusätzliche Beweise seiner »feindlich-negativen Haltung«.

Der entschlossene Gang, die große, kräftige Gestalt – schon von Weitem und trotz der grellen Wintersonne erkennt Stefan, wer da im grauen Anzug aus dem Lada steigt und mit festem Schritt über den Kasernenhof kommt. »Jetzt wird's böse«, ist sein erster

Gedanke. Er sieht, wie Siegfried Herbrich den Klappausweis zückt, sieht den diensthabenden Offizier salutieren und die Hacken zusammenschlagen. Zwei Stunden später wird Stefan ins Zimmer des Stabschefs gerufen. »Pack deine Sachen, ich nehme dich übers Wochenende mit«, sagt sein Vater. »Es ist schon alles geregelt.«

Stefan staunt, wie respektvoll selbst die ranghohen Militärs seinen Vater behandeln. Froh über den unerwarteten Urlaub, aber mit weichen Knien steigt er zu ihm in den Wagen. Der Ton ist ungewohnt jovial, beinahe freundlich. Schon während der einstündigen Autofahrt redet Siegfried Herbrich fast ununterbrochen auf seinen Sohn ein: Noch habe er die Chance, zu ihm »in die Firma« zu kommen. Es sei noch nicht zu spät, er könne das vermitteln. »Ich hab mich nicht getraut, es ihm ins Gesicht zu sagen«, erinnert sich Stefan, »aber zu dem Zeitpunkt waren bei mir längst alle Messen gesungen. Für die Stasi zu arbeiten war für mich völlig undenkbar. Dafür war auch meine Ablehnung ihm gegenüber zu groß.«

So lässt er das Wochenende über sich ergehen, weicht aus, druckst herum, die entscheidende Botschaft kommt trotzdem an: In die Fußstapfen des Vaters wird er nicht treten.

*

»Arbeitsproduktivität steigt weiter«, jubelt das *Neue Deutschland*. »Chemiearbeiter sind mit Plus zum Plan auf Parteitagskurs«. Stefan muss lachen, schüttelt den Kopf, blättert weiter. »Die Parteitagsziele vereinen in Leuna die Schöpferkraft«. Er greift zur Schere, schneidet sorgfältig die Überschriften aus. Es ist Ende September 1980. Stefan ist 21 und mittlerweile Pfleger in einem Altersheim in Leipzig – ein Ort, an dem es, wie er hofft, menschlicher zugeht und wohin der starke Arm der Partei nicht reicht. Es ist ein Irrtum.

An diesem Abend hat er Nachtwache und nutzt die Ruhe, um für seine Abteilung eine Wandzeitung zusammenzustellen: Wie in jedem Betrieb muss auch hier der »gesellschaftlichen Arbeit« Genüge getan werden, gerade jetzt, zum nahenden Republikgeburtstag am 7. Oktober. Wandzeitungen spielen dabei eine wichtige Rolle. Von oben verordnet und von Mitgliedern des jeweiligen »Kollektivs« mal mehr, mal weniger widerwillig umgesetzt, sollen sie wichtige Ereignisse und Daten ideologisch korrekt kommentieren und der Erbauung des sozialistischen Menschen dienen.

Vor Stefan liegen ein Stapel Zeitungen und Magazine – *Neues Deutschland, Freie Welt, Neue Berliner Illustrierte,* die Frauenzeitschrift *Für Dich* – und eine Mappe mit offiziellem »Gestaltungsmaterial« der Kreisparteileitung: Pappreliefs von Marx und Engels, SED-Fähnchen, Parteitagslosungen. Seine Wandzeitung zum Weltfriedenstag ein paar Wochen zuvor hatte den Kollegen so gut gefallen, dass sie ihn überredeten, auch gleich die nächste zu übernehmen. Diesmal, findet er, darf's ruhig ein bisschen frecher werden. Der Kontrast zwischen gedruckter und erlebter Welt spricht für sich.

So pinnt Stefan die gesammelten Jubel-Überschriften mit Stecknadeln in eine Ecke der rot bespannten Platte: »Jugendkollektive mit neuen Taten für Plus zum Plan«, »In der Qualitätskette siegt keiner ohne den anderen«, »Kollektive sind mit hohem Einsatz auf Parteitagskurs«, »Partei, Staat, Armee und Volk sind fest verbunden«. Darüber setzt er mit großen roten Buchstaben aus der Materialmappe das Wort »AMEN«. Und unter die Überschriften »Die Parteikontrolle wird bei uns gezielt angewandt« und »Ein guter Sozialist fegt zuerst vor seiner eigenen Tür« hängt er einen Zettel, auf dem er handschriftlich die Namen von Künstlern notiert hat, die wegen ihrer kritischen Haltung entweder ausgebürgert worden waren wie Wolf Biermann und Eva-Maria Hagen oder – wie Manfred Krug und Jurek Becker – in den Westen übersiedeln durften. Darüber schreibt er in Großbuchstaben: »HINAUSGEFEGT«.

Stefan kommt in Fahrt, die Sache macht ihm immer mehr Spaß. In der *Neuen Berliner Illustrierten* findet er ein Foto, das

Erich Honecker »im Gespräch mit Werktätigen« zeigt. Darüber steht: »Geführt von der SED erstarkte unser Arbeiter-und-Bauern-Staat zu einem bedeutenden sozialistischen Industrieland. Das enge Vertrauensverhältnis des Volkes zu Partei und Regierung war, ist und bleibt Garant für das weitere Voranschreiten.« Den passenden Kommentar dazu entdeckt er in der *Freien Welt:* »Unser Märchen«.

Als Stefan am nächsten Abend zum Dienst kommt, stehen im Hof vor dem großen Backsteingebäude schon drei Herren »in typischer 08/15-Kluft«, erinnert er sich: »Hemd, Windjacke, bunter Schlips, dazu noch der dunkelblaue Wolga – mir war sofort klar, was los ist. Zuerst hab ich gedacht: die Wandzeitung! Und dann: Das ist doch ein Film! Das passiert nicht wirklich, das bin nicht ich, dem das passiert!«

Doch er ist es, dem das passiert, und auch die drei Herren sind sehr real, genau wie der Ausweis in dem Klappmäppchen, den ihm der eine mit jener routinierten Lässigkeit präsentiert, die er von seinem Vater kennt. Man nimmt ihn mit »zur Klärung eines Sachverhalts« – eine Floskel, hinter der sich die gesamte Willkür der Staatssicherheit verbirgt. Für Stefan Herbrich bedeutet sie in jenem Herbst, neun Jahre vor dem Mauerfall: stundenlange Verhöre in einem »konspirativen Objekt«, dann vier Wochen Untersuchungshaft im berüchtigten Stasiknast der Stadt. Die Zelle vier mal zwei Meter, die Eintönigkeit der Tage nur unterbrochen durch Verhöre am Resopaltisch eines stickigen Dienstzimmers. Der Ton mal vorgeblich freundschaftlich, mal bissig und drohend.

»Da der Beschuldigte bestrebt ist, die diskriminierende Zielstellung bei der Herstellung seiner Wandzeitung zu leugnen, gilt es, diese deutlich herauszuarbeiten«, heißt es im »Vernehmungsplan für den Beschuldigten Herbrich, Stefan«. »Das ist möglich, indem sich der Beschuldigte festlegt, was er unter diskriminierenden Handlungen versteht. Dabei ist zunächst nicht auf den Inhalt der Wandzeitung einzugehen.« Frage eins: »Welche Stellung beziehen Sie zur sozialistischen Staats- und Gesellschaftsordnung? Hier sollte sich der Beschuldigte ohne Einfluss des Vernehmers äußern, was ihm in der DDR gefällt und was nicht. ... evtl. kommt er von sich aus darauf zu sprechen, dass keine Meinungsfreiheit bestehe ...« Sollte er »die Problematik Meinungsfreiheit« nicht ansprechen, »sind folgende Fragen zu stellen: Wie stehen Sie zu den Grenzsicherungsmaßnahmen der DDR zur BRD? Welche Meinung haben Sie über die Kommunikationsmittel in der DDR? – er wird darlegen, dass diese nicht alles oder nur Gutes berichten. – warum ist er dieser Auffassung? – dürfen nichts anderes berichten – wieso? – ... weil nur das berichtet werden darf, was im Interesse der Partei – ist also der Auffassung, dass in der DDR keine Meinungsfreiheit besteht.«

Die Maschinerie läuft. Perfekt und nach Plan. Und der eigene Vater ist ein Rädchen darin. »Operative Psychologie« nennt die Stasi solche und ähnliche Methoden. Tagtäglich sind sie im ganzen Land in Gebrauch: in den Dienststellen der Bezirksverwaltungen, den Verhörzimmern der Untersuchungsgefängnisse, in Gesprächen zwischen Führungsoffizieren und ihren IMs, bei der Ausarbeitung von »Zersetzungsmaßnahmen« gegen Ausreisewillige, Kirchenleute oder missliebige Künstler. An der Juristischen Hochschule des MfS in Potsdam gehört »Operative Psychologie« zu den Pflichtfächern. Auch Stefans Vater hat sie für seinen Abschluss gepaukt.

An einem Tag liegen drei dicke Ordner auf dem Tisch, als Stefan das Verhörzimmer betritt. Sein Vernehmer blättert darin, in den Augen schon den Triumph des bevorstehenden Sieges. Stefan stockt das Herz: Er kennt diese Mappen, er selbst hat sie gefüllt – mit Briefen aus sechs Jahren Leben mit Bettina. Jeden einzelnen hat er wie einen Schatz gesammelt und sorgfältig abgeheftet. Briefe von ihr, Briefe von ihm, vierhundert vielleicht, eher noch mehr. Liebesbriefe, Versöhnungsbriefe, kleine Zettel mit im Vorbeigehen gekritzelten Küssen. Das Innerste, das Intimste – jetzt ist es ein Instrument in der Hand eines Fremden.

Einige Zitate aus diesen Briefen finden sich in den Unterlagen der MfS-Bezirksverwaltung Leipzig. Ein Sachbearbeiter hatte sich die Mühe gemacht, sie abzuschreiben: »Analyse von einem Teil der bei der Hausdurchsuchung beschlagnahmten Briefe des Beschuldigten Herbrich an seine Ehefrau«.

Der Vernehmer genießt sichtlich Stefans Qual, den Schrecken in seinem Gesicht. Blättert, grunzt, lacht ab und zu verächtlich auf und liest dann ein paar Absätze laut vor. In diesem Moment geht in Stefan etwas unwiederbringlich zu Bruch. »Die Stunde deiner Geburt zum lebenden Leichnam« wird er es Jahre später nennen. Das Instrument hat gegriffen. Die Verhöre gehen weiter, oft über mehrere Stunden mit ermüdenden Wiederholungen – und der Angst im Nacken, sich in den eigenen Aussagen zu verheddern, denn darauf legen sie es an, und immer wieder gelingt es auch. Die Herren verstehen ihr Handwerk. Nicht nur der Tod ist ein Meister aus Deutschland.

Sorgsam abgetippte Tonbandmitschnitte dokumentieren die zermürbende Gleichförmigkeit der Verhöre – dieselben Fragen, immer und immer wieder. Stunden und Stunden. Tag für Tag. Seitenweise füllen sie Stefans Akte. Zeugnisse selbstbewusster Macht. Und: stillen Widerstands.

Denn Stefan bleibt bei seiner Haltung. Sagt deutlich, was er denkt: »dass man in der DDR gleich eingesperrt wird, wenn man seine Meinung frei sagt«, dass der »Ton in der Armee … menschenverachtend ist« und man sich »vorkommt wie Schütz-Arsch im letzten Glied«. Und dass es einen »Personenkult« um Erich Honecker gebe: »Überall hängt sein Bild und überall lässt man ihn hochleben. Was in der DDR aber alles erreicht wurde, hat doch nicht Erich Honecker allein erreicht.«

Zwischendurch werden ihm »provokative« Passagen aus den Briefen an seine Frau vorgehalten: »*Doch nun zum Grund, zum absoluten Schocker des Jahres. Der einzige Mensch, der sich darüber, staatsliniengerecht, freut, ist Siegfried. Dein lieber Mann ist mit dem ›Bestenabzeichen der NVA‹ ausgezeichnet worden. Bin ich denn wirklich so von der roten Idee durchdrungen?*

Nehmen Sie dazu Stellung! Antwort: Mit staatsliniengerecht meine ich meinen Vater Siegfried Herbrich, da er bei den bewaffneten Organen ist. Ich bezeichne ihn deswegen als staatsliniengerecht, weil er voll für den Sozialismus in der DDR eintritt und Meinungen, die abweichen, nicht akzeptiert. Ich habe aber eine abweichende Meinung. Das Abzeichen macht deutlich, dass ich praktisch die gleichen Ansichten wie die Offiziere und überhaupt die Armee hätte. Das stimmt aber nicht.

Frage: In einem weiteren Brief schreiben Sie: ... *bisschen Geld möchte ich ja schon verdienen. Das wird zwar nie so viel werden wie bei Deinem »heißgeliebten« Schwiegervater, aber dafür verkaufe ich mich auch nicht.* Antwort: Damit wollte ich deutlich machen, dass ich keinen Beruf bei den bewaffneten Organen aufnehmen kann, da ich der Ansicht bin, dass ich dort nicht das sagen kann, was ich wirklich denke. Vorhalt: Sie werden aufgefordert, zu dem Satz so Stellung zu nehmen, wie Sie ihn auch geschrieben haben. Aus dem Inhalt wird deutlich, dass sich Ihr Vater auf Grund seiner Tätigkeit bei den bewaffneten Organen verkauft hätte. Antwort: Mein Vater hat sich nicht verkauft, sondern ist aus reiner Überzeugung zu den bewaffneten Organen gegangen. Dort kann man aber nicht so die Meinung sagen, wie man will. Das wollte ich aber nicht. Ich will meine Meinung sagen.«

Während eines anderen Verhörs lässt eine laute Stimme Stefan zusammenzucken. Er hat nicht bemerkt, dass jemand hinter ihn getreten war. Jetzt baut sich ein großer, kräftiger Mann vor ihm auf: leichter Bauchansatz, der braune Kunstledermantel bis zum Knie, das dunkle Haar unter einer schwarzen Schiebermütze. Ein hohes Tier offenbar, den unterwürfigen Reaktionen der anderen nach zu urteilen. Stefan schätzt ihn auf Mitte vierzig. »Das ist also das Früchtchen. Wollte Sie mir mal aus der Nähe ansehen.« Er kommt näher, betrachtet Stefan einen Moment von oben bis unten, eine Mischung aus Verachtung und Genugtuung im Blick. »Ihren Vater kenne ich gut. Wissen Sie, was Sie sind? Ein Nestbeschmutzer! Wenn Sie meiner wären, die Tracht Prügel könnten Sie sich gar nicht vorstellen!«

Großspurige Körperhaltung, überheblicher Ton, der unterschwellig kochende Zorn – Stefan ist das alles von zu Hause nur allzu vertraut. Selbst der Humor ist der gleiche: »Alt und grau können Sie werden, aber nicht frech! Wir werden Ihnen eine Lektion erteilen, die sich gewaschen hat. Die werden Sie so schnell nicht vergessen!«

Wahrscheinlich, geht es Stefan durch den Kopf, sind sie sich schon vor Jahren begegnet, im Schwimmbad oder beim Fußball, wenn er seinen Vater zum Dienstsport begleiten durfte. Gut möglich, dass ihm derselbe Mann damals freundlich-anerkennend auf die Schulter geklopft hat, ihm, dem Nachwuchs-Tschekisten.

Drei Schritte zum Fenster, dann wieder zurück. Jetzt sitzt er halb auf der Tischkante, fast unmittelbar vor Stefan, die Arme vor der Brust verschränkt, beugt sich vor: »Die Konsequenzen Ihres Machwerks können Sie überhaupt nicht begreifen. Das Ganze hat natürlich auch für Ihren Vater Folgen …«

Doch Major Herbrich weiß sich zu schützen. Bereitwillig gibt er der Disziplinarabteilung Auskunft über den Sohn, schildert dessen Werdegang – von der Kinderkrippe an. Neun maschinengeschriebene Seiten umfasst das »Ausspracheprotokoll«: Zwischen seinem Sohn und ihm habe es »kein echtes Vertrauensverhältnis gegeben«, berichtet Siegfried Herbrich. Das liege vor allem daran, dass »die Hauptlast der Erziehung meiner Frau zufiel«. Stefan sei leicht zu beeinflussen – »sowohl in positiver als auch in negativer Hinsicht«. So habe er bei der Armee unter anderem »Kontakt mit Pfaffen« gehabt. Vermutlich sei auch sein jetziges Handeln auf solch »negative Beeinflussung« zurückzuführen. Als der Schriftstellerverband einige seiner Mitglieder »wegen ihrer gegen die DDR gerichteten Tätigkeit« ausschloss, habe Stefan das nicht verstanden und die Meinung vertreten, man solle »den Leuten doch die Möglichkeit geben … entsprechend ihrer Auffassung hier bei uns zu arbeiten«. Er habe damals versucht, ihm seine Meinung »vom parteilichen Standpunkt aus darzulegen, aber das Gespräch wurde nicht weiter fortgesetzt, weil es keine Aussicht hatte, hier eine erfolgreiche Wendung herbeizuführen«.

Nach der »vollzogenen Eheschließung« des Sohnes seien »die persönlichen Beziehungen zum Elternhaus« immer loser geworden, vermutlich weil »wir die Heirat … nicht billigten«. Stefans Umzug nach Leipzig sei ein »demonstrativer Schritt« gewesen, »mit dem er wahrscheinlich bekunden wollte, dass das Elternhaus seiner Ehefrau und die … häufigen Westverbindungen ihm doch wichtiger sind als sein eigenes Elternhaus«.

Das Gespräch ist Teil der Beweisaufnahme und landet als Kurzprotokoll in Stefans Untersuchungsakte. Von alledem weiß der 21-Jährige nichts, als er am 7. Januar 1981 mit Handschellen in den Laderaum eines Barkas klettert, der ihn zum Kreisgericht bringt. In der ganzen DDR werden diese Lieferwagen zum Transport von Gefangenen verwendet, nach außen getarnt als Gewerbefahrzeuge. Fleurop steht auf der Tür, die sich hinter Stefan schließt.

Im Gerichtsgebäude wird er wie ein Schwerverbrecher von vier Stasimännern mit vorgehaltenen Maschinenpistolen zum Verhandlungssaal geführt, treppauf und treppab, über endlose Gänge, vorbei an Wartenden, die ihn mal verlegen, mal unverhohlen neugierig beäugen. Die Verhandlung selbst dauert nur etwas mehr als eine Stunde. Seine Vorgesetzte, Stationsschwester Hohmeier, sagt aus, was sie bereits den Untersuchungsführern des MfS erzählt hat: Der Angeklagte habe ein- oder zweimal versucht, mit ihr über »Reisefreizügigkeit« zu sprechen, das Gespräch aber immer dann beendet, »wenn er gefragt wurde, ob er denn seine Heimat kennen würde, beispielsweise Thüringen oder den Harz«. Es hätten sich also bereits »Tendenzen seiner Haltung« abgezeichnet. Dass er aber »eine solche Handlung begehen könnte«, habe sie nie vermutet. Als sie dann die Wandzeitung gesehen habe, sei sie der Meinung gewesen, »dass etwas gegen den Herbrich unternommen werden muss«.

Sie habe das Ganze der leitenden Ärztin gemeldet, woraufhin es eine Kollektivaussprache gegeben habe: »Alle meine Kolleginnen und Vorgesetzten haben die Wandzeitung rundheraus abgelehnt und meiner Meinung zugestimmt, dass es sich um eine offene Provokation gegen die DDR handelt und dass so etwas zu tun nicht erlaubt sein darf.«

Zehn Tage später die Urteilsverkündung. Wieder die Fahrt im Barkas, die schwer bewaffneten Wachen. Diesmal dauert es nur zehn Minuten. Der Einsatz des Pflichtverteidigers beschränkt sich darauf, seinem Mandanten zum Schweigen zu raten. Statt der vom Staatsanwalt geforderten Haftstrafe von einem Jahr und sechs Monaten hatte er auf ein Jahr und drei Monate plädiert. Der Richter folgt dem Staatsanwalt. »Im Namen des Volkes« und unter Ausschluss der Öffentlichkeit wird Stefan Herbrich »wegen öffentlicher Herabwürdigung der staatlichen Ordnung« zu anderthalb Jahren Gefängnis verurteilt.

»Die Handlung des Angeklagten«, heißt es in der Urteilsbegründung, »ist erheblich gesellschaftswidrig und bringt eine schwerwiegende Missachtung der gesellschaftlichen Disziplin zum Ausdruck.« Zudem besitze der Angeklagte »zu bestimmten Teilbereichen der sozialistischen Gesellschaftsordnung eine negative Einstellung. Dies drückt sich zum Beispiel darin aus, dass er der Meinung ist, dass in der DDR eine Presse- und Meinungsfreiheit nicht vorhanden sei, da nur einseitig über Erfolge berichtet werde.« Auch glaube er, »wer seine Anschauungen öffentlich gegen einige Erscheinungsformen des Sozialismus richte, erleide ungerechtfertigte Nachteile und Sanktionen«. Die »Tatintensität muss daher als erheblich eingeschätzt werden«. Die Strafe sei notwendig, »um dem Angeklagten die Schwere und Verwerflichkeit seiner Straftat und die Unantastbarkeit der sozialistischen Staats- und Gesellschaftsordnung vor Augen zu führen«.

Als sein Sohn im März 1982 nach 545 Tagen Haft entlassen wird, ist Siegfried Herbrich bereits Oberstleutnant. In den vergangenen Wochen war er mit der Ausarbeitung eines Grundsatzdokuments beschäftigt, das sich mit den Aufgaben tschekistischer

Einsatzgruppen im »Operationsgebiet« befasst. Gerade ist er fertig geworden und hochzufrieden: Das Papier soll in Zukunft als Grundlage für Lehrgespräche und Seminare dienen. Über siebzehn Seiten beschreibt es detailliert verschiedene »tschekistische Kampfmaßnahmen«, darunter »Zerstörung oder Beschädigung wichtiger Betriebe, Anlagen und Einrichtungen«, »Auslösung von panikerzeugenden Maßnahmen, z. B. durch das Anlegen größerer Brände, Vergiftungen von Lebensmitteln und Trinkwasser oder deren Androhung, Anwendung gezielter Maßnahmen zur Beeinflussung der Massen, mit dem Ziel, Angst und Panik auszulösen und zu verbreiten«. Auch die »zielgerichtete Liquidierung führender Persönlichkeiten« ist vorgesehen.

Bei all diesen Aktionen, führt Herbrich weiter aus, komme es darauf an, »durch wirkungsvolle Tarnung, Täuschung und Verschleierung vom Wirksamwerden tschekistischer Einzelkämpfer und Einsatzgruppen abzulenken und den Verdacht auf regimefeindliche und extremistische Kräfte des Operationsgebietes zu richten … Aus diesem Grunde möchte ich darauf verweisen, alle zugänglichen Informationen über die Terrorszene in den imperialistischen Staaten, die zur Anwendung kommenden Mittel und Methoden und Taktiken genau zu verfolgen, sie zu studieren und zu analysieren, um sie selbst anwenden zu können. In diese Betrachtungen sollten auch die Erscheinungsformen und Begehungsweisen … der Gewaltverbrechen und der allgemeinen Kriminalität mit einbezogen werden.«

*

Donnernde Bässe, treibendes, kraftvolles Schlagzeug, darüber die heiser gebrüllte Stimme von Johnny Rotten – Martin Kramer hält den Atem an und lauscht. Die Worte versteht der 13-Jährige nicht, und er ahnt auch nicht, dass diese Musik sein Leben verändern wird. Er spürt nur, dass da mehr ist, etwas Ungezähmtes, Lebendiges, etwas, das herausführt aus der Enge, dem Eingezwängtsein, den Regeln und Strafen, dem still-resignativen Gehorsam. Da ist noch etwas anderes, irgendwo da draußen. Aber vielleicht auch in mir, denkt Martin. Vielleicht ja auch in mir.

Selbst in ihrer britischen Heimat sind die Sex Pistols ein Skandal; in der DDR des Sommers 1977 aber scheinen sie geradewegs vom Mond gefallen zu sein. »Punk« heißt die Musik, weiß Martins Schulfreund Andreas, und dass dazu auch wilde Frisuren gehören und abgerissene, mit Sicherheitsnadeln und Nieten besetzte Lederjacken. Die Platte ist von seinem großen Bruder, der für die Rudermannschaft der DDR gerade zur WM in Amsterdam war und sie von dort eingeschmuggelt hat. »Johnny Rotten, Johnny Rotten«, flüstert Martin auf dem Nachhauseweg vor sich hin. Mantra aus einer besseren, freieren Welt. Ein erstes Loch im Vakuum.

Vor Kurzem ist die Familie noch einmal umgezogen, diesmal nach Berlin-Karlshorst in ein Zweifamilienhaus mit Garten. Das ruhige, gutbürgerliche Viertel mit vielen Bäumen und Parks gehört ebenfalls zu den bevorzugten Wohngebieten von Stasimitarbeitern. Auch der direkte Nachbar ist bei der »Firma«. Martin leidet unter dem Umzug: Seine Freunde wohnen alle in Lichtenberg; hier fühlt er sich oft einsam. Zum Glück hatte sein Vater nichts dagegen, dass er die beiden Jahre bis zum Abschluss noch auf der alten Schule bleibt.

Nachmittags muss er oft seine Schwester Katrin aus der Krippe abholen und mit ihr auf den Spielplatz gehen. Wenn er ihr dann zusieht, wie sie im Sand buddelt, kommt ihm manchmal der Gedanke, dass sein Vater die Kleine lieber hat als ihn. Zumindest scheint sie ihm mehr Freude zu machen. »Ich kann mich nicht erinnern, dass mein Vater mich jemals in den Arm genommen hat. Eigentlich hat er mich immer nur spüren lassen, was ich für eine Enttäuschung bin für ihn. Ich glaube, dass meine Schwester ein Ersatz war für den Sohn, der nicht seinen Vorstellungen entsprach.«

Gerd Kramer ist mittlerweile Major und Referatsleiter der Spionageabwehr. Die Entwicklung seines Sohnes beobachtet er mit Argwohn und wachsendem Zorn: Die schulischen Leistungen lassen noch immer zu wünschen übrig, und ob sie am Ende für die geplante Offizierslaufbahn reichen, ist äußerst fraglich. Und dann diese Musik!

Doch was nach Major Kramers Meinung geradewegs aus dem Waffenarsenal des Feindes kommt, wird für Martin bald überlebenswichtig. Er hört heimlich RIAS und SFB – und entdeckt ein ganzes Universum. Stundenlang sitzt er mit seinem kleinen Tonbandgerät vor dem Radio, um Ramones, The Clash oder Dead Kennedys mitzuschneiden. Sein neues Zimmer liegt unterm Dach, sodass er auch nachts unbemerkt Musik hören kann. Manchmal schläft er darüber ein. Wenn der Vater dann am nächsten Morgen nach ihm sieht und mitbekommt, dass aus dem Lautsprecher »Hier ist RIAS Berlin« tönt, beginnt der Tag gleich mit Gebrüll – sehr oft auch mit Schlägen.

»Letztlich hat uns die Musik auseinandergebracht, denn damit ist mein Vater überhaupt nicht klargekommen. Er hatte einfach kein Verständnis für das, was man als Jugendlicher eben so macht. Als sich das immer weiter zuspitzte, hab ich irgendwann gedacht: ›Da stimmt doch was nicht!‹ Dass er mich nicht versteht, dass er gar nichts versteht! Und dass er sich auch nicht darum bemüht. Das hat mir wirklich zu denken gegeben.«

Ihm direkt zu widersprechen traut Martin sich nicht, doch die Musik wird, allen Drohungen und Schlägen zum Trotz, mehr und mehr zum Rückzugsraum, in den der Vater ihm nicht folgen kann. Umso heftiger werden dessen Reaktionen: Schon für Kleinigkeiten gibt es jetzt Prügel, meist mit dem Gürtel. »Genosse Kramer lebt in geordneten Familienverhältnissen und ist Vater von zwei Kindern, die im sozialistischen Sinne erzogen werden«, vermerkt seine Kaderakte. Die schöne Fassade steht – und muss um jeden Preis aufrechterhalten werden.

Der Stasi gelten unangepasste Jugendliche als »feindlich-negative Objekte«, die beobachtet und »operativ bearbeitet« werden müssen. Dabei macht sie keinen Unterschied zwischen Punks, Heavy-Metal-Fans, Skinheads, Gruftis oder Christen, die die

Wehrpflicht ablehnen. Schon lange Haare oder auffallende Kleidung machen verdächtig. Alles, was von der sozialistischen Norm abweicht, gilt als potentiell gefährlich und ruft den Apparat auf den Plan.

Um die Gefahr in den eigenen Reihen zu bannen, führt die Hauptabteilung Kader und Schulung Listen für »negativ-dekadente Verwandte« hauptamtlicher Mitarbeiter: Akribisch sind dort »Ereigniszeit« und »Ereignisort« vermerkt. In der Spalte »Sachverhalt« sind die Namen der jeweiligen Kollegen aufgeführt, dazu die von Tochter, Sohn, Stieftochter. Unter »Ursachen« ist das jeweilige Vergehen erfasst: »negativer Umgang«, »Punker«, »negativer Fußballanhang BFC«, »Anhänger engl. Rockgruppe Pink Floyd«. Danach kommen die »Bearbeitungsmaßnahmen«.

Möglich, dass Gerd Kramer von der Existenz dieser Listen weiß und fürchtet, wegen seines Sohnes selbst einmal darin aufzutauchen. Zweifellos aber ist ihm die Haltung von Partei und Staatssicherheit gegenüber auffälligen Jugendlichen vertraut, und höchstwahrscheinlich teilt er sie sogar weitgehend. Den Hass auf alles Westliche jedenfalls hat er verinnerlicht, und er muss nach außen nichts vorgeben, was er nicht auch zu Hause lebt. Gerade bei der Spionageabwehr, der Hauptabteilung II, für die er seit nunmehr zwanzig Jahren Dienst tut, ist das klare Feindbild elementarer Bestandteil der Arbeit. Und der Feind, das kann eben auch der eigene Sohn sein.

»Einmal hat er mich fürchterlich verprügelt, weil ich mir ein paar Sicherheitsnadeln an die Jacke gesteckt hatte«, erinnert sich Martin, »und um die gelbe Lee-Hose gab's auch ständig Zoff.« Die Hose hat ihm ein Onkel vermacht, Martin liebt sie sehr. Die Risse und Flecken, die sie im Laufe der Zeit bekommt, adeln sie in den Augen des Fünfzehnjährigen zusätzlich. Kaum ein Tag, an dem er sie nicht trägt. Eines Morgens sucht er sie vergeblich: Der Vater hat sie in den Müll geworfen. Martin fischt sie wieder raus, wäscht sie heimlich, versteckt sie im Keller und zieht sie dort morgens unbemerkt an, bevor er zur Schule geht.

In seinem Zimmer nimmt er die Tüllgardinen vom Fenster, hängt selbst gemalte Bilder und schwarze Fischernetze an die Wände. Im Bücherregal stehen Figuren aus Draht und gesammelten Fundstücken, alte Bierflaschen dienen als Kerzenständer, von der Decke baumelt ein Spielzeugritter am Galgen – ein kleines Stück Rock 'n' Roll im Karlshorster Biedermeier, vom Vater erbittert bekämpft.

Doch die kleinen, heimlich abgetrotzten Freiheiten können Martins düsteres Lebensgefühl nicht aufhellen. »Es war wie im Korsett«, erinnert er sich. »Im Nachhinein staune ich, dass ich mich damals nicht aufgehängt habe. Ich glaube, ich habe gedacht: Den Gefallen tu' ich ihm nicht. Ein kleines Fünkchen Trotz war da wohl doch.«

Als er im Sommer aus dem Ferienlager zurückkommt und sein Zimmer betritt, kann er nicht fassen, was er sieht: Der Vater hat seine Abwesenheit genutzt, um aufzuräumen. Und er war gründlich. Die Figuren sind weg, die Bilder, die Netze, die Flaschen, sogar zwei seiner Tonbänder fehlen. Martin weiß, dass er sich keine Hoffnungen machen muss, die Sachen wiederzubekommen. Mit Tränen in den Augen läuft er nach unten, schreit seine Mutter an: »Wie konntest du das zulassen?« Sie schüttelt den Kopf, auch ihre Augen glänzen plötzlich feucht. »Warum lässt du dich nicht endlich scheiden? Von dem kann man sich doch nur trennen!«

Erst viele Jahre später – da ist die DDR längst Geschichte, genau wie die Ehe der Eltern – werden Mutter und Sohn über diese Zeit sprechen können, wird sie ihn um Verzeihung bitten für ihr Schweigen. Der erwachsene Martin hat Verständnis für sie: »Sie hat es so nie gesagt, aber ich glaube, sie konnte sich gegen meinen Vater selbst nicht wehren. Zu ihr war er ja auch immer ziemlich autoritär, hat ihr beim Autofahren ins Lenkrad gegriffen und wusste überhaupt immer alles besser. Vielleicht konnte sie sich auch nicht von ihm trennen, weil er sonst bei der Arbeit Schwierigkeiten bekommen hätte.«

Tatsächlich hat das MfS die familiären Verhältnisse seiner

Hauptamtlichen stets im Blick, schließlich sollen die Genossen möglichst reibungslos funktionieren. »Scheidungen wurden schon deswegen nicht gern gesehen, weil sie die Stabilität der Mitarbeiter gefährdeten – zum einen psychisch, aber auch ganz praktisch. Schließlich lässt sich das Führen eines Haushalts kaum mit einem 60-Stunden-Job und Dauerbereitschaft vereinbaren«, sagt der Historiker Jens Gieseke.

Dass Martin nicht mehr der brave FDJler ist, der er mal war, entgeht auch seinen Lehrern nicht. Im Frühjahr 1979 will er einen Schulfunk gründen und sammelt dafür in den Pausen Unterschriften. Einfach so, ohne Rücksprache mit Direktion und FDJ – unerhört! »Das wird Folgen haben«, droht der Direktor. Eigeninitiative ist hier nicht gefragt. »Gerade du mit deinem Vater solltest es doch wissen!« Der Eintrag ins Klassenbuch, der Brief an die Eltern, das Kollegium tagt und informiert die Parteileitung – was als harmloser Einfall eines Fünfzehnjährigen begann, ist plötzlich eine Affäre.

Trotz allem ist der Junge nicht zur Vernunft zu bringen. Einmal verlässt er sogar mitten im Staatsbürgerkundeunterricht das Klassenzimmer, und bei der Wehrkunde hat er sich nun schon mehrfach geweigert, eine Waffe in die Hand zu nehmen. Das Fach wurde gerade neu eingeführt: Seit 1978 ist es in allen neunten und zehnten Klassen Pflicht. Die Jungs werden dabei im Nahkampf ausgebildet und lernen den Umgang mit Schusswaffen und Handgranaten. Bei den Mädchen liegt der Schwerpunkt auf der Sanitätsausbildung, doch auch sie werden mit unterschiedlichen Waffentypen vertraut gemacht.

Martin ist das Kriegspielen zuwider. Gerade hat er die Biografie von Gandhi gelesen, dessen konsequenter Verzicht auf Gewalt ihn tief beeindruckt. Immer häufiger fragt er sich, warum in der DDR so viel vom Frieden die Rede ist, während bei jeder Gelegenheit feierlich das Militär aufmarschiert. Auf dem Weihnachtsmarkt am Alexanderplatz hat er sogar Panzer auf einem Kinderkarussell gesehen – neben Pferdchen und Feuerwehrautos. Irgendwas stimmt da nicht, findet er, auch wenn er seine Zweifel noch nicht in Worte fassen kann.

Im Sommer 1980 steht dann in seinem Abschlusszeugnis der vernichtende Satz: »Martin kann die Normen des sozialistischen Zusammenlebens nicht erfüllen.« Major Kramer ist stinksauer: Nicht genug damit, dass sein Sohn faul und undiszipliniert ist, jetzt muss er auch noch gesellschaftlich versagen! Gleich am nächsten Tag wird er im Büro des Schuldirektors vorstellig und erwirkt einen Nachtrag: »Martin zeigte aber gute Ergebnisse bei den Abschlussprüfungen.«

Doch auch mit diesem Zusatz erweist sich das Zeugnis als Hindernis bei der Lehrstellensuche. Nur mit Mühe findet Martin schließlich einen Ausbildungsplatz als Anlagetechniker. »In dem Betrieb haben sie jeden genommen«, erzählt er. »Lauter Gestrandete, die schlechte Zeugnisse hatten oder sonst wie nicht ins Raster passten. Ein ziemlich bunter Haufen.«

Die Lehre selbst interessiert Martin nicht besonders, trotzdem macht ihm die Arbeit mit den Kollegen Spaß, weil er durch sie mit ganz neuen Gedanken in Berührung kommt – und mit einer Lebenswelt, die sich, das spürt er überdeutlich, fundamental von der seines Vaters unterscheidet. »Mein Vater hat im Grunde immer auf die Proletarier runtergeguckt und sich als etwas Besseres gesehen. Obwohl wir doch im ›Arbeiter-und-Bauern-Staat‹ lebten. Für mich hatte er sich ja auch etwas anderes vorgestellt. Dass ich dann da gelandet bin, war für ihn ein echter Schlag ins Kontor.«

An seiner eigenen politischen Standfestigkeit lässt Martins Vater gegenüber dem MfS keinen Zweifel aufkommen: Im Dezember 1980 vermerkt die Abteilung Disziplinar der HA Kader und Schulung: »Gen. Kramer informierte mit dem als Anlage beigefügten Schreiben über den Austritt seines Stiefbruders aus der SED. Diese Fakten hat er von seinem Vater erfahren.«

Die Atmosphäre zu Hause wird immer unterkühlter, die Entfernung zwischen Sohn und Vater wächst. »Aus dem wird nichts«, hört Martin ihn einmal zur Mutter sagen. An das Gefühl, ein Versager zu sein, hat er sich schon gewöhnt. Noch heute fällt es ihm schwer, an sich und seine Fähigkeiten zu glauben, sich nicht mit den Augen des einst so übermächtigen Vaters zu sehen.

Von seinem ersten Lehrlingsgehalt kauft er sich eine Bassgitarre und daddelt, wann immer es geht, darauf herum. Eines Tages, schwört er sich, wird auch er in einer Band spielen. »Mein Vater ist damit nicht klargekommen«, sagt Martin immer wieder, wenn er von dieser Zeit spricht. »Der hat die Welt nicht mehr verstanden.« Sein hilfloser Zorn entlädt sich auch beim fast erwachsenen Sohn noch in Schlägen und rigorosen Strafen: Wutentbrannt reißt er in Martins Zimmer den Gladbach-Wimpel von der Wand, den der Siebzehnjährige sich gerade für zwanzig Ostmark auf dem Schwarzmarkt in Polen gekauft hat. »Du weißt ganz genau, dass ich so etwas nicht im Haus haben will! Solange du deine Füße unter meinen Tisch stellst, hast du dich gefälligst zu benehmen!«

Unten auf der Terrasse muss Martin dabei zusehen, wie sein Vater den Wimpel verbrennt. Vom Küchenfenster aus beobachtet auch seine Mutter die Szene, greift aber nicht ein. Hilflos steht Martin dabei, während sich der schwelende Brand ins Grün und Weiß des Stoffes frisst, das B in der schwarz-weißen Raute und schließlich mit kleinen, züngelnden Flammen den ganzen Wimpel erfasst. Zum Wütendsein fehlt ihm der Mut, er fühlt sich nur noch elend. Das altvertraute Lied: gehorchen und auf Linie sein. Daneben gibt es nichts. Schon gar kein eigenes Leben.

Doch mittlerweile ist Martins Interesse an Politik erwacht. Er fühlt mit den streikenden Arbeitern auf der Danziger Lenin-Werft und verfolgt gespannt, wie aus ihrem Protest eine ganze Bewegung und schließlich die unabhängige Gewerkschaft Solidarność entsteht. Mit Freunden diskutiert er darüber, ob so etwas nicht auch in der DDR möglich wäre, denn ihr fühlt er sich nach wie vor verbunden. Auch den Sozialismus hält er noch immer für das bessere System. Man müsste den Staat reformieren, findet er, und vor allem mehr Freiheiten zulassen.

Für Major Kramer ist die Solidarność ein rotes Tuch. »Das sind alles vom Westen gesteuerte Konterrevolutionäre, die eingesperrt gehören«, lautet sein Urteil, mit dem er jedes Gespräch sofort für beendet erklärt. Bis hin zur Wortwahl ist er damit ganz auf Linie seines obersten Dienstherrn: Stasichef Erich Mielke drängt mit Blick auf Polen darauf, die »inhumanen und antisozialistischen Pläne und Machenschaften der Kräfte der Konterrevolution« zu bekämpfen, die von »imperialistischen Kräften im Westen« gesteuert würden.[12] Dafür lässt er unter anderem inoffizielle Mitarbeiter in die neu gegründete Gewerkschaft schleusen.[13] Die DDR-Führung tut ihr Übriges und hebt den visumfreien Grenzverkehr zum östlichen Nachbarn auf – ab sofort gelten strenge Regeln für Reisen von und nach Polen. Das Virus des Aufstands darf sich unter keinen Umständen weiter ausbreiten.

April 1982. Ein paar Wochen nach Martins achtzehntem Geburtstag liegt bei der HA Kader und Schulung eine Meldung, der Sohn des Mitarbeiters Kramer werde nicht zum MfS gehen, da er zur NVA möchte. Kaum etwas läge Martin inzwischen ferner, er selbst weiß aber auch gar nichts davon: Erst durch die Recherche zu diesem Buch bekommt er das Papier zu sehen. »Vermutlich hat der Vater intern noch versucht, die Niederlage etwas besser aussehen zu lassen«, sagt Jens Gieseke. »Mit der Armee war er ja in jedem Fall auf der sicheren Seite, denn früher oder später wäre Martin sowieso eingezogen worden. Die Formulierung ›möchte zur NVA‹ ist so vage, dass gewissermaßen noch alles drin war, auch eine freiwillige Verpflichtung. Und das sieht natürlich allemal besser aus als ein Komplettausstieg.«

Besser auch als eine Ausbildung zum Pfleger, die Martin im Frühjahr 1982 in einem Berliner Altersheim beginnt und über die sein Vater nur den Kopf schüttelt.

Jetzt, wo er teilhat am Arbeitsalltag der großen Mehrheit, erscheinen Martin die Parteitagsphrasen des Vaters besonders hohl und realitätsfern. Sogar in der Sowjetunion, hört er jetzt immer öfter, rumore es schon. Ein Mann namens Gorbatschow spreche von »Perestroika« – dem Umbau des Systems, obwohl er selbst ZK-Sekretär im Kreml ist. Und auch in der DDR formiert sich allmählich Widerstand, allen Repressalien zum Trotz. Immer öfter sieht Martin jetzt Leute mit dem Abzeichen »Schwerter zu Pflugscharen«, und in der Lichtenberger Erlöserkirche finden Veranstaltungen der neuen Friedensbewegung statt. Dort wird – Martin kann es kaum glauben – offen über die Militarisierung der Gesellschaft diskutiert, über Umweltverschmutzung, die schlechte Versorgungslage, die gleichgeschaltete Presse. Auch einige andere evangelische Kirchen stellen neuerdings ihre Räume für Treffen der verschiedenen Oppositionsgruppen zur Verfügung. Manchmal finden dort sogar illegale Rock- und Punkkonzerte statt.

Zum ersten Mal in seinem Leben hat Martin das Gefühl, frische Luft zu atmen. Er lernt Leute aus der Hausbesetzerszene in Prenzlauer Berg kennen, gründet mit einem Freund eine Band, spielt jetzt Schlagzeug, singt und gibt sich einen neuen Namen. Ein runtergekommener Waschkeller dient den beiden als Proberaum, Gedichte von Kurt Schwitters und anderen Dadaisten geben ihnen Inspiration. All das, was seinem Vater zuwider ist, erweist sich für den nunmehr 21-Jährigen als Lebenselixier.

Um den Konflikten in der Familie aus dem Weg zu gehen, kommt Martin fast nur noch zum Schlafen nach Hause. In welchen Kreisen er sich aufhält, bleibt seinem Vater trotzdem nicht verborgen. Und er weiß auch, dass das Hammer-und-Sichel-Abzeichen, das Martin neuerdings an der Jacke trägt, nicht für die Freundschaft mit der Sowjetunion steht, sondern ein Zeichen heimlichen Widerstands gegen die Zustände in der DDR und der Solidarität mit Gorbatschow ist. Er spürt, dass seine Macht über den Sohn schwindet und er ihn mehr und mehr an eine Welt verliert, die er sein Leben lang bekämpft hat.

Ein einziges Mal besucht er Martin in dessen erster eigener Wohnung: ein Zimmer mit Küche über einer Kneipe in Lichtenberg. An den Decken bröselt der Putz, die Tapeten haben Blasen geschlagen und lösen sich von den feuchten Wänden. Das Klo ist auf halber Treppe. »Es sah aus, als sei die Rote Armee erst seit 'ner halben Stunde weg gewesen«, sagt Martin. »So was hatte mein Vater noch nicht gesehen.« Mit demonstrativem Missfallen sieht er sich um. Achtet darauf, möglichst wenig zu berühren. Noch immer ist Martin in seiner Gegenwart beklommen zumute. Er wünschte, es wäre nicht so. Aber sein Leben findet jetzt sowieso ganz woanders statt; Begegnungen mit dem Vater gibt es kaum noch. Manchmal, beim Musikhören, hat Martin das Gefühl, ihm wüchsen Bärenkräfte zu. Eine wilde, Leben spendende Wut. »Ich will nicht werden, was mein Alter ist«, brüllen er und seine Kumpels mit, wenn die Platte von Ton Steine Scherben läuft.

Seine Haare trägt er inzwischen schulterlang, mit der kleinen Brille sieht er fast aus wie John Lennon. Als regulärer Soldat bei der NVA zu dienen ist für ihn völlig undenkbar. Bei der Musterung erklärt er, Bausoldat werden zu wollen, und reicht im Wehrkreiskommando einen schriftlichen Antrag dafür ein.

Seit 1964 ist es in der DDR möglich, »aus religiösen und ähnlichen Gründen« den Dienst an der Waffe zu verweigern. Theoretisch. Denn ob dem Antrag stattgegeben wird, entscheidet allein die Musterungskommission. Bausoldaten leisten einen leicht abgewandelten Fahneneid und tragen keine Waffen. Meist werden sie zum Bau militärischer Objekte wie Armeeflugplätze oder Schießanlagen herangezogen. Auf ihren Schulterklappen sind als Erkennungszeichen kleine goldene Spaten aufgenäht. Das MfS sieht sie als »legale Konzentration feindlich-negativer Kräfte« innerhalb der NVA.[14] Jugendliche, die von ihrem Recht auf Verweigerung Gebrauch machen wollen, werden schon bei der Musterung massiv unter Druck gesetzt – und geraten automatisch ins Visier der Staatssicherheit. In den Musterungs- und Einberufungskommissionen sitzt immer auch ein »Abwehroffizier Wehrkreiskommando« der jeweiligen Kreisdienststelle des MfS. Wer sich nicht einschüchtern lässt und den Dienst als Bausoldat antritt, muss später mit erheblichen Schwierigkeiten im Berufsleben rechnen. Studieren beispielsweise darf er nicht mehr.

Auch Martin bekommt den Druck zu spüren. Im Wehrkreis-kommando erwarten ihn im November 1988 drei finster drein-blickende Militärs – ein Oberst, ein Oberstleutnant, ein Major. Sein Antrag liegt vor ihnen auf dem Tisch, Martin soll sich dazu äußern. Der Diakon der Erlöserkirche hatte ihm geraten, sich unter keinen Umständen in eine politische Diskussion verwickeln zu lassen. Jetzt versteht Martin, warum: »Wer hat Sie zu diesem Unsinn angestiftet?«, herrscht ihn der Major an. »Sie kommen doch aus einem fortschrittlichen Elternhaus! Was sagt denn Ihr Vater dazu?« Martin stellt sich dumm, wiederholt nur immer wieder, was er sich zurechtgelegt hat: dass er durch die Kontakte zur Kirche mit der Zeit zum Pazifisten geworden sei, der es mit seinem Gewissen nicht vereinbaren könne, eine Waffe in die Hand zu nehmen. »Wenn wir uns im Krieg auf Ihre feige Position zurückgezogen hätten, gäbe es unser sozialistisches Vaterland nicht!«, schaltet sich der Oberst ein. »Wir sind anerkannte VdN, falls Ihnen das etwas sagt.« Martin nickt. Die Abkürzung für Verfolgte des Naziregimes kennt jeder. Bloß nicht provozieren lassen, denkt er. Stur bei der Linie bleiben. Und die Hände still halten. Sie sollen nicht merken, dass ich Schiss hab. Nach einer halben Stunde Schimpfen und Drohen lässt man ihn gehen. »Sie hören von uns.«

Als Martin das nächste Mal bei seinen Eltern ist, packt ihn der Vater am Arm. Er habe da so ein Schreiben auf den Tisch bekommen, sagt er. Die mühsam im Zaum gehaltene Wut ist ihm anzusehen. »Überleg dir genau, was du tust!« Kein Rat, sondern Drohung. Martin murmelt etwas von »meine Sache«, traut sich aber nicht, dem Vater dabei in die Augen zu sehen. Soll er doch drohen. Was kann er ihm noch groß anhaben? »Da irrst du dich aber gewaltig!« – Gerd Kramer wird laut. »Ich lass mir von dir doch nicht meine Karriere versauen! Wenn du das machst, bist du nicht mehr mein Sohn.«

»Nach dem Satz war bei mir Schicht im Schacht«, sagt Martin. »Was soll man mit so einem Menschen anfangen?« Zwei Monate später reicht er einen neuen Antrag ein: die Totalverweigerung.

Exkurs: Geschlossene Gesellschaft –
die hauptamtlichen Mitarbeiter

Für den Dienst bei der Stasi kann man sich nicht bewerben – man wird ausgewählt. Wer es trotzdem versucht, gerät in Verdacht, für einen feindlichen Geheimdienst zu arbeiten, und wird in der Regel abgelehnt. Trotz des beständig steigenden Personalbedarfs durchleuchtet das Ministerium für Staatssicherheit jeden einzelnen Kandidaten in einer sogenannten Kaderermittlung: Ziel ist dabei laut Dienstvorschrift »die Erforschung der Persönlichkeit des neuen Kaders und die Erarbeitung eines objektiven Persönlichkeitsbildes«. Zu diesem Zweck »festzustellen« seien »Motive der wesentlichen Verhaltens- und Handlungsweisen im gesellschaftlichen Leben, persönliche Verbindungen und Umgang, … Gestaltung der Freizeit, besondere Interessen und Neigungen, … religiöse Einstellung«, schließlich »Bürger, die die Angaben zur Person bestätigen können«[15] – und damit ist die Liste längst nicht vollständig. Freizeitgestaltung und Liebesleben, Freundeskreis und Weltanschauung, Kinder, Interessen, selbst entfernte Verwandte – es gibt kaum etwas, das für den mächtigen Dienstherrn nicht von Belang ist. Im Mittelpunkt stehen dabei politische Linientreue und das strikte Verbot von Kontakten ins »nicht sozialistische Ausland«. Oft geht der Einstellung als Hauptamtlicher eine inoffizielle Mitarbeit voraus, während der sich der »Perspektivkader« bewähren und seine Eignung unter Beweis stellen muss.

Die strengen Auswahlkriterien, eine überdurchschnittliche Bezahlung und eine Reihe von Privilegien tragen dazu bei, dass sich die hauptamtlichen Mitarbeiter der Stasi als Elite fühlen können – und das sollen sie auch. Als, wie ihr erster Chef Wilhelm Zaisser es formulierte, »Genossen erster Kategorie«.

Bei der Gründung des MfS 1950 übernimmt zunächst eine kleine Gruppe erfahrener Altkommunisten die Führung. Die meisten von ihnen sind seit den 1920er-Jahren politisch aktiv, haben die Straßen- und Saalschlachten der Weimarer Republik erlebt und sich im Widerstand gegen die Nationalsozialisten bewährt. Etliche saßen für ihre Überzeugung in Zuchthäusern und Konzentrationslagern oder mussten ins sowjetische Exil flüchten. Mit ihren Biografien stehen sie geradezu idealtypisch für die erklärtermaßen antifaschistische Ausrichtung der jungen DDR und ihrer Geheimpolizei.

Die meisten der einfachen Mitarbeiter sind deutlich jünger und unerfahrener. Sie haben als Kinder Krieg und Vertreibung erlebt, waren meist in der Hitlerjugend und suchten nach dem Zusammenbruch des Nationalsozialismus neue Orientierung. Befehl, Gehorsam und Unterordnung sind ihnen vertraut; Demokratie und Rechtsstaatlichkeit haben sie nie kennengelernt. Fast alle, 97,8 Prozent, kommen aus unterprivilegierten Arbeiterfamilien, über 80 Prozent sind gelernte Handwerker oder Fabrikarbeiter. Ihr Bildungsstand ist gering: Gerade mal 5,2 Prozent sind länger als acht Jahre zur Schule gegangen[16] – ein Manko, das Partei- und MfS-Führung bewusst in Kauf nehmen und später durch Schulungen zu korrigieren versuchen. Es ist der Preis für den radikalen Bruch mit dem Dienstpersonal der Nationalsozialisten: »Fachleute« aus Gestapo, SS oder der damaligen Polizei werden nicht eingestellt.

Das geheimdienstliche Know-how, das ihnen noch fehlt, schauen sich die Neulinge bei ihren Vorgesetzten ab – und verinnerlichen dabei zugleich deren Weltsicht. »Da individuelle Fähigkeiten zunächst keine Rolle spielten, blieb ihnen gar nichts anderes übrig, als sich anzupassen«, sagt Jens Gieseke. »Die Maxime lautete: Im Kampf gegen den Faschismus sind praktisch alle Mittel erlaubt. Milde wäre unverzeihlich.« Bei Verhören und Verhaftungen haben die Nachwuchskader jeden Tag Gelegenheit, ihren Lerneifer unter Beweis zu stellen. In der Regel aber ist der »Feind«, der ihnen etwa in Gestalt eines politisch missliebigen Rechtsanwalts gegenübersteht, deutlich älter und vor allem gebildeter als sie. Sich dann mit den kampferprobten Vorgesetzten zu identifizieren und auf deren politische Linie zu besinnen hilft, die aufkommenden Zweifel und Unsicherheiten zu bekämpfen. So verfestigt sich in dieser Generation von Mitarbeitern mit der Zeit ein rigoroses Freund-Feind-Denken, das die geistige Atmosphäre im MfS über Jahrzehnte hinweg bestimmt.

Zwar gehen die kommunistischen Gründerväter, mit Ausnahme Erich Mielkes, schon während der Sechzigerjahre aus Altersgründen in Rente, ihr politisches Vermächtnis und ihr geistiges Erbe jedoch leben weiter in ihren Zöglingen. Denn diese rücken nun nach und nach in leitende Positionen auf – mittlerweile gestählt durch zehn und mehr Jahre Dienst an der unsichtbaren Front des Kalten Krieges. In den Achtzigerjahren stellen sie die gesamte Generalität.

Frauen haben im MfS kaum Chancen, in verantwortungsvolle Positionen zu kommen. Sie gelten allen Gleichberechtigungsparolen zum Trotz als ungeeignet für die »operative Arbeit« und werden fast ausschließlich als Sekretärinnen, Reinigungskräfte oder Küchenhilfen eingesetzt. Die Hauptamtlichen sind zu 84 Prozent Männer.[17]

Bildung im klassischen Sinne spielt beim MfS allenfalls eine untergeordnete Rolle. Erich Mielke selbst betont immer wieder, wie unwichtig er sie findet: »Untersuchen wir mal, wie manche großartig schreiben können und wie wunderbar sie daherreden, und prüfen wir, wie viel Feinde sie vernichtet haben.« Wenn ein Genosse »mal nicht seinen Namen unterschreiben kann, ist es nicht wichtig, aber wenn er weiß, wer die Feinde sind, ist er auf dem richtigen Wege«.[18] In der Praxis aber erweist sich die mangelhafte Bildung der Mitarbeiter lange als Hindernis: Die meisten sind kaum in der Lage, schriftliche Berichte zu verfassen oder inoffiziellen Mitarbeitern auf Augenhöhe zu begegnen. Interne Schulungen und Fernstudiengänge sollen Abhilfe schaffen. In erster Linie sollen »die Angehörigen des Organs« zwar ideologisch gefestigt werden und vor allem lernen, besser und effektiver zu arbeiten – offiziell »Einheit von Theorie und Praxis« genannt –, in den Fünfzigerjahren bedeutet das allerdings bei der Mehrheit zunächst schlicht die Vermittlung elementarer Grundkenntnisse in Rechtschreibung, Grammatik und mündlichem Ausdruck. Das Bildungsniveau steigt erst mit der Zeit. Ende der Siebzigerjahre haben schließlich gut 23 Prozent der neu eingestellten Mitarbeiter Abitur, fast siebzig Prozent den Abschluss der zehnklassigen Polytechnischen Oberschule.[19]

An der MfS-Schule in Potsdam-Eiche orientiert sich das Curriculum vornehmlich an den Erfordernissen der Überwachungs- und Repressionsarbeit. Dabei spricht Wilhelm Zaisser in seiner Rede zu ihrer Eröffnung 1951 ebenso von der Aufgabe, den »Kadern ein politisches Grundwissen zu geben und ihnen die Lehre von Marx, Engels, Lenin und Stalin … als Anleitung zum Handeln« zu vermitteln.[20] Ab 1955 nennt sie sich Hochschule des MfS, zehn Jahre später sogar Juristische Hochschule des MfS. Doch auch wenn man sich dort auf eine »Wissenschaftlichkeit des Tschekismus« beruft und großzügig akademische Titel verteilt: »Echte Bildung im Sinne von Horizonterweiterung«, konstatiert Gieseke, »ließ das tschekistische Denk-Korsett nicht zu. Die Grundstimmung bei der Stasi blieb letztlich immer antiintellektuell.«

Während der Siebzigerjahre ist der Bedarf an Personal kaum zu decken: Das MfS steht im Zenit seiner Ausdehnung und Macht. Auf der Suche nach geeigneten Kandidaten durchkämmen die Werbeoffiziere daher systematisch die siebten, später auch die sechsten Klassen, mithilfe von Eltern, Lehrern und Schulleitung beobachten und begleiten sie die Entwicklung der ausgewählten Kinder. »Das soll Dein Weg zu uns sein!«, ist das Faltblatt überschrieben, das den Schülern in die Hand gedrückt wird. Die gesamte Schulzeit läuft dort unter »Berufsvorbereitung« – das eigentliche Ziel ist der »Dienst im MfS«. Vorher aber müssen sich die Kinder noch als würdig erweisen: »In der 9. Klasse wird Dir mitgeteilt, ob Du aufgrund Deiner Leistungen und Verhaltensweisen Bewerber des MfS werden kannst.«[21]

Die Auswahl inoffizieller Mitarbeiter, der IM, ist viel weniger streng. Aus Sicht des MfS sind sie in erster Linie Werkzeuge der geheimdienstlichen Arbeit. Unter Anleitung der hauptamtlichen Führungsoffiziere sollen sie bei der »Feindbekämpfung« helfen, Informationen sammeln und Einfluss auf bestimmte Personen oder Milieus nehmen. Sie erklären zwar ihre Bereitschaft zur – verdeckten – Mitarbeit, ein lebenslang gültiger Eid ist diese Erklärung jedoch nicht. Im Gegensatz zu den »Angehörigen des Organs« bekommen sie für ihre Arbeit in der Regel auch kein Geld – die weitaus meisten IMs sind nicht aus finanziellen Gründen, sondern aus Überzeugung dabei.

Die Bezeichnung »Mitarbeiter« soll ihre Tätigkeit wenigstens sprachlich aufwerten und die Fragwürdigkeit der Spitzelei verschleiern. Zudem suggeriert sie eine gleichwertige Beziehung, die es in Wahrheit nicht gibt: Es sei »anzustreben«, heißt es im »Wörterbuch für die politisch-operative Arbeit«, »dass der IM dem operativen Mitarbeiter volles Vertrauen entgegenbringt«, während dieser »in seinem Verhältnis zum IM den Sicherheits- und Kontrollaspekt nicht außer Acht lassen darf«.[22] Die vermeintliche Gleichstellung wirke bis heute fort, meint Gieseke – wenn auch mit umgekehrter Wertung: »In der öffentlichen Wahrnehmung sind die IM viel präsenter als die hauptamtlichen Mitarbeiter. Sie verkörpern gewissermaßen die Stasi an sich.«

Dabei sind es die Hauptamtler, die den Apparat prägen – und darum mit einem Aufwand geprüft werden, der der Überwachung »feindlicher Objekte« in nichts nachsteht. Vor dem Hintergrund der strengen Vorgaben werden die Kaderwerber vor allem unter ihresgleichen fündig. Ab den Siebzigerjahren bezieht das MfS seinen Nachwuchs daher bevorzugt aus den eigenen Reihen: In jeder dritten, mindestens aber jeder vierten Mitarbeiterfamilie entscheiden sich die Söhne, seltener die Töchter, ebenfalls für eine Laufbahn »bei der Firma«. Zusammen mit anderen Funktionärskindern aus der sogenannten sozialistischen Dienstklasse, dazu zählen etwa NVA, Volkspolizei, Parteileitung und Verwaltung, stellen sie von nun an weit über die Hälfte der neuen Mitarbeiter. Da sie sich außerdem untereinander vernetzen und verheiraten, ist die Mehrheit der Beschäftigten Ende der Achtzigerjahre mit Kollegen verwandt.[23]

So reproduziert sich das »tschekistische Milieu« immer wieder selbst, die MfS-Familie bleibt unter sich. Diszipliniert durch Verhaltensnormen, die weit ins Privatleben reichen, abgeschottet vom Rest der Bevölkerung durch eigene Wohngebiete, Ferienheime, Kindergärten und den Zwang zur Geheimhaltung des eigenen Tuns – Leben im Dienste der Stasi heißt: Leben in einer geschlossenen Gesellschaft.

Aufgeben

»Es war wie in einem merkwürdigen Theaterstück«, sagt der 42-jährige Frank Dohrmann nachdenklich und lässt die halbfertig gedrehte Zigarette sinken. »Das war mein Grundgefühl als Kind. Ein Theaterstück, in dem ich das Regiebuch nie zu sehen bekam.« Es gibt darin Szenen extremer Gewalt – mal spontan, mal mit Ankündigung und wie nach Plan. Zwischendurch Episoden dosierter Zärtlichkeit; hin und wieder ein harmonisches Weihnachts- oder Geburtstagsfest, dann wieder Eiseskälte. Die Eltern spielen die Heldenrollen; Frank und seine sechs Jahre jüngere Schwester Tanja sind die Komparsen. »Wir gehen den ganzen Tag arbeiten, damit es euch gut geht«, beginnt einer der vielen Monologe, die die beiden immer wieder hören.

Ein unumstößlicher Zeitplan taktet das Familienleben. Jede Mahlzeit, jede Tätigkeit ist auf die Minute festgelegt; Ausnahmen gelten als Belohnung. Die Wohnung wird täglich gesaugt, nur sonntags nicht. Montag, Mittwoch und Freitag ist Staubwischen dran, am Samstag wird jedes Zimmer ausgeräumt, unter sämtlichen Teppichen gewischt. »Ich habe so viele Stunden mit Putzen verbracht!«, sagt Frank. »Wenn ich aus der Schule kam, musste ich sofort irgendwelche Aufgaben erledigen. Abwaschen, staubsaugen, das Bad putzen …« Oft macht er freiwillig mehr – Fleiß ist die Währung für Lob. Franks Kleidung liegt Kante auf Kante im Schrank. Sein Schreibtisch muss leer sein, die Schuhe gesäubert, das Bett in der Früh gleich als Erstes gemacht. Und überall lauern Fehlerquellen. »Dann musst du eben jeden Tag hier antreten, bis du es gelernt hast«, sagt sein Vater oft.

Frank ist froh, wenn es nur ums Saubermachen und Zimmeraufräumen geht, denn da kann er sich anstrengen und aufpassen, dass alles so ist, wie es sein soll. Viel schlimmer ist das Bettnässen – dagegen ist er machtlos. Es passiert fast jede Nacht, er fürchtet sich schon vor dem Einschlafen. Manchmal wacht er davon auf. Dann zieht er den nassen Schlafanzug aus, legt ihn zum Trocknen auf die Heizung. Meistens kommt es trotzdem raus, und der Tag beginnt mit einem Verhör: Warum er es denn nicht merke und rechtzeitig aufs Klo gehe. »Ich weiß es nicht«, sagt Frank wieder und wieder. Die Eltern lassen es nicht gelten. »Gib es doch zu! Du bist einfach zu faul, um nachts aufzustehen. Aber das passt zu dir«, schimpft der Vater und schlägt zu. »Wenn sich die Sauerei nicht bald gibt, ist Weihnachten für dich gestorben ...«

Die Sauerei gibt sich nicht.

»Ich habe keine Ahnung, was mit mir los war«, sagt Frank heute. »Irgendwie war ich anders und damit konnten sie nicht umgehen. Ich bin aus ihren Erwartungen rausgekippt.« Hin und wieder erlaubt sich Frank in der Schule eine freche Antwort, ein kleines bisschen Widerstand, obwohl er weiß, dass er zu Hause hart dafür bestraft wird: Als aktiven Mitgliedern im Elternkollektiv der Schule bleibt den Eltern nichts verborgen. »Na, dann freu dich mal, wenn Papa nach Hause kommt«, sagt die Mutter beim Blick auf den Eintrag im Hausaufgabenheft, die Mathearbeit, das Zeugnis. Wenn der Vater Stunden später mit dem Teppichklopfer zuschlägt, ist Frank fast erleichtert – der größte Horror ist das Warten auf die Prügel.

An guten Tagen gefällt sich Ernst Dohrmann in der Rolle des geduldigen Vaters: »Man erklärt's dir ja nicht umsonst«, wendet er sich mit einem ergebenen Seufzer an seinen Sohn, »sondern damit du verstehst, worauf es ankommt.« Meist folgt solchen Erklärungen ein längerer Monolog – über die Notwendigkeit, sich in eine Gemeinschaft einzufügen; Lehrer, die allesamt nicht streng genug sind; über konzentriertes Arbeiten und das gekonnte Führen von Untergebenen. Früher oder später kommt er auf Politik zu sprechen: Die DDR-Führung verhalte sich windelweich und lasse sich von der BRD ihr Grenzregime vorschreiben.

Dabei sei es doch offensichtlich, dass die Faschisten in Bonn von Washington gelenkt würden. Überhaupt müsse man viel härter durchgreifen gegen die Feinde des Sozialismus und all das asoziale Gesocks mit den langen Haaren. »Mir geht das Messer in der Tasche auf, wenn ich dieses Pack sehe. Wäre ich am Ruder, die kämen alle auf 'nen Waggon und ab ins Arbeitslager.«

Der Vater arbeite beim Ministerium des Innern, hat man Frank erklärt. Das klingt wichtig, er kann sich aber nichts darunter vorstellen. Er weiß nur, dass der Vater dort nicht die hohe Position hat, die ihm eigentlich zusteht, denn darüber schimpft er oft. Die Umstände, sagt er, würden es verhindern. Vor allem die Familie.

Hinter den Kulissen des Theaterstücks stellen sich die Dinge etwas anders dar. So heißt es im Mai 1979 in einer Beurteilung des MfS über den Sachbearbeiter Dohrmann: »Im Prozess der Dienstdurchführung ist erkennbar, dass ihm konzentriertes und zügiges Arbeiten über einen längeren Zeitraum nicht leichtfällt. Er neigt bei unzureichender Kontrolle zum sporadischen und nicht immer effektiven Handeln.« Vor allem bereite es ihm »Schwierigkeiten, schriftliche Ausarbeitungen wie Berichte oder Einschätzungen zu fertigen oder überhaupt seine Gedanken schriftlich darzulegen«. »Helfenden Hinweisen« gegenüber sei er zwar »aufgeschlossen«, doch »Konfliktsituationen … beeinträchtigen die Stabilisierung seines Selbstvertrauens bzw. bewirken eine Verunsicherung im Verhalten«.

Seit vier Jahren wohnen die Dohrmanns in einem Neubau in Hohenschönhausen. Ganz in der Nähe beginnt das Sperrgebiet: Straßen enden vor stacheldrahtbewehrten Mauern, Kameras filmen jeden sich nähernden Passanten. Vor den Toren und auf Wachtürmen stehen bewaffnete Sicherheitskräfte. Dahinter liegt ein Areal, das in keinem Stadtplan verzeichnet ist: das »Dienstobjekt Freienwalder Straße« – nach der Zentrale in Lichtenberg der zweitgrößte Standort des MfS. Hier arbeiten unter anderen die Hauptabteilung XII, die Zentrale Auskunft/Speicher, die sämtliche »operativ erarbeitete« Informationen katalogisiert und so den Zugriff auf den gewaltigen Aktenbestand ermöglicht, und der Operativ-Technische Sektor, der Mikrofone, Kameras und Abhöranlagen herstellt. Den größten Teil des Geländes aber nimmt das zentrale Untersuchungsgefängnis des MfS ein: Zellentrakt, Ermittlungsabteilung, Haftkrankenhaus. In den Gebäuden rund um das Sperrgebiet sind weitere Dienststellen untergebracht oder Wohnungen für Angehörige des MfS: Die Abschottung ist perfekt. Hohenschönhausen ist fest in Stasi-Hand. Selbst die Gefangenen wissen nicht, wo sie sind.

»Du kannst dich in diesem Viertel nicht unbeobachtet bewegen. Alles, was du tust, wird mir früher oder später zu Ohren kommen.« Beinahe täglich wiederholt Ernst Dohrmann seine Drohung. Es wäre nicht nötig. Frank weiß aus Erfahrung, dass es so ist.

Bis heute hat sich in der Nachbarschaft kaum etwas verändert: Rund um die Gedenkstätte Hohenschönhausen, das einstige Sperrgebiet, leben nach wie vor viele ehemalige Mitarbeiter des MfS.

»Die sozialen und familiären Verhältnisse gelten als geordnet«, heißt es jahrelang in Ernst Dohrmanns Akte. Das Bild nach außen stimmt. »Ich fand es immer unheimlich, meine Eltern zu erleben, wenn sie Besuch hatten«, erinnert sich Frank. »Da gaben sie sich so freundlich. Sobald die Leute dann gegangen waren, nahmen sie ihre Masken ab, und alles war wieder wie immer.«

Wenn er Westsender schaut, zieht Ernst Dohrmann die Gardinen zu und stellt die Lautstärke auf gerade-noch-hörbar. Den Kindern sind die Kanäle strengstens verboten; er selbst aber müsse über die Machenschaften des Feindes Bescheid wissen. Der Reiz, das Verbot zu übertreten, ist groß. Es sind Schulferien, Frank ist zehn und allein zu Hause. Sich frei in der Wohnung bewegen zu können ist ein schönes, erwachsenes Gefühl. Die Mutter ist bis zum späten Nachmittag bei der Arbeit, der Vater kommt abends frühestens um sieben zurück – vor Frank liegen noch Stunden köstlicher Freiheit.

Seine Aufgaben im Haushalt können warten, findet er: Um Viertel vor elf kommt im Westen immer ein Spielfilm. Heute ist es Science-Fiction – perfekt! Aus der Hausbar in der Schrankwand holt er die Flasche mit Eierlikör und eins der winzigen roten Gläser. Vorsichtig schenkt er sich ein und achtet darauf, dass die Flasche wieder exakt so im Schrank steht wie vorher.

Plötzlich wird die Wohnungstür aufgeschlossen. Er rennt zum Fernseher, doch es ist zu spät. Der Vater sieht den laufenden Fernseher, das Glas auf dem Tisch. Mit zwei schnellen Schritten ist er bei seinem Sohn, greift ihn am Arm, prügelt ihn quer durchs Zimmer. Zum ersten Mal hat Frank Angst, dass der Vater ihn totschlägt. Ein paar Minuten später ist er wieder weg – als wäre er nur nach Hause gekommen, um ihn zu kontrollieren.

Von nun an ist das Wohnzimmer abgeschlossen, wenn die Eltern nicht da sind. Das Schlafzimmer ist es schon lange, seit sie dahintergekommen sind, dass Frank in ihrer Abwesenheit die Schränke durchwühlt. Oft ist auch die Küchentür zu – »sonst klaust du wieder Süßigkeiten«. Frank bleiben Kinderzimmer, Flur und Bad. Die Wohnung bekommt dadurch etwas Surreales, Geisterhaftes. Die Strafe des Hausarrests wird eine doppelte: aus- und zugleich eingesperrt.

Pflichtbewusst meldet Ernst Dohrmann dem MfS im Juni 1979 »ein Zusammentreffen mit Verwandtschaft aus dem kapitalistischen Ausland«: Anlässlich der Beerdigung seiner Schwiegermutter seien der Bruder des Schwiegervaters und dessen Ehefrau aus Kanada angereist. »In den Gesprächen, die wir durchführten«, seien jedoch »nur familiäre Themen besprochen« worden, »die im Zusammenhang mit dem Hinscheiden meiner Schwiegermutter standen. Das Zusammensein betrug ca. vier Stunden.« In ihrem Bericht für die Hauptabteilung Kader und Schulung, die HA KuSch, urteilen Dohrmanns Vorgesetzte gnädig: »Aufgrund des Anlasses des zustande gekommenen Kontaktes und des Ablaufs dieser Begegnung ergeben sich keinerlei Maßnahmen.«

Kritisch wird es ein halbes Jahr später, als Opa Heinrich seinen Bruder besuchen will. Frank erinnert sich noch gut an die Auseinandersetzungen in der Familie: »Meine Eltern haben sich endlos aufgeregt. Erst darüber, dass er fahren will, dann darüber, dass er die Genehmigung bekommen hat, und am Ende darüber, dass er tatsächlich gefahren ist. Es war ein Dauerthema bei uns – über Jahre.«

Dreieinhalb handgeschriebene Seiten lang rechtfertigt sich Oberleutnant Dohrmann gegenüber seinem Dienstherrn allein zu diesem Ereignis. Etliche weitere Berichte und Mitteilungen werden in den nächsten Jahren folgen. Vergeblich habe er versucht, seinen Schwiegervater »davon zu überzeugen, dass er solche Gedanken aufgeben solle, da ich als Angehöriger des MfS nicht damit einverstanden sein kann, dass ein naher Verwandter … ins kapitalistische Ausland reist«. Auch habe er ihm gesagt, »dass meine Frau und ich trotz der erhaltenen Genehmigung nicht erfreut sind, dass er … seine persönlichen Interessen durchgesetzt hat. Wir betrachten seine Verhaltensweise als rücksichtslos und egoistisch.«

Dem »10-jährigen Sohn« habe man »eingehend« erklärt, »dass der Opa die Genehmigung … ausnahmsweise im Zusammenhang mit dem Tod der Oma erhalten habe« und dass »solche Familienangelegenheiten Außenstehende nichts angehen«. Er sei »in unserem Sinne erzogen« und fasse die Reise »nur als Verwandtenbesuch auf«. Die »Verherrlichung des Westens« sei ihm »fremd«.

»Ergänzende Angaben über Details der Reise«, schließt Dohrmann sein Schreiben, werde er nach Rückkehr des Schwiegervaters »auf schnellstem Wege übermitteln«. Seine Frau und er glaubten im Übrigen nicht, »dass der Schwiegervater … nochmals irgendwann eine Reise ins kapitalistische Ausland in Erwägung ziehen wird. Sollte dies doch auftreten, sind wir der Meinung, ihm sollte keine Genehmigung erteilt werden.«

»Wie mein Opa über all das gedacht hat, weiß ich nicht«, sagt Frank. »Er hat sich mir gegenüber nie dazu geäußert. Und die Auseinandersetzungen zwischen ihm und meinen Eltern habe ich nie direkt mitbekommen. Ich bin mir aber ziemlich sicher, dass er darunter gelitten hat, dass sich seine Tochter von ihm distanzierte. In meiner Erinnerung ist er ein trauriger, schweigsamer Mann.«

Am Wochenende hat Ernst Dohrmann oft Bereitschaftsdienst, wie er sagt. Dann darf ihn Frank in dem Bürogebäude am Alexanderplatz abholen, das macht ihn jedes Mal stolz. Schon die Anmeldung beim Pförtner ist aufregend, dann der Fahrstuhl, die schweren Türen, die sich mit einem Summen öffnen. Oben sitzt der Vater ganz allein auf einem endlosen Flur. In seinem Büro steht, vor gelbgrünen Gardinen, ein verstaubter Gummibaum auf der Fensterbank, daneben ein kleines Transistorradio. Alle Zimmer sehen so aus. Auch das, in dem Frank auf ihn warten und dabei auf der Schreibmaschine rumtippen darf. Manchmal stundenlang, aber das macht ihm nichts aus. »Hier wird darüber entschieden, wer in die DDR einreisen darf«, hat ihm der Vater erklärt. Einmal hat er ihm sogar einige Formulare gezeigt. Frank hätte gern noch mehr darüber erfahren. Er muss aber aufpassen, die gute Stimmung nicht mit dummen Fragen zu zerstören. Das Wohlwollen des Vaters kann jeden Augenblick vorbei sein.

Oberleutnant Dohrmann, mittlerweile über vierzig, überprüft nach wie vor als »Fahndungssachbearbeiter« die Visumanträge für Einreisen in die DDR. Die letzte Beförderung liegt schon gut vier Jahre zurück. Ein Ende des durchgängigen Schichtdienstes ist auch nicht in Sicht, obwohl ihm seine Abteilungsleiter das immer wieder in Aussicht stellen. Dass man ihm »anlässlich des 31. Jahrestages der Bildung des MfS« die »Verdienstmedaille der NVA in Silber« anheftet, ist da nur ein schwacher Trost.

*

Die steile Falte an der Nasenwurzel, die Lippen in größter Beherrschung zusammengepresst – die Mutter lässt keinen Zweifel daran, wie sehr ihr die Fahrt zuwider ist. Frank beobachtet sie verstohlen. Ihre Bewegungen sind hart und plötzlich. Jede Verzögerung, jede rote Ampel lässt sie kurz aufstöhnen. Sie sind auf dem Weg zum Krankenhaus Herzberge, der städtischen Klinik für Neurologie und Psychiatrie. Jedes Kind weiß, dass dort die Irren wohnen. Auf jedem Berliner Schulhof ist Herzberge das Synonym für »geisteskrank«.

»Jetzt haben wir die Faxen endgültig dicke«, hatten die Eltern gesagt, als er vor ein paar Tagen mal wieder ins Bett gemacht hatte. »Du bist ja offensichtlich nicht gewillt, erwachsen zu werden.«

Auf den Gängen schlurfen Männer und Frauen an ihnen vorbei, alte, junge, mit verlebten Gesichtern, in ausgeleierten Trainingsanzügen und Bademänteln mit Flecken. Manche brabbeln vor sich hin, starren auf einen Punkt in der Ferne, manche bleiben stehen und sehen sie neugierig an. Pfleger führen die Patienten mit energischem Griff durch Milchglastüren. Marion Dohrmann verzieht das Gesicht, versucht, ihnen so gut es geht auszuweichen. Ungeduldig schiebt sie ihren Sohn vor sich her. Frank spürt ihren Ekel, den leise kochenden Zorn. Er ist schuld, dass sie hier sein muss.

Das Behandlungszimmer ist eng und schummrig, das Fenster vergittert. Die Ärztin stellt sich als Dr. Brückner vor, gibt der Mutter mit einem knappen Lächeln die Hand und mustert Frank durch eine dunkelrandige Brille. Er muss sich ausziehen, wird abgehört, beklopft und betastet. Die Mutter beantwortet unterdessen die Fragen. Über sechs Jahre ginge das nun schon so, erzählt sie. Fast jede Nacht. Sie hätten alles versucht, aber nun seien sie mit ihrem Latein am Ende. »Da stimmt doch etwas organisch nicht. Der Junge ist schließlich schon elf! Man schämt sich ja langsam …«

Als Frank wieder angezogen ist, wendet sich die Ärztin ihm zu. Sie sitzt hinterm Schreibtisch, macht sich Notizen. Ob er Freunde habe und ob ihm die Schule Spaß mache, will sie wissen. Was seine Hobbys sind, sein Lieblingstier, das liebste Buch. »Magst du deine Eltern?«, fragt sie schließlich. »Ja, natürlich«, sagt Frank irritiert. Aus dem Augenwinkel sieht er, wie seine Mutter ein Bein über das andere schlägt. Unbewegliche Miene. Durch die Maske dringt nichts.

Jeden Abend vor dem Schlafengehen bekommt Frank nun eine Tablette, grellgelb und süß. »Wenn dich das nicht endlich zu einem normalen Menschen macht, ist dir nicht zu helfen«, sagt die Mutter. Ja, ein normaler Mensch sein, das wäre schön – Frank schluckt die Medizin. Zehn Minuten später wird es in seinem Kopf dumpf und wattig. Er kann alles hören und sehen, doch es spielt keine Rolle mehr. Wie von außen erfasst ihn eine Müdigkeit, breitet sich aus, lähmt Zunge und Hände. Der Weg zum Bett erscheint ihm oft unendlich lang, der Schlaf kommt schlagartig und bleiern, durchzogen von fremden, wirren Bildern. Morgens ist er zerschlagen und müde wie nach einem Boxkampf. Am Frühstückstisch spürt er die prüfenden Blicke der Eltern, schämt sich für seine Langsamkeit. »Am Anfang hat mich die Wirkung der Tabletten noch erschreckt«, erzählt er. »Mit der Zeit habe ich mich daran gewöhnt. Es war so, als gäbe es mich nicht mehr.«

Jeden Dienstag geht er nun zu Dr. Brückner in die Sprechstunde. Ein Kalender, in den er täglich eintragen muss, ob er »eingenässt« hat oder nicht, gibt Aufschluss über seine Fortschritte: eine Wolke heißt »ja«, eine Sonne »nein«. Die Eltern kontrollieren, damit er nicht schummelt. »Drei Wolken – da wird die Frau Doktor aber enttäuscht sein.« Es gibt Momente, in denen Frank der Ärztin mehr erzählen möchte, doch die Angst vor Vater und Mutter hält ihn zurück. Früher oder später, da ist er sich sicher, käme es ihnen zu Ohren.

Unterdessen legt sich die allgegenwärtige Müdigkeit über seine Tage. Was ihm früher Spaß gemacht hat, interessiert ihn nicht mehr. Er hat Mühe, dem Unterricht zu folgen. Was gedankliche Anstrengung erfordert, scheint unüberwindlich; konzentrieren geht nur noch für kurze Zeit. Er sieht und versteht, dass er absackt, doch er hat nicht die Kraft zum Gegensteuern. »Es hat aber offensichtlich niemand einen Zusammenhang zu den Tabletten hergestellt«, wundert sich Frank dreißig Jahre später. »Dabei wusste auch mein Klassenlehrer Bescheid. Der hat mich dienstags ja immer früher gehen lassen.« Die Eltern sehen Franks sinkende Leistungen als bewusste Provokation. »Man fragt sich, was man da rangezogen hat«, sagt der Vater. »Ins Bett pissen, stinkend faul in der Schule und zu allem zu dämlich.«

Die Schläge erträgt Frank stumm und in bodenloser Verzweiflung. Es gibt keinen unverletzten, sicheren Ort mehr. Auch nicht in ihm. Die Abwehr hat kapituliert.

Nach etwa einem Jahr – Frank kann es nicht genau sagen – wird das Medikament abgesetzt. In die Sprechstunde muss er auch nicht mehr: Die Eltern haben die Behandlung abgebrochen. Die Ärztin sei völlig unfähig, empört sich die Mutter eines Tages: »Emotionale Ursachen – was für eine Unverschämtheit!«

Frank ist vierzehn, als das MfS die üblichen Kaderermittlungen startet: Auch er soll eines Tages Angehöriger der Staatssicherheit werden. Das entsprechende Formular zur »Erfassung der Kinder« hat sein Vater schon vor drei Jahren eingereicht. Nun also läuft die »Bearbeitung des Kandidaten«: Man holt Auskünfte im Wohngebiet ein und in der Schule, konsultiert die Personenkartei und durchleuchtet seine Familie. Dabei erweist sich wieder einmal Opa Heinrich als Makel des »tschekistischen Hinterlandes«. Dessen Bruder in Kanada und die Schwester in Köln stellen nun auch die Stasi-Eignung des Enkels infrage.

Aus diesem Grund, erklärt Ernst Dohrmann vorsorglich beim MfS, haben er »und seine nächsten Familienangehörigen die Verbindungen zu dem Behrends, Heinrich abgebrochen, was dieser nicht verstand«. Erst seit Kurzem gäbe es wieder »unregelmäßige gegenseitige Besuche«. Seinem Sohn seien »die dargestellten Probleme bekannt, und ihm ist die Handlungsweise seines Großvaters bezüglich der persönlichen Kontakte ins kapitalistische Ausland unverständlich«.

Ein paar Tage später sitzt Frank im Dienstobjekt Lichtenberg. »Eingangs«, notiert der Offizier für Kaderwerbung, »bekräftigte der Kandidat seine Entscheidung, Mitarbeiter des MfS zu werden … Es wurden mit dem Kandidaten ausführlich die Grundanforderungen an einen Mitarbeiter des MfS behandelt. Der Kandidat ist gewillt, diese … auch jetzt schon durchzusetzen.« Zu seinem Plan, nach Abschluss der zehnten Klasse die Erweiterte Oberschule zu besuchen, »äußerte er, dass er von der 7. Klasse zur 8. Klasse von einem Zensurendurchschnitt 1,5 auf einen von ca. 2,3 abgesunken ist. Er wertete diesen Sachverhalt selbstkritisch und äußerte, dass dieses in erster Linie an mangelndem Fleiß lag.«

Jetzt wieder anstrengen, fleißig sein, nimmt Frank sich vor. Doch etwas in ihm ahnt, dass das nicht geht: Nach dem Absetzen des Medikaments ist zwar die Müdigkeit weg, das Gefühl von Resignation und Sinnlosigkeit aber nicht. »Ich fühlte mich kein bisschen dümmer als vorher«, erinnert er sich, »aber vollkommen unfähig, mein Potenzial auch nur ansatzweise zu nutzen. Ich wollte nichts mehr erreichen, nur noch Schlimmeres verhindern.«

Ein halbes Jahr später die nächste »Aussprache« in der Zentrale, diesmal ist der Vater dabei. »Der Kandidat«, schreibt der Kaderoffizier in seinem Bericht, »führte aus, dass der gegenwärtige Leistungsstand nicht seinem realen Leistungsvermögen entspricht. Die Ursachen dafür sieht er in seiner teilweise schwachen Mitarbeit sowie fehlendem häuslichen Fleiß. Der Kandidat schätzte selbstkritisch ein, dass seine Lerneinstellung nicht den Anforderungen an einen späteren Berufsunteroffizier des MfS entspricht, und brachte seinen unbedingten Willen zum Ausdruck, seine Lerneinstellung zu verändern und in allen Unterrichtsfächern seine Leistungsbereitschaft zu beweisen … Er wurde aufgefordert, bis zum Abschluss der 10. Klasse um die für ihn bestmöglichen Ergebnisse zu kämpfen. Das heißt für ihn, keine Note ›befriedigend‹ mehr in einem Unterrichtsfach zu erbringen.«

Am Ende der neunten Klasse stehen in Franks Zeugnis sieben Dreien, in Mathe und Chemie jeweils eine Vier. Sein Vater tobt.

»Bei dir versagt alles, im Guten wie im Bösen …« Von den Einsen und Zweien in den Fremdsprachen, in Geografie, Deutsch und Geschichte nimmt er kaum Notiz. »Ich klopf dich windelweich, bis du funktionierst wie ein Uhrwerk.«

Die Abschlussprüfung der zehnten Klasse schließt Frank im Juli 1985 mit »befriedigend« ab. In der Gesamteinschätzung ist von »mangelnder Eigeninitiative« die Rede, aufgrund derer er »in letzter Zeit seine gewohnten Leistungen kaum noch bestätigen« konnte.

Das MfS hat unterdessen weitere Erkundigungen zu seinem Umfeld eingeholt. Im »Ermittlungsbericht Wohngebiet« sind zwei Nachbarn als Quellen vermerkt, beide ebenfalls Angehörige der Staatssicherheit. Dort heißt es über die Dohrmanns: »Es existiert eine ruhige, saubere und ordentliche Atmosphäre.« Die Eltern »üben auf ihre Kinder einen liebevollen Erziehungseinfluss aus. Teilweise sind sie in ihren Forderungen ihnen gegenüber nicht konsequent genug und verwöhnen sie dadurch.«

»Irgendwann, ungefähr mit Beginn meiner Lehre, war ich erklärtermaßen kein Mitglied der Familie mehr und wurde zu Hause nur noch geduldet«, erzählt Frank. An den Mahlzeiten darf er nur ausnahmsweise teilnehmen; meist muss er sich sein Essen in der Küche abholen. Einen Teil seines Lehrlingsgehalts verlangen die Eltern als Kostenbeitrag. »Du hast hier nichts mehr zu erwarten«, sagt der Vater. »Wenn ich könnte, würde ich dich in die Gosse jagen, wo undankbares Pack wie du hingehört.« Immerhin werden die Prügel seltener. An die zur Schau getragene Abscheu hat Frank sich längst gewöhnt.

Im März 1986 reicht Ernst Dohrmann bei der nächsthöheren Dienststelle vorschriftsmäßig den »Antrag auf Zustimmung zum Bau einer Gartenlaube« ein. Sie solle auf seinem Grundstück in der Kleingartenanlage Feierabend stehen. »Ich versichere«, heißt es am Ende seines Schreibens, »dass der Bau weder meine Versetzungs- noch meine Einsatzbereitschaft beeinträchtigt.« Der Antrag wird weitergereicht, dreimal abgezeichnet und schließlich bewilligt: Hauptmann Dohrmann darf bauen.

Opa Heinrich bleibt ein Dauerthema. Der Kontakt ist auf ein Minimum beschränkt. Besuchen darf er sie gar nicht mehr. »Mir tat er leid«, sagt Frank. »Meine Eltern redeten über ihn wie über einen Verbrecher.« Im Frühjahr 1986 kocht ihr Ärger noch einmal besonders hoch: Der 72-Jährige will eine befreundete Rentnerin in die USA begleiten. Das nötige Visum und die Genehmigung hat er bereits.

»Mich und meine Familie beabsichtigte er nicht in Kenntnis zu setzen, da er die Auseinandersetzungen fürchtete und Angst hatte, wir könnten wieder jeglichen Kontakt mit ihm abbrechen, wie wir es schon mehrere Jahre getan hatten«, schreibt sein Schwiegersohn gleich am nächsten Tag ans MfS. »Ich bitte darum nochmals, endlich eine Ausreisesperre einzuleiten.« Wenn man den handgeschriebenen Brief genau ansieht, erkennt man neben dem letzten Satz eine kleine Bleistiftnotiz des Vorgesetzten: »Quatsch«.

Die Ausbildung zum Fräser interessiert den siebzehnjährigen Frank nicht. Aber er genießt es, in Betrieb und Berufsschule mit Gleichaltrigen zusammenzukommen, die so ganz anders sind, als er es aus seiner Schule in Weißensee kennt: Viele seiner Lehrlingskollegen leben in Prenzlauer Berg, hören Punk und New Wave. Die Haare fallen ihnen in langen, schwarz gefärbten Strähnen über den ausrasierten Nacken. Als auch Frank mit einer solchen Frisur nach Hause kommt, trifft ihn der Zorn des Vaters mit einer Gewalt, mit der er nicht mehr gerechnet hat: »Ich werde nicht zulassen, dass mein Sohn wie ein verkommener Penner meine Wohnung betritt!«, brüllt Ernst Dohrmann und stößt ihn zur Tür raus. »Lass dich hier nicht blicken, ehe du einen vernünftigen Haarschnitt hast!«

Eines Tages, es ist Sonntagnachmittag und der Vater zu Hause, klingelt Franks Freundin Yvonne an der Tür. Mit ihren schwarzen Klamotten, den mit dunklem Kajal umrandeten Augen und den strubbeligen Haaren entspricht auch sie nicht dem Umgang, den sich die Dohrmanns für ihren Sohn vorstellen. Frank hat schon die Jacke an, will zur Tür, die beiden sind verabredet. Sein Vater ist schneller. Er wirft einen Blick aus dem Fenster, sieht Yvonne unten stehen, reißt die Balkontür auf: »Sieh zu, dass du verschwindest! Frank kommt nicht runter!« Er knallt die Tür wieder zu. »Mit was für asozialem Gesindel du dich draußen herumtreibst, ist mir mittlerweile egal. Aber ich verbiete dir, dass so etwas bei uns vor der Haustür steht! Und wenn du jemals so ein Gesocks in meine Wohnung lässt, knallt's!«

»Aber ihr Vater ist auch bei der Staatssicherheit!«, protestiert Frank. Bisher hieß es immer, er solle sich in diesen Kreisen nach einer Frau umsehen. »Das spielt keine Rolle! Die sieht doch aus wie das Letzte! Es gibt eben auch bei uns im Ministerium schwarze Schafe, die ihre Gören nicht im Griff haben.«

Als Frank einige Monate später Simone kennenlernt, sind Ernst und Marion Dohrmann zunächst recht angetan: Sie ist ein hübsches Mädchen mit guten Manieren und ordentlicher Kleidung. Da in ihrem Studentenwohnheim kein Besuch gestattet ist, fährt Frank oft mit zu ihren Eltern, die ein wenig außerhalb Berlins leben. Die Wochenenden verbringt er meist ganz dort. Seine Eltern bekommen bald mit, dass es ernst ist zwischen den beiden. »Gib mir mal die Adresse«, sagt Ernst Dohrmann und greift zu Stift und Papier. »Wir müssen sehen, ob es Westkontakte gibt. Ist dir da irgendwas aufgefallen?« Frank windet sich. Bei Simone zu Hause stehen überall Sachen, die eindeutig aus dem Westen kommen. Sogar das Klopapier ist weich und mit Wolken bedruckt – so etwas gibt es in der ganzen DDR nicht. Seinem Vater erzählt er nichts davon.

Kurz darauf verkündet MfS-Hauptmann Dohrmann sein Urteil: Eine Beziehung mit Simone sei nicht drin, die Familie habe aktive Westverbindungen. »Und in meiner Wohnung will ich sie ab sofort nicht mehr sehen!« Frank trifft sich heimlich weiter mit ihr, denn diesmal ist er ernstlich verliebt. Und bei ihren Eltern hat er eine Art Heimat gefunden. Seit sie von dem Besuchsverbot wissen, halten sie sich mit ihrer Kritik an DDR und Stasi nicht mehr zurück, fragen Frank nach der Arbeit des

Vaters, der Atmosphäre zu Hause. »Einerseits fand ich es toll, dass dort so offen gesprochen wurde«, erinnert er sich, »andererseits hat es mich verunsichert, weil ich es nicht gewohnt war, über mein Zuhause zu sprechen. Vor Simones Eltern hab ich mich für meine geschämt. Vor allem hatte ich aber Schiss, dass mein Vater rauskriegt, was ich dort erzähle.«

Am 20. März 1987, Franks achtzehntem Geburtstag, stellt das MfS die »Bearbeitung« des »Kandidaten Dohrmann, Frank« ein. Es »wurde eingeschätzt«, heißt es im »Abschlussvermerk« der Kaderabteilung, »dass er sich den erhöhten Forderungen zu stellen nicht bereit war und in der Ausübung seiner Funktion inkonsequent war sowie seine Lerneinstellung nicht verbesserte«. Auch »vom Äußeren (Haarschnitt, Kleidung)« trete er »in der Öffentlichkeit« nicht als Berufsunteroffizier-Bewerber auf. Zudem habe er »eine engere Beziehung zu Weber, Simone, geb. am 14. 09. 1969, hergestellt, obwohl ihm bekannt ist, dass ihre Eltern umfangreiche Westkontakte unterhalten«. Er wolle »seine Verpflichtung als BUB aus persönlichen Gründen« zurückziehen und weiter in seinem Lehrberuf arbeiten. Dazu habe er »sich mit seinem Vater … konsultiert«. Das MfS lässt Frank gehen, drängt ihn jedoch zum verlängerten »Ehrendienst« bei der NVA: drei Jahre.

Im Verhältnis zwischen Eltern und Sohn beginnt eine neue Eiszeit. Frank versucht, die letzten Wochen bis zur Einberufung so wenig wie möglich zu Hause zu sein. Auch das letzte Wochenende verbringt er bei Simone – im Innern eine Mischung aus Trauer über den Abschied und Angst vor den Jahren beim Militär. Auf dem Weg zum Bahnhof fährt er frühmorgens in Hohenschönhausen vorbei. Die Mutter ist allein. »Dass du es nicht mal für nötig hältst, dich anständig zu verabschieden!«, schimpft sie, während er seine Sachen aus dem Kinderzimmer holt. Frank kämpft mit den Tränen. Er fühlt sich tatsächlich schuldig. »Von deinem Vater soll ich dir noch ausrichten, dass du die Sache mit Simone ad acta legst. Ansonsten möchten wir dich hier nicht mehr sehen.« Ohne ein weiteres Wort schließt sie die Tür, legt von innen die Kette davor.

»Zwischen dem Angehörigen des MfS Dohrmann, Ernst und seinem Schwiegervater bestehen gelegentlich wechselseitige Verbindungen, die sich in Form von Besuchen gestalten«, meldet der »Sachstandsbericht« der HA KuSch im Juni 1988. »Weiterhin ergeben sich sicherheitspolitische Momente aus der Partnerwahl des Sohnes.« Bei dessen »Bearbeitung ... als BUB« habe Dohrmann »keine zielgerichtete erzieherische Wirksamkeit« erreicht. Stattdessen habe er »dem Werdegang seines Sohnes relativ passiv« gegenübergestanden. Von »einer Vielzahl« an »kader- und sicherheitspolitischen Problemen im unmittelbaren Umfeld des Angehörigen« ist daher die Rede, von »Unterschätzung der ... möglichen Gefahren, Unbeholfenheit bei der offensiven Auseinandersetzung« und »unzureichender Kooperativität ... im Klärungsprozess mit dem Kaderorgan«. Zur »Gewährleistung der inneren Sicherheit des MfS« seien darum »geeignete operative Maßnahmen« zu realisieren. Es wird sogar erwogen, Marion Dohrmann als IM einzuspannen. Mit anderen Worten: Ernst Dohrmann steht unter verschärfter Beobachtung.

Dabei kommt er seiner Informationspflicht auch weiterhin gewissenhaft nach: Zur »festen Bindung des Sohnes Frank mit Weber, Simone« gibt er im Januar 1989 die vorgeschriebene »Veränderungsmeldung« ab. Das MfS leitet daraufhin »zu ihr sowie zu ihren Eltern« Ermittlungen ein. Anhand dieser Ergebnisse, schreibt die HA KuSch, »wird sich Genosse Dohrmann im Einvernehmen mit seiner Frau klar positionieren. Er sicherte bei Bekanntwerden weiterer kaderpolitischer Probleme eine aktive Mitwirkung an der Klärung dieser Probleme zu und wird rechtzeitig Informationen erarbeiten.«

Exkurs: Diszipliniert – die überwachten Überwacher

»Wir sind nicht gefeit, leider, dass auch mal ein Schuft … unter uns sein kann«, wendet sich Stasichef Erich Mielke im Februar 1982 an seine Offiziere. »Wenn ich das schon jetzt wüsste, dann würd' er ab morgen schon nicht mehr leben. Ganz kurzen Prozess. … Das Geschwafel von wegen … nicht hinrichten und nicht Todesurteil ist alles Käse, Genossen. Hinrichten, die Menschen, ohne … Gesetze, ohne Gerichtsbarkeit und so weiter.«[24]

Dass das nicht nur so dahergeredet ist, wird seinen Zuhörern nur allzu bewusst sein: Im Vorjahr erst war ihr Kollege, der 39-jährige Hauptmann Werner Teske, durch Genickschuss hingerichtet worden. Er hatte, wegen wachsender Zweifel an seinem Dienst, mehrfach die Flucht in den Westen erwogen, aus Liebe zu Frau und Tochter dann aber doch nicht gewagt. Bei einer dienstlichen Kontrolle war die Disziplinarabteilung seinen Fluchtplänen auf die Spur gekommen. Obwohl er keine Geheimnisse verraten hatte, wurde er wegen »vollendeter Spionage« zum Tode verurteilt.

Anders als früher üblich verzichtet Mielke darauf, die Mitarbeiter offiziell über die Hinrichtung zu informieren – es wissen trotzdem alle davon. Genau wie von der Flucht Werner Stillers. Dem Oberleutnant der HV A, der Auslandsspionage, war drei Jahre zuvor gelungen, woran Teske nur gedacht hatte: Er war, ausgestattet mit brisanten Geheimdokumenten, zum BND übergelaufen. Seitdem lässt ihn Mielke als Staatsfeind Nummer eins auf der ganzen Welt suchen. Bisher vergeblich. Doch in etlichen anderen Fällen ist es den Häschern schon gelungen, fahnenflüchtige Mitarbeiter zu fassen und zurück in die DDR zu verschleppen. Nicht umsonst heißt es in der eidesstattlichen Verpflichtungserklärung für Hauptamtliche: »Mein Ausscheiden aus dem Dienst … wird nicht von mir, sondern von meiner vorgesetzten Dienststelle bzw. dem Ministerium bestimmt.« Wer sie unterschreibt, begibt sich sehenden Auges in die Verfügungsgewalt der Staatssicherheit.

Aus den Erfordernissen des Dienstes – auch für Privatleben, Familie, Kinder und Freunde – macht »die Firma« ebenfalls keinen Hehl. Selbst Schüler, die Jahre vor dem Abschluss ihre Bereitschaft erklären, später dem MfS zu dienen, müssen schriftlich bestätigen, dass sie wissen, worauf sie sich einlassen: »Die sich daraus ergebenden Konsequenzen, insbesondere zur Wahl meines Umgangs- bzw. Freundeskreises bzw. zur Partnerwahl, werden von mir anerkannt und beachtet … Änderungen in den persönlichen und familiären Verhältnissen werde ich dem Ministerium für Staatssicherheit mitteilen.« Steht dann die Einstellung unmittelbar bevor, gibt es noch einmal aufklärende Gespräche mit dem Kandidaten, nach denen der zuständige Werbeoffizier dann vermerkt: »Die Anforderungen an einen Mitarbeiter des MfS wurden mit ihm besprochen und sind ihm bewusst, er will hier einen hohen persönlichen Beitrag zum Schutz der DDR unter Zurückstellung privater Interessen leisten.«

Fortan ist ohnehin nichts mehr privat, denn der Kontrollanspruch des MfS endet auch nach Dienstschluss nicht. Jeder Mitarbeiter, schon vor seiner Einstellung auf Herz und Nieren geprüft, steht im dauerhaften »Erziehungsprozess« durch seine Vorgesetzten. Laut Dienstordnung haben diese »Denken und Fühlen der Angehörigen zu formen«, wobei »der Erarbeitung objektiver Persönlichkeitsbilder große Aufmerksamkeit zu widmen« ist. In regelmäßigen Berichten werden daher die Fortschritte jedes Einzelnen dokumentiert: Vertritt er gegenüber Kollegen einen »klaren, klassenmäßigen Standpunkt«? Gestaltet er seine Freizeit »sinnvoll«? Hat seine Frau wirklich ihre Kontakte zur Kirche gelöst? Werden die Kinder im »sozialistischen Sinne« erzogen? Wie geschickt führt er seine IM und wie viele hat er in letzter Zeit anwerben können? Wie ist sein »Leumund« im Wohnblock, und wie steht es um seine Bereitschaft, an sich zu arbeiten?

Grundlage der Beurteilungen ist das Ideal der »tschekistischen Persönlichkeit«, in der sich laut interner Definition alle für den Dienst erforderlichen Eigenschaften vereinen: von bedingungsloser Einsatzbereitschaft und Härte über Mut, »tiefe Gefühle des Hasses … und Unerbittlichkeit« gegenüber dem Feind bis zur Fähigkeit, sich konspirativ zu verhalten und dafür verschleiernde Legenden aufrechtzuerhalten.[25]

Darüber hinaus beschreibt die Kaderordnung einen ganzen Katalog von Verhaltensnormen, die weit ins Privatleben reichen und auch für Ehefrau, Kinder und Verwandte gelten – allen voran das strikte Kontaktverbot zu Menschen aus dem Westen und »negativen Kreisen« innerhalb der DDR sowie das Verbot, westliche Radio- und Fernsehsender zu empfangen. Zudem zwingt die Pflicht zur »Geheimhaltung und Einhaltung der Regeln der Konspiration« die Mitarbeiter zur absoluten Verschwiegenheit selbst der eigenen Familie gegenüber. Nicht einmal mit den Kollegen dürfen sie sich austauschen. Im Apparat weiß jeder immer nur gerade so viel, wie für seine unmittelbare Tätigkeit nötig ist.

Sie selbst aber sind im Interesse der »inneren Sicherheit« zu lückenloser Offenheit verpflichtet: Es gilt Meldepflicht für sämtliche Veränderungen und besonderen Vorkommnisse, sei es die Lehrstelle der Schwiegertochter oder das Scheitern der eigenen Ehe. Wer ihr nicht nachkommt oder zu lange damit zögert, hat, wie es dann heißt, »das Vertrauensverhältnis zu seinen Vorgesetzten« verletzt – ein Versäumnis, das nur durch unterwürfige Reue- und Schuldbekenntnisse wiedergutzumachen ist: »Meinerseits war es ein Fehler, mich nicht an die Dienstvorgesetzten über meine persönlichen Probleme zu wenden«, schreibt etwa ein Oberleutnant, dessen Sohn auf einem Parkplatz beim Klauen von Autoaufklebern erwischt wurde. »Ich ließ mich davon leiten, es sind meine Probleme und damit muss ich fertig werden.«

Aber Reue allein genügt nicht, ein solches Fehlverhalten erfordert Buße. Der Hinweis auf die »entsprechenden Schlussfolgerungen«, die der Getadelte zu ziehen hat, ist daher obligatorisch, und ihre Umsetzung wird genauestens beobachtet. Es empfiehlt sich also, das eigene Leben und Handeln möglichst konform zu gestalten – und dafür zu sorgen, dass Frau und Kinder es ebenso halten. So sind die Akten voll mit Zeugnissen des familiären Anpassungsdrucks: Sein Sohn, schreibt beispielsweise ein Hauptmann der Abteilung VIII – Beobachtung und Ermittlung –, sei »jetzt endgültig gewillt … sein zum Teil labiles Verhalten in allen Fragen grundlegend zu ändern. Ihm wurde … bewusst, dass er seinen Bekanntenkreis, oben genannt, abbauen und lösen wird.« Das Gebot »hoher revolutionärer Wachsamkeit« gilt auch am heimischen Frühstückstisch.

Mit reinem Gehorsam jedoch gibt sich das MfS nicht zufrieden: Die »Angehörigen des Organs« sollen sämtliche Befehle und Vorschriften nicht nur bedingungslos, sondern auch aus innerer Überzeugung und Einsicht befolgen. »Bewusste Disziplin« nennt das die Dienstverfassung. Dank der sorgfältigen Auswahl der Mitarbeiter, der Erziehungsarbeit und ideologischen Schulung ist man diesem Ziel bei der überwiegenden Mehrheit recht nahe: Seit 1967 beträgt die jährliche Quote der Delinquenten konstant knapp drei Prozent, bei denen es sich um jene neu hinzugekommenen Kräfte handelt, die hin und wieder noch anecken, bis auch sie den tschekistischen Normenkatalog verinnerlicht haben – oder zumindest gelernt haben, etwaige Zweifel zu verbergen.[26]

Um seine Angestellten auf Linie zu bringen, greift das MfS bisweilen auch direkt in ihr Leben ein und drängt sie beispielsweise – mithilfe steigerbarer Drohszenarien – zur Trennung von Partnerinnen, die »ungünstige kadermäßige Momente« wie Westkontakte, religiöse Bindungen oder »negativ-politische« Haltungen »aufweisen«.[27] Seit dem Bau der Mauer sind Disziplinierungsmaßnahmen wie diese noch effektiver durchzusetzen, da es für unzufriedene Mitarbeiter nun nahezu unmöglich ist, sich dem Zugriff der Stasi zu entziehen. Selbst wer »wegen Nicht-eignung« entlassen wurde, steht als ehemaliger Geheimnisträger den Rest seines Lebens unter Beobachtung.

Fünf verschiedene Abteilungen sind damit beschäftigt, Ver-stöße gegen Dienstordnung, innere Sicherheit und tschekistische Disziplin zu untersuchen und zu ahnden, darunter ein eigener Bereich der Hauptabteilung Kader und Schulung, in dem soge-nannte U-Mitarbeiter tätig sind, deren Identität streng geheim ist – die Spitzel für die Spitzel. »Paradoxerweise empfanden die sonst so machtbewussten MfS-Mitarbeiter den internen Über-wachungsapparat so wie die DDR-Bürger die Stasi selbst, näm-lich als undurchschaubare Quelle ideologisch motivierter Ver-folgung, der man hilflos ausgeliefert ist«, sagt der Historiker Jens Gieseke. Zu diesem Gefühl trägt wohl auch bei, dass es selbst bei gravierenden Vergehen keinen erkennbaren Zusammenhang zwischen Strafmaß und Schwere des Deliktes gibt: Mal kommt es zur Versetzung und Degradierung, mal nur zu einem schlich-ten Verweis. Mal zu langjährigen Haftstrafen, Entlassung »in Unehren« oder, wie bei Hauptmann Teske, sogar zur Todesstrafe, dann wieder belässt man es bei internen Aussprachen.

Die stets präsente, nur schwer einzuschätzende Drohkulisse bleibt nicht ohne Wirkung auf das Klima zwischen den Kolle-gen: »Man hat nur so allgemein geredet«, erinnert sich ein ehe-maliger Abteilungsleiter, »immer die Frage im Hinterkopf: Kannst du dem trauen? Ich habe erlebt, dass einer aus dem Feri-enheim einen Bericht an die Hauptabteilung Kader und Schu-lung geschickt hat, weil sich Mitarbeiter X über bestimmte Pro-bleme mit seiner Frau unterhalten hat. Oder an einem Tisch hat die Ehefrau des Mitarbeiters erzählt, dass ihr Mann hin und wieder Westfernsehen sieht.«[28] Innerhalb der nahezu geschlosse-nen Wohngebiete ist die gegenseitige Kontrolle besonders groß – und mit ihr der Anpassungsdruck.

Der Logik der »inneren Sicherheit« folgend, überwacht, durch-leuchtet und analysiert das MfS keine andere Personengruppe so gründlich wie die eigenen Mitarbeiter – der Psychologe Hans-

Joachim Maaz spricht von der »Angst in der Angst«.[29] Selbst Erich Mielke, unangefochtener Mastermind an der Spitze, weiß, dass es eines Tages auch ihn treffen könnte, und verwahrt in einem Panzerschrank für den Fall, dass er in Ungnade fallen sollte, einen dunkelroten Kunstlederkoffer. Darin: brisante NS-Dokumente über Staatschef Erich Honecker.

Verraten

»Mutti, da stehen zwei Onkels vor der Tür«, sagt die siebenjäh-
rige Edina. Die Mutter liegt in der Badewanne, die Haare auf
Lockenwickler gedreht, die Fingernägel rot lackiert. Am Abend
ist in Adlershof eine Betriebsfeier des MfS, ihr Mann sollte schon
längst zu Hause sein. Sie wird blass, steigt hastig aus dem Wasser, greift mit zitternden Händen nach dem Bademantel. Die
Herren in den dunkelblauen Anoraks stehen schon halb im Flur,
einer zückt das längliche Ausweismäppchen: Staatssicherheit.
»Frau Stiller? Wir müssen mit Ihnen reden.« Sofort fällt ihr wieder ein, was ihr Mann neulich gesagt hat: »Wenn plötzlich zwei
Männer vor der Tür stehen, weißt du, dass ich einen Unfall
hatte.« Schon damals war es ihr kalt den Rücken heruntergelau-
fen, doch ihre Fragen hatte er nur ungeduldig abgewehrt, genau
wie seine Kollegen jetzt. Es ist der 19. Januar 1979. Am Abend
vorher ist Werner Stiller, Oberleutnant in der Hauptverwaltung
Aufklärung, der MfS-Auslandsspionage, in den Westen geflohen, unterm Arm einen Aktenkoffer mit Geheimdokumenten.
Seine Familie weiß von alledem nichts.

Den Rest des Tages und die ganze Nacht hindurch wird Erzsébet Stiller verhört. Sie darf nicht ans Telefon gehen, und wenn es
an der Haustür klingelt, stellt sich ein Beamter mit entsicherter
Pistole dahinter. Über Stunden herrscht ein ständiges Kommen
und Gehen. Man berät sich, telefoniert, stellt immer wieder Fragen – nach Verwandten und Freunden, den letzten Tagen, den
letzten Wochen. Selbst das kleinste Detail scheint von Belang,
doch den Grund für die Befragungen erfährt die junge Frau
nicht. Frühmorgens steht schließlich ein Offizier vor der Tür,
der sich als »Oberstleutnant Klaus« vorstellt: »Frau Stiller, ich

muss Ihnen mitteilen, dass Ihr Mann Republikflucht begangen hat.« Der Satz trifft sie wie ein Schlag. »Ich dachte noch: Jetzt nehmen sie mir die Kinder weg«, erinnert sie sich heute. »Dann wurde ich ohnmächtig.«

Edina, ein hübsches Mädchen mit Pferdeschwanz und braunen Augen, kann sich keinen Reim auf das machen, was da passiert. Es spürt die Sorge der Mutter, sieht, wie sie sich bemüht, alle Fragen ausführlich zu beantworten, und wie fest sie den kleinen Andreas hält, als sie ihm das Fläschchen gibt. Fragt man die heute 40-Jährige nach den Ereignissen von damals, zuckt sie mit den Schultern: »Tut mir leid, ich erinnere mich nicht. Dieser Tag ist einfach weg. Was ich darüber weiß, hat mir meine Mutter erzählt.« Dabei hat Edina eigentlich ein gutes Gedächtnis, erinnert sich noch an viele Details aus der Zeit davor: an den Geschmack der klebrig-süßen Bonbons, die die alte Frau Becker von nebenan aus ihrer Schürzentasche hervorholte, wenn sie Edina im Treppenhaus traf, oder die Ausflüge mit den Eltern in die Fischgaststätte in Altglienicke, wo sie zum Erstaunen der Kellner allein eine ganze Forelle aufessen konnte. Jener düstere Wintertag aber, als die Männer mit den ernsten Mienen bei ihr zu Hause ein und aus gingen, ist wie ausgelöscht. Sie und ihr elf Monate alter Bruder verlieren an diesem Tag nicht nur den Vater, sondern auch ihr bisheriges Leben.

Noch am selben Abend muss Erzsébet Stiller mit Tochter und Baby die Erdgeschosswohnung am Sterndamm 34 im Berliner Stadtteil Johannisthal verlassen. Zwei Stasibeamte bringen die Familie bei einem Mitarbeiterpaar in Wandlitz unter. Erzsébet Stiller werden vor den Augen der beiden Fingerabdrücke abgenommen – Sippenhaft für Schwerverbrecher. In dem großen, vornehm eingerichteten Haus mit den dicken Teppichen und glänzend polierten Antiquitäten setzt auch Edinas Erinnerung wieder ein: »Für dieses Ehepaar waren wir das Allerletzte, die Brut des Verräters, und das haben sie uns auch spüren lassen. Wir mussten in der Küche essen, und man hat ihnen angemerkt, dass ihnen eigentlich auch das schon zu viel war. Im Wohnzim-

mer stand eine Silberschale mit Bananen und Orangen, die für
uns ja etwas sehr Besonderes waren. Die durfte ich noch nicht
mal anfassen. Das Schlimmste aber war für mich, als ihr Enkel
zu Besuch kam und sich im Fernsehen Trickfilme von ›Hase und
Wolf‹ angesehen hat und ich mich nicht dazusetzen durfte. Da
hatte ich zum ersten Mal das Gefühl: Ich bin nicht gut genug,
mit mir stimmt etwas nicht.«

Unterdessen läuft die Jagd auf den Abtrünnigen. Mielke hat
die Angelegenheit zur Chefsache erklärt – ein fahnenflüchtiger Mitarbeiter, noch dazu aus der HV A, ist für das MfS der
Super-GAU, und dass man es hier tatsächlich mit einer Katastrophe zu tun hat, wird sehr schnell klar: Im Sekretariat der
Abteilung und im Dienstzimmer 510 wurden die Stahlschränke
gewaltsam geöffnet. Neben 7180 Westmark fehlen das nament-
liche Telefonverzeichnis sämtlicher Mitarbeiter, diverse Ge-
heimakten und Listen inoffizieller Mitarbeiter im Westen,
außerdem zwei »besondere Dienstaufträge« und eine »Berechti-
gungskarte für das Betreten aller GÜST« – Grenzübergangs-
stellen –, mit der am Abend zuvor »um 21.05 Uhr eine männliche
Person die GÜST Friedrichstraße passiert« hat. Oberleutnant
Werner Stiller, verdienter Genosse mit lupenreiner Sozialisten-
weste, gilt ab sofort als fahnenflüchtiger Verräter. Mit Hilfe
seiner Geliebten, deren Bruder in der Bundesrepublik lebt, war
es ihm gelungen, mit dem BND in Kontakt zu treten. Einen
Tag nach seiner Flucht schleust der westdeutsche Geheimdienst
sie und ihren sechzehnjährigen Sohn wie vereinbart in den
Westen.

Die mit der Fahndung betrauten Stasibeamten leisten, wie die
Akten belegen, in den nächsten Tagen Gewaltiges – und können
am Ende doch nur feststellen, dass alles zu spät ist. Akribisch
untersuchen sie Stillers Dienstzimmer in der Zentrale und die
»KW«, die konspirative Wohnung in der Marienburger Straße,
die er für Treffen mit IM nutzte. Sie sammeln Haare und Textil-
fasern vom Sessel, nehmen »mit einer Einwirkzeit von 40 min.«
Geruchsspuren vom Sitzpolster des Schreibtischstuhls und von

den Meißeln, mit denen der Stahlschrank geöffnet wurde, bemühen sich um »Sichtbarmachen der Blindeindrücke auf der 1. Seite des gesicherten Schreibblocks« und fischen verbrannte Papierreste aus dem Ofen. Auch die Privatwohnung am Sterndamm wird auf den Kopf gestellt, das gesamte Mobiliar abtransportiert und jeder Nachbar verhört. Viele müssen ausziehen. Obwohl im gesamten Wohnblock ausschließlich MfS-Mitarbeiter leben, traut man hier nun niemandem mehr.

Stillers zurückgelassene Familie steht unter Arrest seines einstigen Dienstherrn. »12 Uhr – Einleitung der durchgehenden Beobachtung der Ehefrau des Stiller« vermerkt der »Sachstandsbericht« des MfS dazu lapidar. »Es wird gewährleistet, dass die ... Tochter des Stiller nicht zur Schule geht bzw. ohne Aufsicht bleibt.« Ob es Tage, Wochen oder Monate waren – Edina kann es nicht mehr sagen. In ihrer Erinnerung gerinnt die Zeit nach dem Verschwinden des Vaters zu einem einzigen Gefühl: »Ich weiß noch, wie ich meine Mutter immer mit Fragen gelöchert habe: wo der Vati ist und wann er endlich wiederkommt. Ich habe ihn schrecklich vermisst und ganz viel geweint. Meine Mutter hat immer gesagt: ›Wir fahren bald in den Urlaub, und dann kommt er nach.‹ Ich glaube, ich habe geahnt, dass das nicht stimmt.« Edina spürt die Ratlosigkeit und die Trauer der Mutter, aber sie will so gern glauben, was sie sagt. Dass sie alle bald wieder zusammen sind. Dass alles wieder gut wird.

Es waren traurige Zeiten am Sterndamm 34 in den Monaten vor Werner Stillers Verschwinden. Edina hörte ihre Eltern oft streiten, spürte die wachsende Distanz zwischen ihnen. Die Mutter sah fast immer verweint aus, der Vater wirkte fahrig und gereizt. Schon Kleinigkeiten machten ihn wütend und abends leerte er ein Glas Kognak nach dem anderen. Die Angst, entdeckt zu werden, saß ihm im Nacken: Seit Monaten bereitete er seine Flucht vor, hatte bei seiner Dienststelle Material auf die Setite geschafft, um es im Westen dem BND zu übergeben – ein lebensgefährliches Doppelspiel.

Ein Erlebnis aus dieser Zeit hat sich Edina in allen Einzelheiten eingebrannt: Es ist mitten in der Nacht. Sie wird von einem lautstarken Streit geweckt, setzt sich auf, lauscht ängstlich ins Dunkel. Sie steigt aus dem Bett, schleicht mit klopfendem Herzen durch den dunklen Flur, ihre Puppe eng an die Brust gedrückt. Im Wohnzimmer hört sie den Vater brüllen, die Mutter schreit weinend zurück. Nach einer Weile nimmt Edina allen Mut zusammen, öffnet die Tür – und sieht, wie der Vater auf ihre Mutter einschlägt. Ohne zu zögern stürzt sie sich zwischen die beiden. »Du darfst der Mutti nicht wehtun!«, schreit sie ihren Vater an. Der läuft erschrocken aus dem Zimmer, ohne ein Wort zu sagen. Die Mutter schluchzt, nimmt Edina in den Arm: »Das ist nicht so schlimm, das ist nicht so schlimm. Geh wieder ins Bett. Mach dir keine Sorgen.«

Viele Jahre später wird Erzsébet Stiller ihrer Tochter erzählen, dass sie von der Affäre ihres Mannes wusste, aber gehofft hatte, ihn halten zu können – auch durch die Geburt von Andreas. Nie wäre sie auf die Idee gekommen, dass alles längst entschieden war und sie mit den Kindern bald allein zurückbleiben würde. Auch an diesem Abend war es um die Geliebte gegangen. Diesmal aber hatte sie damit gedroht, das Ganze seinem Vorgesetzten zu melden, woraufhin Werner Stiller die Nerven verloren hatte. Damals konnte sie sich seine heftige Reaktion nicht erklären, sie machte die angespannte Atmosphäre dieser Wochen dafür verantwortlich. Es sei das erste und einzige Mal gewesen, dass er sie geschlagen habe, versichert Edinas Mutter noch heute. »Das glaube ich ihr auch«, sagt Edina. »Trotzdem hat mich diese Szene mein Leben lang verfolgt und zum Teil auch mein späteres Männerbild geprägt. Komisch, dass Erwachsene immer glauben, Kinder würden nichts mitkriegen.«

Am nächsten Morgen sitzt die Mutter mit einem bläulich-rot geschwollenen Auge und einer aufgeplatzten Lippe am Küchentisch. »Möchtest du Käse oder Marmelade?« Edina schüttelt nur den Kopf.

Nachmittags fährt Werner Stiller mit seiner Tochter in den

»Kulti«, den Vergnügungspark im Plänterwald. Schon im Auto gibt er sich besonders fröhlich. Edina antwortet einsilbig, starrt aus dem Fenster. Als sie sich schließlich im Riesenrad gegenübersitzen, druckst er herum: Es käme eben hin und wieder vor, dass sich zwei Menschen streiten, die sich eigentlich sehr lieb haben, und dabei könne es passieren, dass die Dinge außer Kontrolle geraten. »Er konnte mir dabei nicht richtig in die Augen sehen, hat immer wieder verlegen nach unten geguckt, auf seine Schuhe, seine Hände, nach draußen über den Park. In dem Moment war er ein Fremder für mich, und ich hab ihn dafür gehasst, dass es so war.«

Werner Stiller ist zu diesem Zeitpunkt längst entschlossen, die Flucht in den Westen zu wagen. Ohne seine Familie. Unzufrieden ist er schon lange: Er bereut es, sich bei der Stasi verpflichtet zu haben, leidet unter dem Anpassungsdruck und den strikten Befehlsstrukturen, die jede selbständige Regung im Keim ersticken. Vor allem aber ist er enttäuscht, dass ihm die Anstellung nicht die erhofften Reisen in den Westen bringt. Ein einziges Mal erst, zur Fußball-WM 1974, durfte er ins »Operationsgebiet«, ansonsten muss er sich sein Bild von »drüben« aus dem zusammenreimen, was ihm seine IM von dort berichten.

Als ihn die Stasi 1969 anwirbt, ist er 22 und studiert in Leipzig Physik. Insgeheim ist er zwar nicht mehr so systemtreu, wie er sich gibt, doch er will beruflich weiterkommen, eines Tages im Ausland arbeiten. Und so sagt er nicht ungern zu. »Längst hatte ich gelernt«, wird er sich später an diese Zeit erinnern, »im richtigen Augenblick das zu sagen, was man gern hören wollte.«[30] Die »Personeneinschätzungen« zu einzelnen Kommilitonen erledigt Stiller alias IM »Stahlmann« zur Zufriedenheit seines Führungsoffiziers. Die Verbindung mit der jungen Ungarin allerdings, die er beim Kellnern auf der Leipziger Messe kennengelernt und 1970 Hals über Kopf geheiratet hat, ist den Genossen ein Dorn im Auge: Private Verbindungen ins Ausland sind beim MfS nicht gern gesehen, und Erszébet Stiller hat die DDR-Staatsbürgerschaft bisher nur beantragt, bewilligt ist sie noch nicht. Trotzdem wird Werner Stiller, inzwischen Diplom-Physiker, 1972 für den hauptamtlichen Dienst vereidigt. Ohne es zu ahnen, hat er sich durch seine Heirat jedoch die Chance verbaut, eines Tages im Westen eingesetzt zu werden. Stattdessen betreut er von der Berliner Zentrale aus nun »Kundschafter«, die im Auftrag des MfS ihre bundesdeutschen Arbeitgeber bespitzeln. Bei seinem »Übertritt« zum Bundesnachrichtendienst im Januar 1979 wird er sie alle hochgehen lassen.

Stiller fängt an, Material zu sammeln, das für den BND interessant sein könnte. Er versteckt es in der konspirativen Wohnung, in der er sich mit seinen IM trifft, hinter einer Zwischendecke – es soll sein Ticket in die Freiheit werden. Dass er dabei mit höchstem Einsatz spielt, ist ihm bewusst: Käme man ihm auf die Schliche, es wäre sein Todesurteil. Und was würde dann aus seiner Familie? »Wer A sagt, der muss auch B sagen. Gott hasst die Feiglinge« – so lauten, wie er in seiner Autobiografie verrät, die »Sprüche«, mit denen er solche »Grübeleien« vertreibt.[31] 1978 gelingt ihm schließlich die Kontaktaufnahme zur Gegenseite. Nun dient er zwei Herren zugleich und muss sich bei beiden bewähren: beim MfS, um nicht aufzufallen, beim BND, um eines Tages in den Westen geholt zu werden.

Sein Talent, sich zu verstellen, leistet ihm auch im Privatleben gute Dienste. Seine Frau ahnt nicht einmal, was in ihm vorgeht. Auch ihr gegenüber spielt er stets den parteitreuen Genossen und wahrt alle Regeln der Konspiration. Vom Inhalt seiner Arbeit weiß sie so wenig wie von seinen Fluchtplänen. Ohnehin spielen weder sie noch die Kinder in diesen eine Rolle.

Am 18. Januar 1979, dem Tag seines »Übertritts«, steht Werner Stiller früh um halb fünf auf, es soll auf Dienstreise gehen. Bei seinem Job ist das keine Seltenheit, sodass seine Frau nicht misstrauisch wird. Sie hört, wie er sich rasiert, die Zähne putzt, seine Aktentasche packt. Dann sieht sie ihn an den Bettchen der Kinder stehen. Er streichelt seine Tochter, den kleinen Sohn, deckt sie liebevoll zu. Er weiß, dass es ein Abschied für immer ist. Edina und Andreas schlafen, während ihr Vater aus ihrem Leben verschwindet.

*

»Nachts ging alle paar Minuten das Licht an«, erzählt Thomas Raufeisen und deutet auf eine Lampe über der Zellentür, »damit die Wärter von außen kontrollieren konnten, ob man vorschriftsmäßig auf seiner Pritsche lag: gerade auf dem Rücken, die Arme ausgestreckt über der Decke.« Er macht eine Pause, lässt die Worte wirken. »Können Sie so schlafen?«, fragt er die Besuchergruppe. Kopfschütteln. »Wenn die gesehen haben, dass man anders lag, gab's das hier«: mit einer schnellen Bewegung schiebt er die eiserne Verriegelung kurz auf und wieder zu. Seine Zuhörer zucken zusammen – ein lautes, hartes, eiskaltes Geräusch. »In den ersten Nächten habe ich praktisch gar nicht geschlafen. Nach fünf Tagen sagt der Körper irgendwann: Jetzt ist Feierabend.«

Neunzehn war er, als er hier einsaß – im Stasigefängnis Berlin-Hohenschönhausen. Heute, gut dreißig Jahre später, macht er dort Führungen. Die Gruppe folgt ihm in den Vernehmertrakt. Ein endloser Flur, auf dem Boden hellbraunes Linoleum. Türen, Türen, Türen, nach innen als Schallschutz gepolstert. In den Zimmern das immer gleiche Inventar: ein Schreibtisch, dahinter ein stoffbezogener Stuhl mit hoher Lehne, der Vernehmer hatte das Fenster im Rücken. Vor seinem Tisch ein kleinerer für das Tonband, dazu ein Stahlrohrstuhl, auf dem der Gefangene saß. An den Wänden Wohnzimmertapete, dezent gemustert. »Ein Stockwerk tiefer sieht es genauso aus«, sagt Raufeisen, »und über uns auch. Insgesamt sind es 120 Verhörzimmer. Wenn man sich klarmacht, dass dem gerade mal 103 Haftzellen gegenüberstehen mit etwa 250 bis 300 Gefangenen, wird ziemlich deutlich, worum es hier ging. Die sogenannten Beweise wurden nämlich erst hier erarbeitet – durch die Verhöre.« Für ihn habe es damals ein Zweierteam gegeben: einen älteren Vernehmer, der ihn oft zusammenstauchte, ihm drohte und Türen knallend das Zimmer verließ, und einen jungen, nur ein paar Jahre älter als er selbst, der vorgab, ihm helfen zu wollen, und mit diversen Tricks versuchte, sein Vertrauen zu gewinnen. »Der wusste zum Beispiel, dass ich Fußballfan bin, und wollte mich immer in solche Gespräche verwickeln«, erzählt Raufeisen. »Irgendwann hing hier im Zimmer dann auch ein Wimpel – natürlich vom BFC Dynamo, dem Stasi-Verein.«

Vierzehn Monate war er hier in Haft, bevor schließlich das Urteil gesprochen wurde: drei Jahre Gefängnis. Seine Mutter bekam sieben Jahre, sein Vater lebenslänglich. Eine Besucherin schlägt erschrocken die Hand vor den Mund, ein Mann atmet hörbar aus. Die ganze Familie? »Dabei kamen wir nicht einmal aus der DDR«, sagt Thomas Raufeisen in die betroffene Stille hinein, »sondern aus Hannover.« Und dann erzählt er seine Geschichte. In wenigen nüchternen Sätzen. Er ist kein Mann, der sich in den Vordergrund spielt. Und trotzdem wird klar: es ist eine Tragödie.

Sie beginnt am 22. Januar 1979. Der sechzehnjährige Thomas und sein zwei Jahre älterer Bruder Michael fahren mit ihren Eltern auf der Autobahn Richtung DDR. Opa gehe es sehr schlecht, hatte der Vater ihnen beim hastigen Aufbruch in Hannover erklärt. Darum sei jetzt auch keine Zeit, noch eine Besuchserlaubnis abzuwarten. Sie würden erst mal über die Transitstrecke nach Westberlin in die DDR einreisen und dann weitersehen. »Wir haben uns nichts dabei gedacht«, erinnert sich der heute 49-jährige Thomas Raufeisen. »Der Vater meiner Mutter war schon lange krank, und das mit der Einreise klang auch plausibel. Außerdem hatte mein Vater immer alles im Griff und strahlte diese Sicherheit aus.« Die Strecke kennen sie in- und auswendig – jedes Jahr verbringen sie die Sommerferien bei den Großeltern auf Usedom. Auf einer Raststätte bei Magdeburg machen sie Halt. Er müsse mal telefonieren, um die Sache mit den Visa zu klären, sagt Armin Raufeisen. Als er zurückkommt, klingt er erleichtert: Es sei alles geregelt, sie würden in einem Privatquartier übernachten, am nächsten Morgen die Papiere bekommen und dann weiter nach Usedom fahren. Kurz vor Potsdam verhandelt er noch einmal mit drei Männern, die in ihrem Lada auf sie gewartet hatten. »Wir fahren hinterher«, sagt er, als er wieder einsteigt. »Die bringen uns zu unserer Unterkunft.« Thomas wirft seinem Bruder einen fragenden Blick zu, doch der zuckt nur mit den Schultern. In der DDR ist eben alles immer ein bisschen komisch. Ihrer Mutter scheint bei der ganzen Sache auch nicht wohl zu sein – seit sie dem Lada folgen, flüstert sie aufgeregt mit ihrem Mann. Doch sosehr Thomas auch die Ohren spitzt, er versteht kein Wort.

In halsbrecherischem Tempo geht es über vereiste Landstraßen durch einsame, kleine Orte. Jetzt im Winter wirkt alles noch grauer und trostloser als sonst, findet Thomas. Schließlich halten sie in Eichwalde, einem Dorf südöstlich von Berlin, vor einem grau verputzten Einfamilienhaus. Typisch DDR, denkt Thomas. Ein älteres Ehepaar begrüßt sie, zeigt ihnen die Zimmer. Ihre Pässe gibt der Vater einem der Männer aus dem Lada mit – für die Visa, wie er sagt. »Nicht einmal da sind wir misstrauisch geworden«, wundert sich Thomas im Nachhinein. »Ich glaub', wir waren damals politisch noch ein bisschen naiv. Aber wie hätten wir denn auch ahnen sollen, in was unser Vater uns da alle reinreitet?«

Am nächsten Morgen versammelt Armin Raufeisen seine Familie in dem fremden Wohnzimmer um den Sofatisch. Neben ihm sitzen zwei Männer, Thomas schätzt sie auf Mitte vierzig, dicke, schwarz gerändete Brillen im Gesicht. Nicht wegen Opa seien sie hier, setzt der Vater an, mit dem sei so weit alles in Ordnung. Ihr Ausflug in die DDR sei in Wirklichkeit eine Flucht. Er habe nämlich, und zwar schon seit vielen Jahren, für die DDR als »Kundschafter des Friedens« gearbeitet und Informationen aus seinem Betrieb weitergegeben. Eine Rückkehr nach Hannover sei ausgeschlossen, weil ihm dort die Verhaftung drohe. Sie würden sich darum jetzt mit Hilfe des Ministeriums für Staatssicherheit in der DDR ein neues Leben aufbauen. Man habe ihm zugesagt, dass es ihnen an nichts fehlen werde. »Dafür werden unsere Freunde Horst und Willi sorgen«, fügt er hinzu und deutet auf die beiden Männer neben sich. »Zu eurer eigenen Sicherheit könnt ihr nicht mehr in die BRD zurück«, sagt der eine an Thomas und Michael gewandt. »Hannover könnt ihr wiedersehen, wenn es sozialistisch geworden ist.«

»Du bist ein DDR-Spion?«, schreit Michael seinen Vater an. Der nickt: »Wenn du es so nennen willst … Wir sagen ›Kundschafter des Friedens‹.« Wir? Thomas sitzt da wie gelähmt, starrt auf das Spitzendeckchen, die halbleeren Kaffeetassen, versucht zu begreifen, was er gerade gehört hat. Michael ist schneller. »Wie konntest du uns in diese Scheiße mit reinziehen? Wie kannst du uns das antun?« Er springt auf, greift seine Jacke. Die Tür fällt krachend ins Schloss, Charlotte Raufeisen läuft ihrem Sohn hinterher. Auch sie weiß erst seit ein paar Stunden, was los ist. Als sie in Hannover aufbrachen, hatte ihr Mann sie noch beruhigt, die Reise sei nur eine Vorsichtsmaßnahme, sie würden wiederkommen, sobald die Gefahr vorbei sei. Dass sie nun hierbleiben soll, ist auch für sie ein Schock. Schließlich ist sie 1957 seinetwegen in die BRD geflohen – zu ihm, dem aufstrebenden Parteigenossen und Geologen, der nach einer Reise nicht mehr wiedergekommen war. Dass ihn das MfS damals gezielt in den Westen beordert hatte, erfuhr sie erst Jahre später, als die Jungs längst geboren waren und ihr Mann Karriere bei der Preussag machte.

Thomas hört seinen Vater etwas sagen, doch das Rauschen in seinem Kopf ist zu laut, die Worte ergeben keinen Sinn. »Ich war vollkommen leer. Das war nicht mein Leben, das war nicht ich. Ich war gar nicht mehr da.« Von einer Minute auf die andere sitzt ihnen nicht mehr der Vater gegenüber, sondern ein Fremder. »In diesem Moment«, sagt Thomas, »ist unsere Familie zerbrochen.«

*

Edina Stiller wartet in jenem Winter 1979 vergeblich auf die Rückkehr des geliebten Vaters. An manchen Tagen kann sie nicht aufhören zu weinen. »Aus dieser Zeit habe ich kaum Bilder im Kopf«, sagt sie heute, »nur dieses schrecklich traurige und hoffnungslose Gefühl. Und ich erinnere mich, dass meine Mutter oft verheult aussah, aber immer versucht hat, es vor mir zu verbergen.«

Beim MfS ist man inzwischen überzeugt, dass Erszébet Stiller vom Verrat ihres Mannes tatsächlich nichts wusste. »Trotzdem wollte das MfS die Familie gewissermaßen als Geiseln in der Hinterhand behalten«, sagt Helmut Müller-Enbergs, Wissenschaftler bei der BStU, der Stasi-Unterlagen-Behörde. »Man hoffte, dass Stiller eines Tages wieder Kontakt zu seinen Kindern aufnehmen würde und man ihn bei der Gelegenheit schnappen könnte. Seine individuelle Freiheit im Westen bedeutete für seine Familie auf der anderen Seite der Mauer ein Leben in Unfreiheit. Das MfS ließ sie nicht mehr aus den Augen – und griff auch gezielt in ihr Leben ein. Dass das so sein würde, muss er gewusst und in Kauf genommen haben. Er kannte den Laden ja.« Sogar beim BND wunderte man sich, dass der Doppelagent seine Familie zurückgelassen hatte. »Wenn er gewollt hätte, hätten wir auch seine Frau und die Kinder rausgeholt«, sagt Wolbert Smidt, der den Fall damals bearbeitete. »Mit seinen Informationen aus dem Innersten des MfS war er für uns ja ein wichtiger Mann.«[32]

Die Wohnung am Sterndamm dürfen die Stillers nicht mehr betreten, aus Berlin müssen sie weg. Leipzig und Halle kommen nicht infrage, da leben Verwandte des Vaters. Erszébet Stiller entscheidet sich für Cottbus, wo die Mutter einer Freundin lebt. Doch als sie vor deren Tür steht, liest sie dort einen fremden Namen. Erst lange nach dem Mauerfall wird sie erfahren, dass das MfS die Familie kurzerhand nach Hoyerswerda umgesiedelt hat – alle Verbindungen zu ihrem alten Leben wurden gekappt. Und da die Freundin mit einem ehemaligen Kollegen Werner Stillers verheiratet ist, wird auch deren Mutter aus dem Bannkreis entfernt, den die Stasi nun um Erszébet Stiller zieht. Der Apparat ist gründlich: Selbst die Familienfotos werden konfisziert – vom Hochzeitsbild bis zu den Urlaubsdias von der Ostsee. Zu ihrer eigenen Sicherheit und der ihrer Kinder, so schärft man ihr ein, dürfe niemand erfahren, wer sie ist. Sie müsse sich scheiden lassen und wieder ihren Mädchennamen annehmen.

Das alte Leben gibt es nicht mehr und für das neue sorgt das MfS: große Wohnung, Krippenplatz, Schulanmeldung – und eine Arbeitsstelle im Hygieneinstitut. Den Kollegen dort bleibt nicht verborgen, dass hinter der »Neuen« die Stasi steht, auch wenn niemand weiß, in welcher Weise. »Sobald ich in der Nähe war, verstummten alle sofort«, erinnert sich die 62-Jährige. »Ich war die rote Sau, der Spitzel, dem man nicht trauen kann. Jeden Tag dieses Spießrutenlaufen, jahrelang, bis zur Wende.« Manchmal ist sie kurz davor, sich auf den Hof zu stellen und zu schreien – dass sie ein Opfer ist und kein Täter, dass sie nichts dringender braucht als Menschen, denen sie sich anvertrauen kann. Doch die Angst um die Kinder hält sie in der Spur.

»Irgendwann hat die Mutti meine Fragen nicht mehr ausgehalten und mir alles erzählt«, sagt Edina. »Na ja, zumindest einen Teil der Wahrheit: dass mein Vater mit seiner zehn Jahre älteren Geliebten nach Westdeutschland geflohen ist und wir ihn nie wiedersehen.« Dass er in den Augen der Staatssicherheit ein Verräter ist und Erich Mielke ihn auf der ganzen Welt suchen lässt, verschweigt sie ihr. Zuerst ist Edina wütend, will der Mutter nicht glauben. So etwas würde der Vati nie tun! Doch die Zeit vergeht, mit jedem Tag fällt es ihr schwerer, weiter zu hoffen. Und irgendwann ist die Ausnahme Alltag.

*

Charlotte Raufeisen gibt sich alle Mühe, bei ihren Jungs Zuversicht zu verbreiten. Zuversicht, die sie selbst nicht mehr hat. Denn mittlerweile sitzen sie wirklich in der Falle: Unter dem Vorwand, es handle sich um Anträge für provisorische Ausweise, haben ihnen »Willi« und »Horst« die Unterschriften zur Einbürgerung in die DDR abgenommen. Nun sind die Raufeisens offiziell Staatsbürger und können das Land nicht mehr legal verlassen. Als ihnen der Schwindel aufgeht, warnen sie Michael, das Dokument auf keinen Fall zu unterschreiben. Für den minderjährigen Thomas aber ist mit den Unterschriften der Eltern alles entschieden.

Alle paar Tage erscheinen nun ihre Betreuer »Willi« und »Horst«, um mit ihnen ihre Zukunft in der DDR zu besprechen – und Michael zur Unterschrift für die Einbürgerung zu bewegen. Einer gibt sich verschwörerisch kumpelhaft, nimmt den Achtzehnjährigen mit in die Kneipe. Im Westen warte doch nur die Arbeitslosigkeit, raunt er ihm zwischen zwei Bieren zu. Hier hingegen stünde ihm alles offen. Man würde dafür sorgen, dass er einen Studienplatz bekäme und hinterher eine Arbeit als Architekt. Und wenn er ein Motorrad haben wolle, ein Haus, ein Auto – alles kein Problem. Er müsse nur die Einbürgerungsurkunde unterschreiben. Michael trinkt wortlos sein Bier und wiederholt am Ende immer nur den einen Satz: »Wann kriege ich meinen Bundespass wieder?«

Armin Raufeisen bestärkt Michael in seiner kompromisslosen Haltung. Ihm ist längst klar, dass er einen verhängnisvollen Fehler begangen hat. Er wollte die Familie zusammenhalten, und nun muss er zusehen, wie sie zerbricht: Seine Frau macht ihm bittere Vorwürfe, und seine Söhne haben nichts als Verachtung für ihn übrig. Zwei Wochen sitzen sie nun schon in Eichwalde fest. In den ersten Tagen hatte er noch an ein neues Leben in der DDR geglaubt. Er hätte sich denken können, wirft er sich jetzt vor, dass die Jungs ihre eigenen Vorstellungen haben. Die zornige Wucht, mit der sie sie verteidigen, überrascht ihn aber doch. »Sein Sinneswandel war uns egal«, sagt Thomas. »Wir glaubten ihm sowieso kein Wort mehr. Er hatte uns belogen und in eine Sache reingezogen, mit der wir überhaupt nichts zu tun hatten. Wir hatten einfach keinen Respekt mehr vor ihm und haben natürlich auch gemerkt, dass er die Situation nicht mehr im Griff hatte.« Der Vater, der sonst immer weiß, was zu tun ist, und gegen dessen Autorität Thomas und Michael so oft vergeblich gekämpft haben, wirkt plötzlich ratlos und unsicher. Seine Söhne wollen nur eins: zurück nach Hause. Thomas geht in Hannover in die elfte Klasse, fängt gerade an, sich für Mädchen zu interessieren; Michael hat eine feste Freundin und steckt mitten in der Ausbildung zum Bauzeichner. Er fährt ein Moped von Yamaha, hört Pink Floyd und Supertramp, Thomas steht auf Slade, Boney M. und Abba – die Vorstellung, in der DDR zu leben, ist für beide völlig absurd. »Ich kann bis heute nicht verstehen, wie er so blauäugig sein konnte«, sagt Thomas. »Er war doch ein kluger, belesener Mann!«

Ereignislos und unerträglich langsam vergehen die düsteren Wintertage. Mehr als ein kleiner Spaziergang durchs Dorf ist ohne Ausweis nicht drin. Thomas und Michael sind froh, als sie den kleinen sowjetischen Fernseher zum Laufen bringen, mit dem sich – verschneit und nur mühsam zu verstehen – westdeutsche Sender empfangen lassen. Mit angehaltenem Atem sitzen sie davor, sehen »Tagesschau«, »Panorama«, »Kennzeichen D«, doch von ihrem Fall ist nirgends die Rede. Dafür wird von der Flucht eines jungen Stasioffiziers berichtet und dass durch seine Aussagen zahlreiche Spione enttarnt und verhaftet werden konnten. Anderen sei es gelungen, sich dem Zugriff der Polizei zu entziehen, vermutlich durch Flucht in die DDR. In der Nachbarschaft stehen mittlerweile noch mehr Autos mit westdeutschen Kennzeichen. Offenbar sind andere Leute in einer ähnlichen Lage wie sie. Tatsächlich hat das MfS gleich nach Stillers Flucht vorsorglich alle Westspione, die durch das von ihm geschmuggelte Material enttarnt werden könnten, aus dem »Operationsgebiet zurückgezogen«. Auf einer dieser Listen steht auch »Genosse Oberleutnant Raufeisen«.

Die meiste Zeit liegt Thomas auf dem Bett und starrt an die Decke, im Kopf ein Lied von Novalis: »Wer in das Bild vergang'ner Zeiten wie tief in einen Abgrund sieht ...« Die Platte hatte sein Bruder vor ein paar Jahren zu Weihnachten bekommen. Sie haben sie oft zusammen gehört. Damals. In einem anderen Leben. »Die Zukunft liegt in öder Dürre entsetzlich lang und bang vor ihm ...« Thomas kommt es vor, als sei der Text nur für ihn geschrieben worden. Manchmal legt er die Platte auch heute noch auf. Dann ist alles schlagartig wieder da: die blassgelbe Blümchentapete, das Gefühl des Ausgeliefertseins, der hilflose Zorn auf den Vater, die ganze bleierne Hoffnungslosigkeit jener bitterkalten Tage im Winter 1979.

Armin Raufeisen wird schon als junger Mann von der Stasi als IM »Hans Koch« geworben. In den Fünfzigerjahren arbeitet er sich beim Bergbauunternehmen Wismut vom einfachen Hauer zum technischen Geologen hoch und ist als Obersteiger für mehrere Gruben verantwortlich. 1956 heiratet er die Arzthelferin Charlotte Krüger, die ihm schweren Herzens von der idyllischen Insel Usedom in die vom Bergbau zerschundene Mondlandschaft bei Gera gefolgt ist. Doch schon auf der Hochzeitsreise in den Westen – noch ist die Grenze durchlässig – bemüht sich ihr Mann, ohne dass sie davon etwas mitbekommt, um eine Festanstellung als geologischer Auswerter bei einer Firma in Hannover. Seine Frau stellt er vor vollendete Tatsachen: »Wir bleiben!« Über die wahren Hintergründe seiner Entscheidung sagt er nichts: Er soll für die Stasi die Lage von Bodenschätzen auskundschaften. Aus Angst, als Republikflüchtige ihre Eltern nicht mehr sehen zu dürfen, kehrt Charlotte Raufeisen zunächst in die DDR zurück und versucht, ihre Ausreise auf legalem Weg durchzusetzen. Ohne Erfolg. Wegen der strikten Geheimhaltung wissen die MfS-Mitarbeiter, die sie verhören, vom Auftrag ihres Mannes so wenig wie sie. Monatelang steht sie wegen seiner Flucht unter Druck, bis sie schließlich ein halbes Jahr später selbst in Berlin über die noch offene Grenze flieht.

Mehr als zwei Jahrzehnte bewährt sich Armin Raufeisen für die DDR-Staatssicherheit als wichtige Quelle im Westen. Vor allem durch seine Karriere als Geophysiker bei der Preussag kann er der HV A wertvolle Informationen zu Erdöl- und Gasfunden liefern, und er tut es mit Überzeugung: 1959, da lebt er bereits seit gut zwei Jahren in Hannover, tritt er sogar in die SED ein. 1969 wird er beim MfS als Berufssoldat im Rang eines Leutnants verpflichtet. Jahrzehnte später wird sein Sohn Thomas in den

Akten seine Verpflichtungserklärung finden – die ungeheuerlichen Worte lesen in der vertrauten Handschrift.

»Die Verpflichtung zum Hauptamtlichen ist ungewöhnlich für einen ›Kundschafter‹ im Westen«, sagt Müller-Enbergs. »Er muss in den Augen des MfS wirklich gute Arbeit geleistet haben.« Tatsächlich bekommt Armin Raufeisen über die Jahre immer wieder Auszeichnungen, Orden und Verdienstmedaillen. Wenn Thomas heute darüber nachdenkt, wird er wütend: »Da ist mein Vater also heimlich nach Ostberlin gefahren, in die Stasi-Zentrale an der Normannenstraße, und hat sich das Lametta anhängen lassen! Hat er je darüber nachgedacht, in welche Gefahr er seine Familie in Hannover brachte? Vielleicht hat er uns nach so einer Reise Matchbox-Autos mitgebracht und meiner Mutter Blumen – eine ekelhafte Vorstellung!«

Von den Fluchtplänen habe sie nichts gewusst, versichert Charlotte Raufeisen in jenem Winter 1979 immer wieder. All die Jahre, erzählt sie ihren fast erwachsenen Söhnen nun, habe sie sich davor gefürchtet, dass die riskante Arbeit ihres Mannes eines Tages auffliegen könnte. Mitte der Sechzigerjahre hatte er ihr alles gestanden. Sie war misstrauisch geworden, weil er oft stundenlang ohne Erklärung das Haus verließ, und fürchtete, dass eine Affäre dahintersteckte. Die Wahrheit war schlimmer. Er beruhigte sie, die Arbeit als »Kundschafter« sei auf wenige Jahre begrenzt, danach würden sie einfach in die DDR zurückkehren. Doch den Termin verschob er immer wieder, und irgendwann war von Rückkehr gar nicht mehr die Rede. Viele, viele Male habe sie ihn gedrängt, mit der Stasi zu brechen – den Kindern zuliebe, ihr zuliebe. Vergeblich. Michael und Thomas können nicht fassen, was sie da hören. »Warum hast du das alles mitgemacht?«, fragen sie ihre Mutter. Die hat Tränen in den Augen, zuckt mit den Schultern: »Was blieb mir denn übrig, als Hausfrau mit zwei kleinen Kindern? Ich wollte, dass euch beide Eltern erhalten bleiben. Die Familie schützen. Also habe ich versucht, die Gefahr zu verdrängen.«

Für Michael und Thomas ergibt jetzt vieles plötzlich einen

Sinn, was sie zuvor als Schrullen ihres Vaters abgetan hatten: Seine Vorliebe für das DDR-Fernsehen zum Beispiel, das in Hannover durch den nahen Sendemast im Harz gut zu empfangen ist. Wie oft hatten sie gestöhnt, wenn wieder mal »Ein Kessel Buntes« lief. Je älter sie wurden, desto mehr hatten sie sich auch über die Hetze von Karl-Eduard Schnitzler und seinen »Schwarzen Kanal« aufgeregt – für den Vater jeden Montag Pflichtprogramm. Merkte er denn nicht, was für dümmliche, antiwestliche Propaganda das war? Und dann die endlosen dreißig Minuten der »Aktuellen Kamera«, denen er Abend für Abend gebannt folgte, obwohl dort nichts als unglaubwürdige Erfolgsmeldungen verlesen wurden, und das noch in unverständlichen Bandwurmsätzen und dem monotonsten Tonfall der Welt – unerträglich! Dass bei ihnen zu Hause nie »Tagesschau« oder »heute« lief, war ihnen Freunden gegenüber schon richtig peinlich gewesen.

Und dann seine Vorliebe für Militärparaden: Wenn das DDR-Fernsehen zum Ersten Mai oder dem »Republikgeburtstag« am 7. Oktober die obligatorischen Feierlichkeiten aus Ostberlin übertrug, saß ihr gutbürgerlicher, westdeutscher Vater Stunde um Stunde vor dem Fernseher und sah mit sichtlichem Interesse zu, wie Soldaten, Panzer, Granatwerfer und Raketen an der salutierenden Parteiführung vorbeizogen. Was fand er bloß an dem gruseligen Schauspiel? Er, der Pazifist, der seinen Söhnen strikt verbot, Modelle von Militärflugzeugen zu bauen, und dem noch das harmloseste Cowboy-und-Indianer-Spiel zuwider war. »Als ich zu Weihnachten von unseren Großeltern aus der DDR mal einen sowjetischen T54-Panzer mit Fernsteuerung geschenkt bekam, fand er bezeichnenderweise nichts dabei«, erzählt Thomas. Auch das uralte Kofferradio, das er mit dreizehn beim Stöbern im elterlichen Kleiderschrank gefunden hatte, fällt ihm jetzt in Eichwalde wieder ein: Das besonders breite Frequenzband für Kurzwellen hatte seine Neugier geweckt. Doch gerade als er es sich genauer ansehen wollte, war der Vater ins Zimmer gekommen, hatte ihm das Gerät aus der Hand gerissen und war – völlig untypisch für ihn – wütend und richtig laut geworden.

Die wunderlichen Seiten des Vaters, über die sie sich so oft lustig gemacht haben, erweisen sich nun als Persönlichkeitsaspekte eines völlig anderen Menschen. Wer ist der richtige Armin Raufeisen: der Vater oder der hochdekorierte Stasispion? Fremd sind sie Thomas und Michael beide.

Für das MfS hingegen ist Armin Raufeisen ein Held. Noch im März 1979 – die Familie sitzt nach wie vor im Stasi-Gästehaus in Eichwalde – nimmt er in der Zentrale den »Kampforden für Verdienste um Volk und Vaterland« entgegen. Als er damit zurückkommt, sieht Michael sich das Abzeichen an und wirft es dem Vater vor die Füße: »Und für so ein Stück Blech hast du unsere Familie verraten!« Armin Raufeisen sagt nichts, versucht nicht einmal, sich zu verteidigen. Er sitzt nur da und lässt den Zorn seines Sohnes über sich ergehen. Als der türenknallend den Raum verlässt, bückt er sich und hebt den Orden auf.

»Das ist euer neuer Mitschüler Thomas Raufeisen«, sagt Herr Müller, der Klassenlehrer. 25 Augenpaare richten sich gespannt auf Thomas. Was mag es auf sich haben mit diesem Jungen in Westklamotten? Niemand sagt ein Wort. Mit einem verlegenen Kopfnicken setzt sich Thomas auf den freien Platz in der dritten Reihe und schlägt die Augen nieder. Es ist April 1979. Noch immer lebt er mit seiner Familie in Eichwalde, noch immer deutet nichts darauf hin, dass sie in absehbarer Zeit zurück nach Hannover dürfen. Seine Eltern haben ihn gedrängt, zur Schule zu gehen. Irgendetwas müsse er doch machen. Michael hat eine Ausbildung im Wohnungsbaukombinat angefangen, der Vater arbeitet im Zentralen Geologischen Institut – das MfS sorge für seine Leute, hatten »Horst« und »Willi« gesagt. Die Erweiterte Oberschule Immanuel Kant, wo Thomas nun in die Klasse 11 c gehen soll, liegt ganz in der Nähe der Zentrale und sei im Übrigen »die beste Schule der DDR«. Thomas erscheint sie mit ihren vergilbten Wänden, abgelaufenen Böden und der noch immer kriegszerstörten Aula eher wie ein Notbehelf.

In den Pausen hält er sich abseits der anderen. Wenn jemand

frage, so hatten ihm und seiner Familie die »Betreuer« eingeschärft, sollten sie unter allen Umständen und zu ihrer eigenen Sicherheit bei der abgesprochenen Legende bleiben: Sie seien aus Hannover in die DDR gezogen, um ihre kranken Großeltern zu pflegen. Es fragt aber niemand.

Thomas' Mitschüler behandeln ihn freundlich, aber immer ein bisschen distanziert. Erst viel später wird er erfahren, warum: Der Klassenlehrer hatte ihnen erzählt, dass der Sohn eines »Kundschafters des Friedens« komme. Sie sollen nett zu ihm sein, aber auf keinen Fall Fragen stellen. Daran halten sich alle, doch Thomas spürt ihre Neugier. Als Junge aus dem Westen ist er ein Exot, der nie wirklich dazugehört. Er leidet darunter, fühlt sich aber auch selbst fehl am Platze. Schon das Ritual, mit dem hier allmorgendlich der Schultag beginnt, ist ihm unheimlich: die militärisch zackige Meldung des FDJ-Sekretärs – »Klasse 11 c angetreten zum Unterricht« –, dann im Stehen »Bau auf, bau auf«, »Brüder, zur Sonne, zur Freiheit« oder ein anderes FDJ- oder Arbeiterkampflied. In Deutsch, das er aus Hannover als Fach kennt, in dem offen diskutiert wird, stellt der Lehrer einfach so lange Fragen, bis er die Antwort bekommt, die er hören will. Und in Geschichte werden die SED-Parteitage der Vergangenheit durchgekaut.

Einmal fragt ein Schüler, wie er sich verhalten müsse, wenn er bei einem bewaffneten Konflikt zwischen West und Ost als NVA-Soldat seinem Cousin von der Bundeswehr gegenüberstehe. Der Lehrer zögert nicht eine Sekunde: »Die Verteidigung unseres Vaterlandes geht vor. Wenn vor Ihnen ein Verwandter steht, heißt es: er oder ich!« An seine Worte erinnert sich Thomas bis heute, so sehr erschütterten sie ihn damals. Sollte Michael die Rückkehr nach Hannover gelingen, könnten also auch sie sich eines Tages als »Feinde« gegenüberstehen. Seine Gefühle behält er für sich. Er weiß ohnehin nicht, wem er noch trauen kann. Und dass seine Mitschüler in den Pausen oft das Gegenteil von dem vertreten, was sie eben noch im Unterricht gesagt haben, macht die Sache nicht besser. »Ich kam damit nicht klar«, erzählt er. »Ich konnte nie einschätzen, was sie denn nun wirklich dachten. Aber die wussten bestimmt umgekehrt auch nicht, was sie von mir halten sollten: kommt freiwillig aus dem Westen in den Osten – da steckt doch die Stasi dahinter. Also lieber vorsichtig sein …« Als Thomas am letzten Schultag vor den großen Ferien beim Fahnenappell zwischen seinen Mitschülern steht – als Einziger im weißen Hemd zwischen 200 »Blauhemden« mit FDJ-Emblem auf dem Oberarm –, ist sein Entschluss gefasst: Hier wird er nicht bleiben. Dann eben kein Abitur und kein Studium. Ihm ist sowieso schon alles egal.

Ein paar Wochen später sitzt er mit einer großen Mappe auf dem Schoß beim Leiter der Fachschule für Werbung und Gestaltung in Berlin-Schöneweide. Sein Vater hat ihn dazu gedrängt, es dort zu versuchen, das MfS hat den Termin vermittelt – »Horst« ist mit dabei. Er hat auf einem Stuhl an der Tür Platz genommen. Seine Arbeiten seien überdurchschnittlich gut, lobt der Rektor, während er Thomas' Mappe durchblättert. Es sind Bilder aus seinem Kunst-Leistungskurs in Hannover. Er hatte sie am Tag zuvor aus einem der Umzugskartons gefischt, die in einem Haus der Stasi stehen, seit die Wohnung der Raufeisens aufgelöst wurde.

Thomas bemerkt den unsicheren Seitenblick zum Stasimann. »Der lügt doch!«, denkt er. »Von meinen Fähigkeiten hält er gar nicht viel, aber er weiß, was man von ihm erwartet.« Plötzlich wird ihm klar, dass die Stasi ihm wirklich alles ermöglichen würde, sogar ein Studium ohne jede Voraussetzung. Dass sie ihn dadurch aber immer in der Hand hätte. Wie gut er auch wäre, immer würde ihn verfolgen, dass er alles nur mithilfe des mächtigen Ministeriums erreicht hätte. Und natürlich würden das früher oder später auch seine Kommilitonen wissen. »Dieses widerliche Etikett wollte ich auf keinen Fall haben. Also wurde ich immer einsilbiger und habe schließlich gesagt, dass ich die Ausbildung nicht machen würde. Ich wollte nur noch ganz schnell raus aus diesem Zimmer.«

Armin Raufeisen, der nervös vor der Tür gewartet hat, wird wütend, als er hört, wie das Gespräch verlaufen ist: »Wie kannst du dir so leichtfertig alle Chancen verbauen?« Auch »Horst« wirkt genervt. Thomas schüttelt nur stumm den Kopf. Er hat keine Lust, sich zu rechtfertigen. Und vor den Augen ihres »Freundes« vom MfS will er sich nicht mit seinem Vater streiten. Auf der Autofahrt zurück nach Eichwalde lässt er die beiden reden und sagt selber kein Wort, obwohl er am liebsten schreien würde. Was heißt hier »Chancen verbauen«? Wer hat hier wem die Chancen verbaut?

Die Leipziger Straße ist eine schnurgerade, trostlose Schneise. Mehrspurig, autogerecht und zweckmäßig. Hochhäuser säumen sie fast über die gesamte Länge, hin und wieder unterbrochen von wuchtigen Bauten vergangener preußischer Pracht. Heute liegt sie mitten im Zentrum der jungen Bundeshauptstadt. Damals aber, im Sommer 1979, als das MfS den Raufeisens hier eine Wohnung zuwies, verlief gleich nebenan die Grenze zwischen Ost und West.

Vom Balkon im dreizehnten Stock des modernen Plattenbaus schaut Thomas direkt auf die Grenzanlagen: die Ostseite der Mauer, dann der breite Todesstreifen mit Panzersperren, Stacheldraht und Hundelaufanlagen, dahinter die nächste Mauer und – trotz allem zum Greifen so schmerzlich nah: Westberlin. Das Axel-Springer-Hochhaus ist weithin zu sehen, sogar einige Kreuzberger Kneipen kann man von hier aus erkennen, und in der Ferne taucht in regelmäßigen Abständen die U-Bahn Linie 1 zwischen den Häusern auf. Thomas steht oft hier und starrt nach drüben, in die unerreichbare Nähe.

Die neue Wohnung ist groß und hell. Sogar ein funktionierendes Telefon gibt es hier – in der DDR alles andere als selbstverständlich. Und ihr gesamter Hausstand aus Hannover erwartet sie: Die Wohnung dort hatte das MfS schon kurz nach ihrer Flucht räumen und die Sachen mit der DDR-Speditionsfirma Deutrans über die Grenze bringen lassen. »Dann stand da plötzlich eins zu eins unser altes Leben vor uns«, erinnert sich Thomas. »All die vertrauten Dinge: unser Sofa, die Anlage, meine

Platten, der Fernseher, ein Stapel *Spiegel*- und *Stern*-Hefte – das war toll und schrecklich zugleich.« So wird die Wohnung zur Heimatkapsel, zum Zufluchtsort in einer Umgebung, die alle vier mehr und mehr als feindlich empfinden. Doch die Exklave trügt: Die Wohnung ist verwanzt, das Haus voller regimetreuer Bürger, viele davon selbst beim MfS. So können sie nicht einmal zu Hause offen sprechen. Die Atmosphäre latenter Bedrohung, das Gefühl, immer und überall unter Beobachtung zu sein, ist bedrückend.

Unter den Eindrücken des real existierenden Sozialismus ist Armin Raufeisens Glaube an eine gute, menschenfreundliche DDR mehr und mehr gebröckelt und hat sich in handfeste Ablehnung verwandelt. Ungläubig schüttelt er den Kopf, wenn seine Söhne ihm erzählen, was sie bei der Arbeit und in der Schule erlebt haben. Das kann doch nicht das Land sein, an das er immer geglaubt, für das er so viel riskiert hat! Die Gegensätze zwischen Anspruch und Wirklichkeit, zwischen Parteiparolen und echtem Leben, die offensichtlichen Lügen und Beschönigungen im *Neuen Deutschland* – all das ist auch ihm nun unerträglich. Am schlimmsten aber ist es, seine Familie leiden zu sehen. Mittlerweile kann er die Jungs nur allzu gut verstehen: Sie können sich hier nicht integrieren. Mit ihrer westdeutschen Sozialisation werden sie immer wieder anecken und eines Tages vielleicht als Regimegegner im Gefängnis landen. Doch auch für sich selbst sieht er hier keine Zukunft mehr. Die Arbeit im Geologischen Institut, die ihm zugewiesen wurde, ist langweilig und stupide, der hauptamtliche Dienst bei der »Firma« für ihn völlig undenkbar geworden – sie müssen raus aus diesem Land. Als MfS-Offizier und Geheimnisträger aber wird man ihn nicht gehen lassen. Plötzlich ist es klar: Sie müssen fliehen.

*

»Seid bereit«, steht auf dem Abzeichen der Jungpioniere, darüber lodern drei stilisierte Flammen. Andächtig fährt Edina die Umrisse mit dem Finger nach. »Immer bereit«, flüstert sie und legt die rechte Hand an den Mittelscheitel – das Ritual haben sie in der Schule immer wieder geübt. Morgen, zur Parade am Ersten Mai, darf sie die weiße Pionierbluse und das blaue Halstuch zum ersten Mal tragen, denn dann marschiert ihre ganze Schule durch die Innenstadt von Cottbus. Edina ist stolz, jetzt gehört sie schon fast zu den Großen. Sie liebt die Pionierlieder, vor allem den »Kleinen Trompeter«, und kann auch schon viele Gedichte auswendig, die im »Kalender für Jungpioniere« stehen. Auch das vom Halstuch: »Mein Halstuch ist blau, ich trage es gern, es schmückt mich an festlichen Tagen. Und was es bedeutet, das weiß ich genau, ich ließ es von Mutti mir sagen: ›Die Ecken‹, so sagte Mutti zu mir, ›gib Acht, du musst es verstehn, sind Elternhaus, Schule. Und du, Pionier! Gemeinsam wollen wir gehn.‹«

In der neuen Schule fühlt sie sich wohl. Nach den letzten, bleiernen Wochen in Berlin tut es gut, wieder etwas zu tun zu haben. Ihren Mitschülern gegenüber ist sie aber immer noch zurückhaltend. Sie will so wenig wie möglich auffallen und hält sich lieber am Rande. »Das ist eine Eigenart von mir geblieben«, sagt sie heute. »Ich kann einfach nicht unbefangen und vertrauensvoll auf Menschen zugehen.« So dauert es eine Weile, bis sie in Cottbus Freunde findet, dann aber wird das Leben außerhalb von zu Hause immer wichtiger für sie, und allmählich verblassen die Erinnerungen an Berlin.

Nur der Vater will ihr nicht aus dem Kopf, sosehr sie sich auch bemüht, die Gedanken an ihn zu verdrängen. Vor allem in besonderen Momenten – bei der Jugendweihe oder ihrem Auftritt mit dem FDJ-Chor im sowjetischen Lipzek – wünschte sie, er könne sie sehen. Ganz sicher wäre er stolz. Das Gefühl ist schmerzlich und schwer zu ertragen. Als Gegenmittel erinnert sie sich dann selbst daran, dass er sie nun mal nicht mehr wollte – eine bittere Medizin. Nicht immer gelingt es Edina, stärkenden Trotz daraus zu schöpfen. Oft bleibt nur die Verletzung.

»Mein Bruder war noch zu klein, um sich an unseren Vater zu erinnern. Aber er hat sich geradezu verzweifelt nach einem Vater gesehnt«, erzählt sie. »Er fragte sogar jeden Handwerker, der zu uns kam, ob er nicht die Mutti heiraten wolle. Einige wären sicher nicht ungern darauf eingegangen – meine Mutter ist auch heute noch eine sehr schöne Frau. Männern gegenüber war sie aber verständlicherweise sehr skeptisch.« Im Sommer 1982 heiratet sie Wolfgang Hanke – auch er ist Hauptamtlicher beim MfS und arbeitet für die Bezirksverwaltung Cottbus als Ausbilder des Wachregiments. In seiner Dienstuniform sieht er richtig gut aus, findet die elfjährige Edina. Selbstbewusst, zielstrebig und verlässlich. Er gibt sich viel Mühe, den Kindern ein guter Stiefvater zu sein, geht mit ihnen schwimmen und in den Zoo, hilft Edina bei den Mathehausaufgaben und hört sie Russischvokabeln ab. Sie mag ihn sofort, und auch der vierjährige Andreas freut sich, wieder eine richtige Familie zu haben. Auf ihn reagiert Wolfgang Hanke jedoch von Anfang an gereizt, und oft ist er übertrieben hart zu ihm. Seiner Frau wirft er vor, ihren Sohn zu verhätscheln, was dazu führt, dass sie ihn noch mehr beschützen will – ein Teufelskreis, der das Familienleben immer wieder stört. Jahre später werden sie erfahren, dass Leutnant Hanke im Auftrag des MfS handelte, als er der unfreiwillig geschiedenen Frau des Verräters Werner Stiller den Hof machte.

Der bekommt unterdessen die Welt zu sehen: Mit den neuen Kollegen vom BND klettert er auf bayerische Berge, lernt auf dem Gardasee surfen, fliegt nach Tokio, London und Paris. Zwischendurch identifiziert er auf einem Foto des schwedischen Geheimdienstes seinen einstigen Chef Markus Wolf – eine Sensation. Schließlich gilt die Nummer eins der DDR-Auslandsspionage im Westen als »Mann ohne Gesicht«.

1981 geht der 34-jährige Stiller in die USA, um mit neuer Identität – er trägt nun den Namen Klaus-Peter Fischer – in St. Louis Englisch und Wirtschaft zu studieren. In seiner 2010 erschienenen Autobiografie berichtet er ausführlich von seinem neuen Leben in der Neuen Welt. Fotos zeigen ihn auf dem Campusgelände und beim Spanferkelgrillen mit Kommilitonen, beim Tiefseetauchen und in Sportflugzeugen. Er macht Rundreisen durch die USA und fährt Ski in den Rocky Mountains. Die junge

Studentin aus Chile, mit der er eigentlich Englisch pauken soll, erwähnt er ebenso wie den Sapporo von Mitsubishi und die Häuser in Wimbledon und an der Côte d'Azur, die er sich drei Jahre später als erfolgreicher Investmentbanker leistet. Über seine in der DDR zurückgelassenen Kinder verliert er kaum ein Wort. Außer Edina und Andreas hat er noch eine Tochter aus erster Ehe. Sie ist vier Jahre älter als Edina. Auch über sie: kein Wort.

*

Der Sommer bei den Großeltern auf Usedom fühlt sich fast an wie immer – der sommerduftende Kiefernwald, der helle Sand, und die Strandkörbe. Nur dass die Raufeisens nun nicht wie sonst nach ein paar Urlaubswochen wieder in ihren Audi steigen und zurück nach Hannover fahren können. Auch für sie endet die Welt nun seit einem halben Jahr hundert Kilometer weiter östlich. Die Großeltern lassen den Schwiegersohn spüren, was sie von seiner Aktion halten, behandeln ihn abweisend und kühl: Erst bringt er ihre Tochter dazu, ihm in den Westen zu folgen, dann kommt er fast ein Vierteljahrhundert später Hals über Kopf zurück, angeblich, um sich beruflich zu verändern – da stimmt doch was nicht. »Im Dorf ging das Gerücht, meine Eltern seien geflohen, weil sie ›drüben‹ Geld unterschlagen hätten«, erzählt Thomas. »Dass es in Wirklichkeit um Spionage ging, konnte sich dort wohl niemand vorstellen.« Nicht einmal den Großeltern die Wahrheit sagen zu dürfen fällt ihm und Michael schwer. Ihren prüfend-besorgten Blicken weichen sie aus, so gut es geht. Sie fühlen sich schuldig und unbehaglich. Das ewige Lügen, die Vorsicht, das Misstrauen allem und jedem gegenüber haben sie gründlich satt.

Vom Strand aus kann man die Fähren sehen, die das nahe Polen mit Schweden verbinden. Früher haben sie sie kaum beachtet, jetzt sind sie verheißungsvolle Sehnsuchtsziele. Es muss doch irgendwie möglich sein, an Bord zu kommen, überlegen sie. Der

Hafen von Swinemünde ist nur fünf Kilometer entfernt, und mit ihren DDR-Ausweisen dürfen sie die polnische Grenze nun problemlos passieren. Mehrere Stunden drücken sie sich am Schwedenterminal herum, bis eine Fähre anlegt. Doch schon beim Warten wird ihnen klar, dass es unmöglich ist, unbemerkt auf das Schiff zu kommen: Überall stehen bewaffnete Grenzer und Soldaten. Der gesamte Bereich ist weiträumig gesperrt. Gefälschte Papiere seien die einzige Möglichkeit, meint Armin Raufeisen. Er will beherzt klingen, doch die Sorge ist nicht zu überhören. »Ihn so ratlos zu sehen hatte für meinen Bruder und mich in gewisser Weise etwas Befriedigendes«, sagt Thomas, »weil wir uns da zum ersten Mal auf Augenhöhe gefühlt haben. Gleichzeitig machte es uns aber auch Angst, denn wir brauchten ihn ja. Er war der Einzige, der uns da rausholen konnte.«

Wie kommen wir hier raus? In der kleinen vierköpfigen Schicksalsgemeinschaft drehen sich alle Gespräche nur noch um diese Frage. Im Dezember 1979 kann immerhin Michael das Land verlassen. Seine unnachgiebige Haltung hatte Erfolg. »Die Stasi hat mich regelrecht rausgejagt«, erzählt er. Nach monatelangem Warten gibt man ihm eine Stunde Zeit, seine Sachen zu packen und sich von Eltern und Bruder zu verabschieden. An der Friedrichstraße drücken ihm die beiden Begleiter vom MfS seinen westdeutschen Pass und eine Fahrkarte nach Hannover in die Hand. Dann führen sie ihn im Laufschritt durch die unterirdischen Gänge des Bahnhofs, vorbei an den offiziellen Grenzkontrollen, bis er schließlich auf dem Bahnsteig steht, von dem aus die Züge nach Westberlin fahren. »Die ganze Zeit über habe ich nur darauf gewartet, dass man mich irgendwann wieder aus dem Zug holt. Entweder die Stasi oder der BND.« Doch nichts passiert, und ein paar Stunden später steht er auf dem Hauptbahnhof in Hannover. Fast ein Jahr nach seiner unfreiwilligen Reise in die DDR.

In der Leipziger Straße 48 richten sich nun alle Erwartungen auf den Neunzehnjährigen. Er soll Kontakte knüpfen zum BND – einen entsprechenden Brief des Vaters hat ihm die Mutter in den Mantel eingenäht. Doch der westdeutsche Geheimdienst zeigt wenig Interesse, und auch beim Landeskriminalamt, wo Michael wegen des laufenden Verfahrens gegen den DDR-Spion Armin Raufeisen verhört wird, macht man ihm wenig Hoffnung.

Sein Bruder Thomas sitzt unterdessen jeden Morgen früh um fünf in der S-Bahn. Ostberlin ist um diese Zeit besonders trostlos und grau, denkt er. Seit Kurzem macht er eine Ausbildung zum Kfz-Mechaniker beim VEB AutoTrans Berlin, einem Speditionsunternehmen mit eigener Werkstatt für Lkw. Der Ton ist rau, die Arbeit mühsam und schmutzig. Abends auf dem Nachhauseweg hat er kaum noch Kraft, seine Arme zu heben, so lahm sind die Muskeln vom stundenlangen Hantieren – oft über Kopf und mit schwerem Werkzeug. »In einem Jahr bin ich achtzehn«, beruhigt er sich immer wieder, »dann lassen sie bestimmt auch mich zurück nach Hannover gehen.« Im Grunde aber kommt ihm diese Mutmachformel längst hohl und lächerlich vor, zumal sich die Hoffnungen auf eine baldige Ausreise gerade erst so gründlich zerschlagen haben.

Dabei sah erst alles so einfach aus: Michael hatte ihnen am Telefon über vereinbarte Codes zu verstehen gegeben, dass sie nach Budapest fahren und sich in der bundesdeutschen Botschaft vorstellen sollten. Dort würde man ihnen bei der Ausreise nach Österreich helfen. Erleichtert hatten sie sich an die Vorbereitungen gemacht, die vorgeschriebene »Anlage zum visafreien Reiseverkehr« beantragt, Urlaub eingereicht und die Sachen gepackt. Es war schwer gewesen, sich die Aufregung Nachbarn und Arbeitskollegen gegenüber nicht anmerken zu lassen – es musste ja alles wie eine gewöhnliche Ferienreise aussehen. Als die Mutter die Wohnung in der Leipziger Straße abschloss, war den dreien fast feierlich zumute: Mit einer Übernachtung in Prag und allen Formalitäten könnten sie in zwei Tagen in Budapest sein – und mit den neuen Papieren dann vielleicht schon ein oder zwei Tage später in Hannover.

Es kam aber alles anders: Ein Mitarbeiter der Botschaft ließ sich ihre Geschichte schildern, sagte, er müsse die Angelegenheit mit einem Kollegen besprechen, und verschwand für unerträglich lange Zeit. Als er wiederkam, schüttelte er bedauernd den Kopf: Man könne ihnen leider nicht helfen. Sie sollten das Botschaftsgebäude bitte umgehend verlassen. »Dabei müssen sie gewusst haben, dass sie uns damit einer großen Gefahr aussetzten«, empört sich Thomas noch heute, über dreißig Jahre danach. »Jeder Diplomat, der im Ostblock beschäftigt war, wusste, was mit DDR-Bürgern passierte, die aus einer westlichen Botschaft wieder rauskamen. Dass sie beobachtet und mit großer Wahrscheinlichkeit verhaftet wurden.«

Als er daran denkt, wie sie unverrichteter Dinge wieder abfahren mussten, kommen Thomas vor Wut und Enttäuschung noch einmal die Tränen. Der alte Mann, der ihm in der S-Bahn gegenübersitzt, schaut ihn neugierig an, Thomas dreht schnell den Kopf zur Seite, sieht sein Spiegelbild in der dunklen Scheibe: ein müder, trauriger Siebzehnjähriger in einem Alptraum, der einfach nicht aufhören will. Jetzt wieder hier zu sein, im Einerlei des Arbeitsalltags eines fremden Landes, ohne auch nur das Geringste erreicht zu haben, ist niederschmetternd. Und dann dieses elende Theaterspielen, das So-tun-als-ob, jeden Tag. Was er sich denn Schönes aus dem Ungarn-Urlaub mitgebracht habe, wollen die Azubi-Kollegen wissen. Jeans? Schallplatten? Thomas hat Mühe zu verbergen, wie deprimiert er ist, murmelt irgendetwas von T-Shirts und dem neuen Abba-Album. Sollen die anderen ihn ruhig für komisch halten. Wahrscheinlich tun sie es sowieso schon. Die Geschichte mit den kranken Großeltern, derentwegen er angeblich hier ist, glaubt ihm jedenfalls keiner, davon ist er überzeugt. Trotzdem geben sich alle mit dieser idiotischen Story zufrieden, obwohl sie bestimmt gern mehr erfahren würden.

Peter, sein Banknachbar in der Berufsschule in Pankow, hatte sich am ersten Tag immerhin getraut, eine Bemerkung über Thomas' Schreibutensilien zu machen: »Von uns ist das aber nicht!« – »Nö«, hatte Thomas schlicht erwidert und auf die Nachfrage, woher er denn komme: »Aus Hannover.« Die Überraschung war Peter deutlich anzusehen. Trotzdem hatte er nur gesagt: »Das ist doch im Westen!« und nach Thomas' achselzuckendem »Ja« nicht weitergefragt. »Rückblickend finde ich das sehr typisch für die DDR und die Deformierungen, die sie bei den Menschen verursacht hat«, sagt Thomas. »Dass sie lieber ihre Neugier unterdrückt haben, als vielleicht etwas Falsches zu sagen. Immer diese Angst … Aber letztlich war ich auch schon deformiert: Ich war ja froh, dass mir niemand Fragen stellte.«

Peters Vater ist Musiker beim Wachregiment »Feliks Dzierzynski«, also auch beim MfS. Trotzdem ist Peter offen und hat keine Vorurteile gegen ihn, den Jungen aus dem Westen. Thomas mag ihn sofort, würde ihm am liebsten alles erzählen. Doch er muss vorsichtig sein. Gerade jetzt, wo sie nach Wegen suchen, die DDR notfalls auch illegal zu verlassen. Zum Glück sind die Eltern damit einverstanden, dass er Peter zu sich nach Hause einlädt. Der sagt sofort zu und hat, als er in der Leipziger Straße 48 vor der Tür steht, auch seine jüngere Schwester Grit dabei. »Unsere Wohnung war für die beiden natürlich der Knaller«, erzählt Thomas. »Eine Westwohnung mit allem Drum und Dran, mitten im Osten – eins zu eins von Hannover nach Ostberlin transferiert! Und dann noch der Blick vom Balkon, direkt in den Westen …« Die Geschwister bestaunen das Sofa, die Stereoanlage, die Platten, die Bücher. Selbst der Kühlschrank beeindruckt sie sichtlich. »Hier riecht es wie im Intershop«, flüstert Grit ihrem Bruder ins Ohr.

Die beiden kommen nun oft zu Besuch; auch Charlotte und Armin Raufeisen haben sie ins Herz geschlossen. Manchmal sehen sie sich alle zusammen die Super-8-Filme von ihren Familienurlauben an – die Tower Bridge in London, Thomas und Michael vor dem Eiffelturm, der feuerspeiende Ätna – Grit und Peter können gar nicht genug bekommen und wollen alles ganz genau wissen. Es ist schön, von den Reisen und dem Leben in Hannover zu erzählen; auch die Eltern scheinen es zu genießen. Wirklich entspannt können sie trotzdem nicht sein, und auch

Thomas ist auf der Hut: Ihre Sorgen um die geplante Flucht darf man ihnen auf keinen Fall anmerken. Wirklich trauen – so das Grundgefühl selbst in den wenigen fröhlichen Momenten – können sie hier niemandem.

»Im Laufe unseres Hierseins«, wendet sich Oberleutnant Raufeisen im Mai 1980 ans Ministerium des Innern, »hat sich immer stärker gezeigt, dass eine Anpassung aufgrund der zu verschiedenen Lebensverhältnisse unmöglich ist. Das trifft besonders auf meinen Sohn Thomas (17 Jahre alt) und auf meine Frau zu. Die Einschränkungen bei Reisen sind für uns als ehemalige Bundesbürger unerträglich.« Die »zuvor zugesicherte Gleichstellung der Lebenshaltung bzw. des Lebensstandards zu früher«, argumentiert er weiter, »erweist sich nun als radikale Herabsetzung«. Darum beantrage er hiermit die »Ausreise in die Republik Österreich«. Selbstbewusst setzt er hinzu: »Wir werden in Zukunft keine Entscheidungen hinnehmen, die unserem Recht, das Schicksal unserer Familie selbst zu bestimmen, entgegenstehen.« Es ist der erste von insgesamt vier Anträgen.

Die Stasi reagiert wenige Tage später mit kaum verhohlener Drohgebärde: »Willi« und »Horst« stehen vor der Tür, um Genosse Raufeisen ins Gewissen zu reden. Wie er dazu komme, sich ans MdI zu wenden, schließlich sei er noch immer Offizier des MfS. Er habe äußerstes Glück gehabt, dass die Sache bei ihnen und nicht direkt beim Militärstaatsanwalt gelandet sei. Man werde sie unter gar keinen Umständen ausreisen lassen, schließlich gehe es hier nicht um ihr persönliches Lebensglück, sondern um die Sicherheitsinteressen der DDR.

In den folgenden Wochen verschärft sich der Ton weiter. Armin Raufeisen wird immer nervöser. Da auf legalem Wege nichts zu erreichen ist und vom BND keine Hilfe kommt, will er nun versuchen, mit den Alliierten Kontakt aufzunehmen. Am Alexanderplatz sieht man häufig amerikanische und britische Militärs auf Sightseeing-Tour – in ihren Ausgehuniformen sind sie gut zu erkennen. Auf der Suche nach Souvenirs gehen viele ins Centrum-Warenhaus, vor allem bei den DDR-Flaggen herrscht immer großer Andrang. Im Gewühl gelingt es Thomas' Vater, einem amerikanischen Offizier eine Nachricht zuzustecken: dass er aus wichtigen sicherheitspolitischen Gründen um ein Gespräch mit der CIA bitte und in genau einer Woche im Restaurant Sofia warten werde, eine *Berliner Zeitung* neben sich. Der Amerikaner reagiert geistesgegenwärtig und lässt sich nichts anmerken.

Tatsächlich erscheint zum angegebenen Datum im Sofia ein Mann von der CIA, der sich als »Marc« vorstellt und verspricht, sich der Sache anzunehmen. Was Armin Raufeisen aus dem Innern des DDR-Geheimdienstes zu berichten weiß, ist für die Amerikaner offenbar von großem Interesse. Schon nach dem nächsten Treffen einen Monat später, am sowjetischen Ehrenmal im Treptower Park, kann er seiner Familie fantastische Neuigkeiten mit nach Hause bringen: Man werde sie mit Diplomatenpässen und entsprechenden Autokennzeichen über den alliierten Grenzübergang Checkpoint Charlie bringen; ihr Audi sei dafür geradezu ideal. Es sei alles vorbereitet, schon in zwei Wochen werde es losgehen. Thomas betrachtet seinen Vater: Freude und Erleichterung lassen ihn plötzlich viel jünger aussehen. Das Flüstern fällt ihm schwer, am liebsten hätte er die guten Nachrichten herausgeschrien, ohne Rücksicht darauf, dass die Wohnung verwanzt ist. In diesem Moment empfindet Thomas zum ersten Mal seit langer Zeit wieder so etwas wie Zuneigung für den kleinen Mann mit der Halbglatze und der dickrandigen Brille. Vielleicht geht ja nun doch alles noch gut aus.

Zum vereinbarten Termin erscheint »Marc« nicht und auch an den folgenden Tagen wartet Armin Raufeisen vergeblich und mit wachsender Verzweiflung. Viele Jahre später wird Thomas in den Stasiakten lesen, dass gerade zu dieser Zeit ein Agent der CIA vom MfS verhaftet wurde – in völlig anderem Zusammenhang zwar, doch der CIA muss der Kontakt zu Thomas' Vater dadurch wie eine Falle erschienen sein. Von alledem ahnen die Raufeisens nichts. Nach Wochen vergeblichen Wartens wissen sie nur, dass sie wieder einmal eine Hoffnung begraben müssen. Thomas erinnert sich noch gut, wie schwer es damals für ihn war, seine Gefühle zu verbergen, vor allem seinem Freund Peter gegenüber: »Der hatte natürlich keine Ahnung, was los war, und schlug immer fröhlich vor, ins Kino oder ins Freibad zu gehen, während mir nur zum Heulen zumute war.«

Sein Vater läuft unterdessen durch die Stadt, immer auf der Suche nach Kontakten, die ihnen helfen könnten. Gesundheitlich geht es dem 52-Jährigen schlecht. Er kämpft mit Bluthochdruck und Nervenstörungen. Zu Hause greift er jetzt oft zu Weinbrand und Bier, seine Frau muss ihn manches Mal stoppen, damit er nicht die Kontrolle verliert. »Die Wut auf ihn war weg, und es tat weh, ihn so zu sehen«, erinnert sich Thomas. »Wenn ich heute daran denke, würde ich ihn gern in den Arm nehmen. Damals war ich aber zu sehr mit mir selbst beschäftigt, um wirklich Mitleid zu haben.« Gerade ist er achtzehn geworden. Das Alter, auf das man als Jugendlicher so sehnsüchtig wartet. Und er? Ist noch immer in diesem Land gefangen, in dem er nie sein wollte. »Die Zukunft liegt in öder Dürre entsetzlich lang und bang vor ihm …«

Am Silvesterabend 1980 steht er in der Leipziger Straße auf dem Balkon. Hört, wie nebenan die Korken vom Rotkäppchen-Sekt knallen, und starrt auf die hell erleuchteten Grenzanlagen, über die kreuz und quer Raketen fliegen.

Dunkelblaue Windjacken, grob karierte Freizeithemden – die beiden Herren, die Thomas im Umkleideraum der Autowerkstatt erwarten, sind so auffallend unauffällig angezogen, dass an ihrer Herkunft kein Zweifel bestehen kann: Stasi. Heiß steigt Thomas der Schreck in Kopf und Bauch. »Thomas Raufeisen? Ziehen Sie sich um. Sie müssen mitkommen. Zur Klärung eines Sachverhalts.« Während Thomas sich die ölverschmierten Hände wäscht, drehen sich in seinem Kopf die Gedanken: Ist das eine Verhaftung? Sind sie dahintergekommen, dass wir fliehen wollen? Was ist mit Mutter und Vater?

Wohin es geht, sagt man ihm nicht, und Thomas wagt nicht zu fragen. Gleich neben der Werkshalle wartet ein Lada, hinterm Steuer ein Mann in der gleichen unauffälligen Freizeitkluft. Seine Kollegen nehmen Thomas auf dem Rücksitz in die Mitte. Während der Fahrt sehen sie betont gelangweilt aus dem Fenster. Keiner sagt ein Wort. Thomas' Herz schlägt so heftig, dass er es bis in den Hals spüren kann. Ich bin verhaftet, ich bin verhaftet. Im Vorbeifahren sieht er kurz den Fernsehturm aufblitzen, daneben die Schrift auf dem Hotel Stadt Berlin: Sie sind am Alexanderplatz. Der Wagen biegt in eine Seitenstraße, hält vor einem Hochhausklotz. »Präsidium der Volkspolizei Berlin« liest Thomas im Vorbeigehen an der Tür. In einem Raum ohne Fenster lässt man ihn warten. Seine Hände hinterlassen feuchte Spuren auf der Tischplatte. Am liebsten würde er aufstehen und ein bisschen hin und her laufen, doch er traut sich nicht.

»Sie wissen, warum Sie hier sind?«, fragt ihn der Vernehmer, nachdem er eine gefühlte Ewigkeit gewartet hat. Es klingt wie eine Drohung. Thomas schüttelt den Kopf. »Nein, keine Ahnung. Was wollen Sie von mir?« – »Die Fragen stellen wir! Also sagen Sie es! Sie wurden gesehen. Es gibt hundertprozentige Beweise.« Sie wissen Bescheid, denkt Thomas, es ist vorbei. Aber warum ist nie von den Eltern die Rede? Aufpassen, aufpassen, bloß nichts Falsches sagen.

Ohne ihn aus den Augen zu lassen, öffnet der Beamte eine Mappe, die vor ihm auf dem Tisch liegt, und entnimmt ihr einen quadratischen Zettel mit einem daraufgekritzelten Hakenkreuz. »Wir haben eine ganze Menge davon«, sagt er mit Überlegenheit in der Stimme. »Es gibt Zeugen, die gesehen haben, wie Sie sie vom Balkon Ihrer Wohnung auf die Straße geworfen haben.« Thomas ist verblüfft. Den Zettel sieht er zum ersten Mal. »So was würde ich niemals tun.« – »Leugnen Sie nicht, Sie sind überführt. Für heute behalten wir Sie hier, da können Sie noch mal über alles nachdenken.«

Fünf Minuten später fällt hinter Thomas die schwere Tür zu seiner Zelle ins Schloss: dunkelgrüne Wände, ein Tisch, ein

Hocker, eine Pritsche, alles fest verschraubt, in der Ecke neben der Tür eine Kloschüssel. Durch schmale Blechschlitze in der Außenwand ahnt man etwas Tageslicht, an der Decke summt eine Neonröhre. Es ist die Haftanstalt der Volkspolizei. »Keibelstraße« sagen die Berliner, und jeder weiß, was gemeint ist. Vor allem »negative« Jugendliche verschwinden hier immer mal wieder für Tage oder auch Wochen.

Thomas Raufeisen liegt in jener Nacht im Sommer 1981 wach auf der Holzpritsche und weiß nicht, ob er den Morgen herbeisehnen oder fürchten soll. In seinem Kopf rattern die Gedanken. Was wird nun aus mir? Was haben die vor? Und: Wissen die Eltern überhaupt, wo ich bin? Am nächsten Tag führt man ihn wieder ins Vernehmungszimmer. Dort sitzt zu seiner Überraschung nicht nur der Beamte von gestern, sondern auch »Willi«. Der setzt einen tadelnden Blick auf: »Was machst du bloß für Sachen!« Als Thomas protestiert, fällt er ihm ins Wort: »Es gibt keinen Zweifel, was du gemacht hast. Wir haben die Beweise. Aber du hast großes Glück: Wir drücken dieses eine Mal noch ein Auge zu und bringen dich nach Hause zu deinen Eltern.« Um Punkt zehn Uhr liefern »Willi« und ein Kollege ihn in der Leipziger Straße 48 ab – nicht ohne den Eltern einzuschärfen, besser auf Thomas aufzupassen. Diesmal hätten sie noch das Schlimmste verhindern können, beim nächsten Mal aber könnten sie für nichts garantieren. Auf die Minute genau 24 Stunden lang hatten sie Thomas spüren lassen, was es bedeutet, in ihrer Gewalt zu sein – die Botschaft ist eindeutig.

Erst zwei Wochen zuvor hatten sie auch Thomas' Vater zu verstehen gegeben, was ihn erwartet, wenn er so weitermacht: Armin Raufeisen war eigens zu einem Richter zitiert worden, der ihm noch einmal ausdrücklich erklärte, dass für ihn als Offizier des MfS die Ausreise aus Sicherheitsgründen nicht infrage käme. Das Gleiche gelte für seine Familie. »Feinde der DDR werden hart bestraft«, fügte er noch hinzu und führte ihn anschließend demonstrativ durch die Gänge der »Magdalene«: der Untersuchungshaftanstalt des MfS in der Magdalenenstraße.

»Wir bekamen allmählich Panik«, sagt Thomas. »Die Drohungen waren mehr als deutlich. Wie Folterknechte im Mittelalter hatten sie uns ihre ›Instrumente‹ gezeigt. Wir wussten: Wir haben nicht mehr viel Zeit.« Die Raufeisens werden zu diesem Zeitpunkt – die Akten dokumentieren es minutiös – längst »operativ bearbeitet«: Das MfS protokolliert ihre Telefongespräche und öffnet die Post. Es zeichnet auf, was in der Wohnung gesagt wird, verfolgt jeden ihrer Schritte.

Im Betrieb wird Thomas bei seiner Rückkehr wie ein Held empfangen. Die Nachricht von seiner Verhaftung hat die Runde gemacht und sein Ansehen kräftig steigen lassen. Wer Ärger mit der Stasi hat, so die einhellige Meinung der Kollegen, muss in Ordnung sein. Herzlich klopfen sie ihm auf die Schulter. Alle wollen wissen, was passiert ist. Thomas ist gerührt, die Anteilnahme tut ihm gut. Plötzlich ist ihm klar, dass er nicht mehr lügen will. Und so erzählt er, dass sein Vater im Westen für die Stasi gearbeitet habe, jetzt aber alles kritisch sehe. Dass er selbst nicht freiwillig in die DDR gekommen sei, unbedingt wieder nach Hause wolle und es darum mit der Stasi zu tun bekommen habe. Zum ersten Mal seit langer Zeit hat Thomas wieder das Gefühl, er selbst zu sein. »Von da an begegneten mir alle viel offener und freundlicher. Und ich bin beinahe gern zur Arbeit gegangen.«

Ende August schöpfen die Raufeisens noch einmal Hoffnung: Über Michael erfahren sie, dass man ihnen in der bundesdeutschen Botschaft in Budapest nun definitiv helfen würde. So planen sie für September wieder eine Ungarn-Reise. Diesmal aber wollen sie unter keinen Umständen in die DDR zurückkehren. Wenn es in der Botschaft wieder nicht klappt, wollen sie über die grüne Grenze nach Österreich fliehen. Nach DDR-Recht sind sie dabei, eine schwere Straftat zu begehen. Und wider Willen kommen sie sich tatsächlich wie Verbrecher vor, wenn sie abends – flüsternd und bei laufendem Radio – auf der Österreichkarte mit den Fingern den Eisernen Vorhang nachzeichnen, der hier nur eine harmlose rote Linie ist. Irgendwo am Neusiedler See, durch den die Grenze verläuft, müsste ein Durchbruch möglich sein.

Genau acht Jahre später, im August 1989, wird der Neusiedler See durch die Weltpresse gehen, als bei Sopron mehrere Hundert Flüchtlinge aus der DDR unter den Augen der ungarischen Grenzer durch ein Holztor Richtung Österreich laufen. Die Raufeisens aber werden die Grenze nie erreichen. Drei Tage vor ihrer Abfahrt untersagt ihnen das MfS die Reise: Der BND habe etwas gegen den Genossen Raufeisen vorbereitet, lassen »Horst« und »Willi« sie wissen. Zu ihrer eigenen Sicherheit könne man sie nicht nach Ungarn fahren lassen.

Als die Stasimänner gegangen sind, steht Armin Raufeisen die blanke Angst im Gesicht. Trotzdem versucht er, entschlossen und zupackend zu klingen, als er seiner Familie den neuen Plan auseinandersetzt. Es ist die letzte Chance, der allerletzte Ausweg: Thomas und seine Mutter sollen in die Ständige Vertretung der Bundesrepublik flüchten und sich weigern, sie zu verlassen, bis man sie früher oder später in den Westen bringen würde. Ihm selbst bliebe durch seinen Status als MfS-Offizier nur die Flucht über die Ostsee. Er würde versuchen, nach Schleswig-Holstein zu schwimmen.

Charlotte Raufeisen fängt an zu weinen und auch Thomas ist geschockt. Schon für einen jungen, durchtrainierten Mann ist dieser Fluchtweg lebensgefährlich. Sein Vater aber ist 53, alles andere als sportlich und hat Probleme mit Herz und Kreislauf. Doch die Verzweiflung diktiert die Entschlüsse: Im Centrum-Warenhaus besorgt sich Armin Raufeisen eine Taucherbrille, eine Luftmatratze und Teppichreste, aus denen er sich mit Klebeband einen Schutzanzug basteln will. Am 12. September fahren Charlotte und Armin Raufeisen an die mecklenburgische Küste, um sich nach einem geeigneten Ausgangspunkt für die Flucht umzusehen – von Boltenhagen aus ist der Westen vergleichsweise nah. Thomas bleibt in Berlin, die Eltern wollen in der Nacht zurück sein.

Noch am selben Abend wird Thomas in der Wohnung verhaftet, seine Eltern stellt die Stasi auf ihrem Rückweg.

Nach zwölf Monaten Untersuchungshaft in Hohenschönhausen fällt das Militärobergericht Berlin »im Namen des Volkes« das Urteil über die Familie: Wegen »landesverräterischer Agententätigkeit« und »versuchten und vorbereiteten ungesetzlichen Grenzübertritts« wird der neunzehnjährige Thomas zu drei Jahren Gefängnis verurteilt, seine Mutter zu sieben, sein Vater zu lebenslänglicher Haft. Im berüchtigten Bautzen II werden sie ihre Strafen absitzen: Thomas wird im September 1984 entlassen, ein paar Wochen später darf er auch ausreisen. Seine Mutter bleibt bis April 1989 in Haft. Den Vater werden sie nicht mehr in Freiheit sehen: Er stirbt im Oktober 1987 unter ungeklärten Umständen.

Exkurs: Über dem Durchschnitt – Gehälter und Privilegien

Das MfS bezahlt seine »Angehörigen« von Anfang an überdurchschnittlich gut: Schon 1950 liegen die Gehälter zwischen 522,50 und 4.662,50 Mark – den Bezügen des Ministers – und damit selbst in der unteren Lohngruppe deutlich über dem DDR-Durchschnitt von 241 Mark. Auch Polizisten und Armeeangehörige verdienen weniger als ihre Kollegen beim MfS. Selbst vergleichsweise anspruchslose Tätigkeiten werden dort besser vergütet als viele leitende Positionen im zivilen Leben.[33] Im Laufe der Zeit steigt das Niveau noch: In den Siebzigerjahren liegt das Einstiegsgehalt eines »operativ tätigen« Offiziers schon bei 1000 Mark, der Chef einer mittleren Kreisdienststelle wie Rostock verdient 2000 Mark monatlich. Zum Vergleich: Das Durchschnittseinkommen seiner Landsleute beträgt zu der Zeit 792 Mark.[34]

In Berlin richtet das MfS 1974 sogar eine eigene Sparkasse ein, da die hohen Bareinzahlungen seiner Angehörigen in einer normalen Bank auffallen und ihre Konspiration gefährden würden. Ganz nebenbei lassen sich die Konten der Mitarbeiter auf diese Weise lückenlos kontrollieren.

Der Etat für die Staatssicherheit ist einer der größten Posten im Staatshaushalt der DDR. Ab Mitte der Sechzigerjahre steigt er jedes Jahr kontinuierlich um fünfzehn Prozent. 1989 beträgt er 4,195 Milliarden Mark – mehr als die Hälfte machen die Personalkosten aus. Selbst als der Staatshaushalt Ende der Achtzigerjahre längst verzweifelten Sparanstrengungen unterworfen ist, gelingt es Erich Mielke noch, bei Honecker weitere Gehaltssteigerungen durchzusetzen. Auch für sich selbst: Sein Jahreseinkommen liegt zuletzt bei 79.062,50 Mark. Seine Generäle verdienen 1989 monatlich bis zu 6.500 Mark. Und ein Hauptmann, der inoffizielle Mitarbeiter führt, hat jeden Monat 2.242,50 Mark auf dem Konto – fast doppelt so viel wie der Angestellte eines Volkseigenen Betriebs.[35]

Eine Reihe von Zulagen wie Aufwandsentschädigungen, Verpflegungs-, Wohnungs- oder Kleidergeld bessern das Gehalt noch weiter auf. Zur »Finanzierung der Grundausstattung an Bekleidung im operativen Dienst« beispielsweise erhalten die »als operative Beobachter bzw. als Begleiter, Hauptwagenfahrer im Nahabsicherungsbereich zum Einsatz kommenden Angehörigen« einmalig 850 Mark und dann »zur Finanzierung der die Grundausstattung ergänzenden Bekleidung« noch einmal 300 Mark »für das laufende Jahr«.[36] Regelmäßige Beförderungen, Prämien und Medaillen »für treue Dienste«, »Kampforden für Verdienste um Volk und Vaterland« tun ihr Übriges. Ein »Dienstalterzuschlag« erhöht das Gehalt mit den Jahren zusätzlich um bis zu 25 Prozent.[37]

Auch bei der Besteuerung sind MfS-Mitarbeiter im Vorteil: Lohnsteuer müssen sie nur für den vergleichsweise geringen Teil ihres Einkommens zahlen, der sich aus ihrem militärischen Dienstgrad ergibt. Zehn Prozent ihres Gehalts fließen in die Sonderversorgungskasse des MfS, aus der sie nach ihrer Pensionierung eine stattliche Rente von 75 Prozent ihres Bruttoverdienstes beziehen.[38]

»Für die materielle Situation ist das Gehalt jedoch nur teilweise aussagekräftig«, erklärt der Historiker Jens Gieseke. »Noch entscheidender ist der Zugang zu knappen oder unter normalen Umständen gar nicht erhältlichen Produkten und Dienstleistungen, und gerade in dieser Hinsicht hatten es MfS-Mitarbeiter deutlich besser als die meisten DDR-Bürger.« So verfügt die Stasi über eine eigene Wohnungsverwaltung, eigene Ärzte, Autowerkstätten, Polikliniken, Ferienheime und Kindergärten. Die Mitarbeiter haben die Möglichkeit, in betriebseigenen Läden einzukaufen, deren Sortiment oft vielfältiger und attraktiver ist als das des Konsums drei Straßen weiter – und das bisweilen durch beschlagnahmte Lebensmittel, Kleidung oder Hi-Fi-Geräte aus Westpaketen ergänzt wird.[39] Den Spitzenkadern steht in der Berliner Zentrale außerdem der sogenannte Leitershop mit Produkten zur Verfügung, die sonst nur gegen Devisen im Intershop erhältlich sind. Im Centrum-Warenhaus am Alexanderplatz werden sie dank einer »Sonderberechtigung« bevorzugt behandelt. Für viele ist es selbstverständlich, Fiat, Citroën oder Peugeot zu fahren. »Alle drei Jahre«, erinnert sich eine ehemalige Sekretärin, »kamen neue Autos auf den Hof.«[40]

Begründet werden die vielen Vergünstigungen und die hohen Gehälter mit der besonderen Verantwortung der Mitarbeiter für die »Feindbekämpfung« und den damit verbundenen »hohen physischen und psychischen Anforderungen«.[41] Arbeitszeiten von zehn oder zwölf Stunden am Tag sind durchaus üblich. Schon die allererste »Büroordnung« von 1950 verpflichtet die Hauptamtlichen zu Überstunden ohne zusätzliche Vergütung. Auch an Feiertagen wird in der Regel gearbeitet, zumal die offiziellen Paraden und Aufmärsche erhöhte Aufmerksamkeit erfordern. Je nach Sicherheitslage, so ein ehemaliger Leiter der MfS-Bezirksverwaltung Berlin, sei man schon mal »wochenlang nicht aus den Stiefeln gekommen«.[42]

Zum Leidwesen der Kaderabteilung häufen sich mit der Zeit »Beispiele, wo Geltungsbedürfnis, Karrierismus und vor allem übersteigerte materielle Interessiertheit Bürger der DDR ... veranlassen, sich für den Dienst im MfS zu interessieren«. Viele würden dann »vor den Schwierigkeiten der Arbeit kapitulieren«. Die gute Bezahlung hat daher auch Symbolwirkung: »Das Gehalt«, sagt ein ehemaliger Hauptmann des MfS, »erinnerte jeden Monat daran, dass man einer Elite angehörte.«[43]

Erkennen

An ihrem achtzehnten Geburtstag erfährt Edina Hanke, geborene Stiller, die Wahrheit über ihren leiblichen Vater. Es ist der 31. Mai 1989. Vier Wochen zuvor hat die ungarische Regierung damit begonnen, die Grenzanlagen zu Österreich abzubauen – der erste Riss im Eisernen Vorhang. Wie er sich auf die DDR auswirken wird, kann noch niemand sagen. Doch als die Regierung nach den Kommunalwahlen am 7. Mai wieder einmal sagenhafte 95,98 Prozent Zustimmung vermeldete – und damit die offensichtliche Manipulation des Ergebnisses –, erhob sich zum ersten Mal Protest: Vertreter von Oppositionsgruppen waren in vielen Wahllokalen bei der Auszählung dabei und können die Fälschung bezeugen, viele legen offiziell Einspruch ein. Die Allmacht des Staates bröckelt. »Jetzt gab es zum ersten Mal die vage Möglichkeit, dass Edina eines Tages ihren Vater wiedersieht«, sagt ihre Mutter. »Dabei wollte ich ihr nicht im Wege stehen. Außerdem war sie alt genug, um die ganze Geschichte zu erfahren.« So erzählt sie ihr von den eigentlichen Hintergründen seiner Flucht, seiner Arbeit als Doppelagent und von dem großen Schweigegebot, das die Stasi über sie verhängt hatte und das noch immer gilt. Für beide ist es ein besonderer Augenblick – und ein schmerzlicher. Edina weint. Der so lang vermisste Vater war ihr in all den Jahren immer ferner gerückt. Durch die Erzählung der Mutter ist er nun plötzlich wieder da, eigenartig konkret und doch nicht fassbar. »Nach so langer Zeit wieder etwas über ihn zu erfahren hat mich total umgehauen«, erinnert sie sich. »Ich liebte ihn ja immer noch, hatte es bloß gründlich vergraben.« Edina klingt ernst, wenn sie das erzählt. Ernst und traurig. Als täte ihr das Mädchen leid, das sie damals war. Nur einen kurzen Moment. Dann rettet sie sich in Selbstironie: »Aber die Gefühle hab ich natürlich schnell wieder verdrängt. Darin war ich inzwischen ja ziemlich gut. Stattdessen hab ich mich über seinen Verrat an der DDR empört. Dass er auch uns verraten hat – darüber habe ich gar nicht nachgedacht.«

Mit ihrem Stiefvater Wolfgang Hanke ist Edina sich einig, dass der Sozialismus das überlegene System und die DDR ein schützenswerter Staat sei. Die Mutter sieht ihr neues Heimatland inzwischen deutlich skeptischer. »In Berlin habe ich durch die Arbeit meines Mannes wie in einem geschützten Raum gelebt«, erzählt sie. »Außerdem war ich damals noch sehr jung und ganz neu in der DDR. Das wirkliche Leben habe ich erst in Cottbus kennengelernt. Da habe ich dann auch Leute getroffen, die schlimme Erfahrungen mit der Stasi gemacht hatten.« So ist sie nicht begeistert, als ihre Tochter beschließt, zur NVA zu gehen. Doch Edina lässt sich nicht beirren, will sogar in die Partei eintreten. Ihr Stiefvater unterstützt sie bei ihren Plänen und freut sich mit ihr, als ihre Bewerbung angenommen wird. Anfang September 1989 liegt der Einberufungsbefehl im Briefkasten.

Jeden Morgen um sechs wird Edina von einem durchdringenden Pfeifen aus dem Schlaf gerissen. Danach hat sie sechzig Sekunden Zeit, bis sie in Trainingsanzug und Turnschuhen auf dem Flur stehen muss: »Kompanie antreten zum Frühsport!« Nach endlosem Dauerlauf und Übungen mit kiloschweren Panzerkettengliedern gibt es Frühstück im Speisesaal, für das exakt fünfzehn Minuten vorgesehen sind. Der Tag ist angefüllt mit Exerzierübungen, Waffentheorie, Appellen und Märschen. Mit schwerem Gepäck geht es querfeldein, oft über viele Stunden, manchmal bis in die Nacht. Für die wenigen Frauen in der Kompanie gelten dieselben Anforderungen wie für die Männer: Auch sie müssen durch Gräben robben, Handgranaten werfen und meterhohe Hindernisse überwinden. Vor Erschöpfung und Heimweh ist Edina oft zum Heulen zumute.

Als für sie nach dem Grundwehrdienst die Fachausbildung in

Chiffrierwesen beginnt, fühlt sich das Leben schon deutlich leichter an. Es gibt nur noch wenige Feldmärsche und ab und zu sogar ein paar Stunden Freizeit. Und es gibt Raik, den hübschen Ausbilder. Schon manches Mal hatte sie das Gefühl, auch er würde sie eine Zehntelsekunde länger ansehen als nötig. Als er ihr eines Tages gesteht, dass er sich in sie verliebt habe, kann sie es trotzdem kaum glauben. Er sei verheiratet, fügt er noch etwas verlegen hinzu, es käme also nur eine Affäre in Frage. »Ich war viel zu verknallt, um mich daran zu stören«, erzählt Edina, »wir hatten eine wunderschöne Zeit und die Trennung hat richtig wehgetan.«

Viel später, die Mauer ist längst gefallen, wird er ihr bei einem Besuch in Cottbus erzählen, dass er sie im Auftrag der Staatssicherheit aushorchen sollte und schon vor ihrer Einberufung über sie Bescheid wusste. »Das war ein Schlag in die Magengrube«, sagt Edina. »Er beteuerte dann, er hätte sich ernstlich in mich verliebt und daraufhin die Zusammenarbeit mit der Stasi beendet. Aber das konnte ich ihm dann auch nicht mehr glauben.«

Im Herbst 1989 gehen in Leipzig jeden Montag Tausende auf die Straße, um für demokratische Wahlen, Reise- und Versammlungsfreiheit zu demonstrieren; in den westdeutschen Botschaften von Prag, Budapest und Warschau erzwingen Hunderte DDR-Flüchtlinge ihre Ausreise; an den Grenzen kommt es zu Massenfluchten. Doch von alledem erfahren die NVA-Soldaten und -Soldatinnen im Stützpunkt Bad Düben nichts: Radios sind verboten, der Zutritt zu den Fernsehräumen ist nur für Gruppensitzungen gestattet. Der Rücktritt Honeckers am 18. Oktober, die Alexanderplatz-Demo am 4. November – nichts davon dringt zu ihnen durch. Erst am Morgen des 10. November erfahren sie schließlich auf einer Versammlung, dass die Mauer seit dem vergangenen Abend geöffnet ist. »Jetzt kann ich meinen Vater wiedersehen!«, ist Edinas erster Gedanke.

*

»Irgendwo hinterlassen Sie immer Tränen«, sagt Werner Stiller, als er im Frühjahr 2002 auf einer Tagung nach seinem Verrat gefragt wird. »Ich würde es trotz allem wieder machen, genau so.«[44]

Werner Stiller hat viele Tränen hinterlassen. Auch bei Nicole Glocke, deren Familie wenige Tage nach seinem »Übertritt« im Januar 1979 zerbrach: Es ist Sonntag. In einer von Feldern und Wald umgebenen Siedlung am Stadtrand von Bochum sitzt die damals neunjährige Nicole mit Mutter und Schwester am Frühstückstisch, als es an der Haustür klingelt. Die Bilder von damals hat sie noch immer vor Augen, und ihre Gefühle sind für sie bis heute lebendig – wie die Mutter im Schlafanzug die Tür aufmacht, der eigenartige Gegensatz zwischen ihrem so privaten Aufzug und den Uniformen der fünf Polizisten, die blitzenden Dienstmarken, die Frage nach dem Vater, der erschrockene Ausdruck im Gesicht der Mutter, als sie den Durchsuchungsbefehl sieht. Karl-Heinz Glocke, klärt einer der Beamten sie auf, stehe im Verdacht, für die Stasi gearbeitet zu haben. Vermutlich habe er sich schon in die DDR abgesetzt. Marion Glocke protestiert, das sei vollkommen ausgeschlossen. Ihr Mann sei überzeugtes Mitglied der CDU und habe mit der DDR absolut nichts am Hut. Er sei auf Dienstreise in Köln, das Ganze müsse eine Verwechslung sein. »Ich verstand natürlich nicht genau, was da vor sich ging«, sagt Nicole heute, »aber irgendwie wusste ich, dass uns etwas Furchtbares bevorstand und dass mein bisheriges Leben vorbei war.«

Während die Beamten jede Vorratsdose öffnen, jedes Buch durchblättern, jeden Gegenstand hochheben und sorgsam wieder an seinen Platz stellen, sieht Nicole am Küchenfenster in den sonnigen Winterhimmel. Niemand erklärt ihr etwas, auch die Mutter nicht. Ihre Schwester darf nachmittags zu einer Geburtstagsparty und hinterher bei der Oma übernachten; Nicole beneidet sie glühend. »Sollen ruhig alle glauben, dass ich noch zu klein bin, um etwas mitzukriegen«, denkt sie trotzig. »Ich weiß genau, dass mein Vater etwas Schlimmes getan hat und jetzt ins Gefängnis muss.« Rückblickend wundert sie sich, dass sie schon damals so dachte, kann sich aber noch gut erinnern, wie sicher sie sich war: »Vielleicht lag es daran, dass er so wenig zu Hause war, nie was erzählt hat und sich auch immer so unnahbar und abweisend gegeben hat. Es war dieses eindeutige Gefühl: Mit Papa stimmt was nicht.«

Am nächsten Morgen wird Karl-Heinz Glocke an seinem Arbeitsplatz bei RWE, den Rheinisch-Westfälischen Elektrizitätswerken, verhaftet. In den Stasi-Geheimlisten, die Werner Stiller dem BND übergeben hatte, war er unter dem Decknamen »Bronze« aufgeführt. In Glockes Notizbuch finden die Beamten außerdem DDR-Adressen und eine Telefonnummer des MfS, die nur Mitarbeitern der HV A bekannt ist. Seit den frühen Siebzigerjahren hat er die Genossen regelmäßig mit Informationen und Originaldokumenten der RWE, aus der Kernenergie und der nordrhein-westfälischen CDU-Spitze versorgt. Vom Oberlandesgericht Düsseldorf wird er wegen Spionage zu zwei Jahren und neun Monaten Haft verurteilt.

»Ich habe mich in Grund und Boden geschämt«, erzählt Nicole. »Mein Vater: ein Krimineller! Im Gefängnis!« Den neugierigen Fragen von Nachbarn und Freunden weicht sie aus, träumt sich in eine Fantasiewelt hinein. Darin spielt der Winnetou-Darsteller Pierre Brice die Hauptrolle. Am liebsten stellt sie sich vor, wie es wäre, wenn er ihr Vater wäre: ein Held, der immer für sie da ist, ihr zuhört, sie in den Arm nimmt. Ihre Mutter, das spürt sie deutlich, will über das, was passiert ist, auf keinen Fall sprechen. Als Karl-Heinz Glocke fast drei Jahre später seine Strafe abgesessen hat, geht das Familienleben weiter wie zuvor. Nie kommt das Thema zur Sprache, kein Wort zu Verhaftung, Gefängnis, Geheimdienst und Verrat. »Äußerlich hat sich im Grunde gar nicht viel geändert, denn mein Vater hat auch vor seiner Verhaftung kaum mit uns geredet. Wenn er überhaupt mal zu Hause war, saß er meistens vor dem Fernseher. Genauso ging es jetzt auch weiter.«

Aus seinen politischen Überzeugungen hingegen macht der ehemalige IM »Bronze« nun keinen Hehl mehr: Hatte er sich vorher stets als überzeugter Anhänger Helmut Kohls gegeben, dem er auch optisch gleicht, wettert er jetzt gegen die »reaktionäre Politik der Bonner Ultras«, lobt die Segnungen des Sozialismus und prophezeit der »dekadent-imperialistischen westlichen Gesellschaft« den baldigen Zusammenbruch. Das hindert ihn jedoch nicht, fortan als Geschäftsmann sein Glück im System des Klassenfeinds zu suchen, weiter Mercedes zu fahren und mit »bürgerlich-kapitalistischen Subjekten« Fußball zu spielen. »Ich konnte ihn überhaupt nicht verstehen«, sagt Nicole. »Aber über seine Agententätigkeit habe ich seltsamerweise nie nachgedacht. Da funktionierte das Familien-Tabu offenbar ziemlich gut.«

Es verliert erst seine Macht, als sie 1999 aus beruflichen Gründen nach Berlin zieht. Denn dort bringt eine Begegnung das lang Verdrängte mit einem Schlag an die Oberfläche: Ihr neuer Nachbar stellt sich Nicole als Manfred Vogel vor – Sohn des Rechtsanwalts Wolfgang Vogel, der für die DDR die Häftlingsfreikäufe durch die Bundesrepublik organisierte. Auch der Austausch von Agenten gehörte zu seinen Aufgaben. »Als ich das hörte, verschwamm plötzlich alles um mich herum, und die Bilder von damals waren wieder da. Nach so vielen Jahren!« Nicole braucht mehrere Tage, bis sie den Mut findet, dem Nachbarn ihr plötzliches Verstummen zu erklären und ihm vom Vater zu erzählen. Es ist das erste Mal, dass sie überhaupt darüber spricht. Mit klopfendem Herzen hört sie sich selbst dabei zu. »Da erst ist mir klar geworden, dass ich etwas mit mir herumschleppe, mit dem ich mich auseinandersetzen muss, bevor es mich erdrückt«, sagt sie heute.

Den heftigen Gefühlen, die sie nun überrollen, begegnet die damals dreißigjährige Historikerin mit den Mitteln der Wissenschaft: Systematisch erarbeitet sie sich in den nächsten Wochen Geschichte, Methoden und Strukturen der DDR-Staatssicherheit, recherchiert im Pressearchiv Artikel über ihren Vater und Werner Stiller, besichtigt das Museum in der ehemaligen Stasizentrale und die Gedenkstätte in Hohenschönhausen. »Stundenplan« nennt sie das, und sie hält ihn streng ein. Nach einem halben Jahr fühlt sie sich informiert genug, um sich an ein Gespräch mit ihrem Vater zu wagen.

Der ist überrascht, scheint sich durch das Interesse der Tochter aber auch ein wenig geschmeichelt zu fühlen. Bereitwillig erzählt er von seiner geheimen Karriere beim MfS: Gleich nach dem Krieg hatte er sich im Ruhrgebiet am Aufbau der FDJ beteiligt, bis diese 1951 in der Bundesrepublik verboten wurde. Später bekam er parallel zu seinem Studium in Westberlin eine nachrichtendienstliche Grundausbildung. Als Westagent habe er dann ab 1956 verschiedene Abteilungen des MfS mit Informationen versorgt, zuletzt im Range eines Majors. Die konspirativen Treffen, erzählt er stolz, hätten nicht nur in Ostberlin stattgefunden, sondern auch in Helsinki und Wien. Selbst der sowjetische und der tschechoslowakische Geheimdienst seien an seiner Arbeit interessiert gewesen. Nicole hört zu und fragt sich, ob sie den Mann eigentlich kennt, der da vor ihr sitzt. Nein, denkt sie. Aber war das je anders?

Ihr Vater scheint ihre ernsten Gedanken nicht zu bemerken und redet unbeirrt weiter: Auch als »Romeo« sei er äußerst erfolgreich gewesen. Nicole kennt den Begriff aus ihren Recherchen. Die Stasi setzte gern Agenten ein, die mit »weiblichen Zielpersonen« eine Liebesbeziehung eingingen, um an geheime Informationen zu kommen oder sie als IM zu gewinnen. Meist waren es Sekretärinnen in Behörden oder Ministerien. »Die Vorstellung, dass mein Vater so etwas gemacht hat, fand ich bizarr, aber irgendwie auch interessant. Eine solche Rolle hätte ich ihm nie zugetraut.« Zweimal sei er für seine Arbeit ausgezeichnet worden, fährt er fort: von Markus Wolf und Erich Mielke persönlich! Sie hätte ihn mal in seiner Uniform sehen sollen – mit der habe er bei jeder Parteisekretärin Eindruck gemacht.

Die lethargische Gleichgültigkeit, die grimmige Eigenbrötlerei sind verschwunden: Vor Nicole sitzt ein anderer Mensch. Mit leuchtenden Augen erzählt er, wie er in Berlin mal um ein Haar den Rückflug verpasst hätte und seine Führungsoffiziere ihn in größter Eile zum Flughafen Tempelhof fuhren. Die Vopos, die sie wegen überhöhter Geschwindigkeit angehalten hätten, seien beim Anblick der Stasiausweise blass geworden und hätten sie anstandslos zum Grenzübergang weiterfahren lassen.

»Wenn alles so toll war«, wirft Nicole ein, »warum bist du nach deiner Entlassung nicht in die DDR gegangen?« Seine Antwort macht sie sprachlos: »Ich hatte doch Verantwortung für meine Familie!« Es geht hier um Sachverhalte, ruft Nicole sich selbst zur Ordnung, nicht um Gefühle.

Karl-Heinz Glocke ist jetzt in Fahrt: Ja, er habe die Gefahr unterschätzt. Aber wie hätte er denn mit einem solch feigen Verrat rechnen sollen? Werner Stiller sei der Halunke in diesem Spiel, nicht er. »Sein Verrat verjährt nicht. Eines Tages wird abgerechnet.« Nicole kann nicht glauben, was sie da hört: »Ist das dein Ernst? Das ist doch alles schon zwanzig Jahre her!« Der Vater atmet hörbar aus. »Das spielt keine Rolle. Das Todesurteil gilt noch immer. Teske sollte ihm eine Warnung sein.«

Vom Fall Werner Teske hatte Nicole gelesen. Der Hauptmann der HV A hatte wie Stiller Geheimdokumente zur Seite geschafft, weil er fliehen wollte, wegen seiner Familie den Plan aber wieder fallen lassen. Als das MfS nach Stillers Flucht die Mitarbeiterkontrollen verschärfte, wurden die entwendeten Akten in seiner Wohnung gefunden. Obwohl Werner Teske sie nicht weitergegeben hatte, wurde er zum Tode verurteilt und im Juni 1981 durch Genickschuss hingerichtet.

Ihr Vater ist mit seinen Gedanken schon woanders: Stiller sei nur an seinem persönlichen Vorteil interessiert gewesen. Ihm hingegen sei es immer um die Sache gegangen. Er habe für den Sozialismus gekämpft und der sei im Übrigen keineswegs besiegt. Wenn 1989 fähigere Leute an die Macht gekommen wären, hätte man die Opposition noch niederschlagen können. »Die DDR ist verloren, der Sozialismus aber noch lange nicht.«

Ein paar Stunden später sitzt Nicole wieder im Zug nach Berlin. »Ich starrte die ganze Zeit nur aus dem Fenster und versuchte, für mich irgendwie Struktur in das zu bringen, was ich da gerade gehört hatte. Über meine Gefühle habe ich lieber gar nicht erst nachgedacht.« Sachlich und neutral bleiben, die Fakten zu Rate ziehen – was im Geschichtsstudium gilt, muss doch auch hier funktionieren. So stürzt sie sich wieder in den selbst verordneten Stundenplan. Doch die Quellen sind spärlich: Außer dem, was ihr der Vater erzählt hat, und einer Handvoll Zeitungsartikel hat sie keinerlei Informationen über die Art und das tatsächliche Ausmaß seiner Arbeit. Das Urteil des Oberlandesgerichts Düsseldorf wollte er ihr nicht geben und sie hatte es beim heimlichen Stöbern im Keller nicht finden können. Auch ihr Antrag auf Akteneinsicht bei der BStU hat keinen Erfolg: Der Bestand der HV A wurde nahezu vollständig vernichtet.

Was hat den Vater zu dem gemacht, was er ist? Warum war er bereit, seine gesamte Existenz aufs Spiel zu setzen, einschließlich seiner Familie? Und vor allem: Was genau hat er getan? Hat er auch unmittelbar Menschen geschadet? An manchen Tagen hat Nicole das Gefühl, ihr eigenes Leben werde von dem ihres Vaters erdrückt. Den Vorsatz, sachlich zu bleiben, gibt sie verloren. Er weicht einer ersten, zaghaften Wut: Warum muss ich mich eigentlich mit der Vergangenheit meines Vaters auseinandersetzen? Warum tut er es nicht? Er müsste sich den ehemaligen Stasiknast in Hohenschönhausen ansehen, nicht ich!

Monatelang bemüht sich Nicole um ein weiteres Gespräch. Vergeblich. Vordergründig geht es um Fakten, Antworten, Sachverhalte. In Wirklichkeit aber darum, nach über zwanzig Jahren endlich gesehen zu werden. Es wäre die Gelegenheit, einen Teil seiner Versäumnisse wiedergutzumachen. Karl-Heinz Glocke lässt sie verstreichen.

Enttäuscht zieht Nicole sich zurück. Um doch noch Antworten zu bekommen und die Schatten der Vergangenheit abzuschütteln, macht sie sich auf die Suche nach jenem Mann, der in den Augen ihres Vaters den Tod verdient: Werner Stiller.

*

Edina staunt. Das Wohnzimmer ist mindestens doppelt so groß wie das ihrer Mutter in Cottbus. Statt der obligatorischen Schrankwand stehen hier nur eine cremefarbene Couch, zwei kleine Sessel und ein niedriger Glastisch. Auch das Schlafzimmer wirkt hell und edel, in einem raumhohen Kleiderschrank hängen akkurat gebügelte Hemden und Anzüge. »Joop«, »Boss«, »Calvin Klein« liest Edina auf den Etiketten. An der Innenseite der Tür fällt ihr Blick auf ihr Spiegelbild: Sie trägt ihre besten Sachen – eine neue, dunkelblaue Jeans, eine Bluse mit kleinen blauen Karos. Trotzdem kommt sie sich klein und unattraktiv vor. Ob er enttäuscht war? Hatte er sich seine Tochter nach all den Jahren anders vorgestellt? Hübscher, selbstbewusster?

Als er sie vorhin am Frankfurter Hauptbahnhof abholte, hatte er sie gleich erkannt und ohne zu zögern in die Arme genommen. Ein fremder Mann, der ihr Vater sein soll. Edina genießt die Umarmung. »Bist ein hübsches Mädchen!«, hatte er gesagt und ihr galant die Beifahrertür aufgehalten. Das schicke Auto mit dem offenen Verdeck, die Straßencafés, in denen unbeschwerte, junge, modisch gekleidete Leute sitzen – kann sie da überhaupt mithalten? Die Jugendstilvilla, vor der sie schließlich ausgestiegen waren, hatte sie vollends eingeschüchtert. Noch nie hat Edina ein so nobles Wohnviertel gesehen: Eine Villa reiht sich an die nächste, hinter sorgsam gestutzten Hecken öffnen sich gepflegte Gärten. Eine andere Welt. Cottbus ist Lichtjahre entfernt.

Dann die Wohnung des Vaters – Edina hatte gar nicht gewusst, was sie sagen sollte. So viel Platz für eine einzige Person. Zum Glück schien ihr Vater keine Reaktion zu erwarten. Er müsse noch mal in die Bank, hatte er gesagt, kaum dass er den Koffer im Esszimmer abgestellt hatte. Es werde nicht lange dauern – und schon war er weg.

Edina macht die Schranktür wieder zu. Die Augen, denkt sie, die sind o. k.

Abends stellt Werner Stiller eine Flasche Rotwein und zwei bauchige Gläser auf den Tisch. Er trinkt schnell, schenkt immer wieder nach. Wie es ihr in der Schule ergangen sei, will er wissen, und was sie jetzt mache, ob sie einen festen Freund habe und wie sie sich mit ihrer Mutter verstehe. Edina antwortet zögerlich. Jedes Wort kommt ihr verkehrt vor. Er lacht, als sie von ihrer Ausbildung bei der NVA erzählt: »Ausgerechnet meine Tochter geht zur Armee!« Es klingt merkwürdig, wenn er »meine Tochter« sagt, findet Edina, schiebt den Gedanken aber schnell zur Seite. Sie will das Wiedersehen nicht vermasseln, sie hat es sich doch selbst so sehr gewünscht. »Ich kam mir furchtbar ungeschickt vor und hatte die ganze Zeit Angst, etwas Dummes zu sagen«, erinnert sich die 40-Jährige.

Als Edina am nächsten Morgen aufsteht, findet sie ihren Vater vor der Kaffeemaschine in der Küche. Hellgrauer Anzug, weinrote Krawatte, die Schuhe glänzend poliert. Er müsse in die Bank, sagt er und reicht ihr einen Becher Kaffee. Leider. Das mit dem Urlaub habe nicht geklappt. »Auf dem Tisch liegt Geld. Mach dir einen netten Tag in der Stadt – wir sehen uns heute Abend.«

Die nächsten Tage verlaufen genauso. Tagsüber ist Edina allein in Frankfurt unterwegs, abends gehen sie in teure Restaurants, oder der Vater führt ihr zu Hause seine Kochkünste vor. Er redet fast ununterbrochen. Versucht, sie mit Anekdoten zum Lachen zu bringen. Erzählt ihr von der Zeit, als sie klein war, und von seinem neuen Leben unter falschem Namen. Seiner Arbeit als Börsenmakler, seinen Reisen, seinen Frauen. Und von der Flucht aus der DDR, die ihn, wie er sagt, in letzter Sekunde vor der Verhaftung rettete.

Als Edina nach fünf Tagen wieder im Zug nach Cottbus sitzt, hat sie das Gefühl, etwas Wesentliches versäumt zu haben. Die erhoffte Nähe zum einst so schmerzlich vermissten Papa ist ihr nicht gelungen.

Auf Knien, erzählt Erszébet Hanke, habe ihr Exmann sie angefleht, ihm den Kontakt zu seinen Kindern zu ermöglichen. Damals, kurz nach dem Mauerfall. »Ich habe lange gezögert, weil ich Angst hatte, dass er ihnen noch einmal wehtut. Aber er hat mir hoch und heilig versprochen, in Zukunft für sie da zu sein.« Ihre Skepsis ist berechtigt: Nicht nur dieses erste Wiedersehen im Sommer 1990 ist für Edina eine Enttäuschung. Auch in den folgenden Jahren erlebt sie mit ihrem Vater einen ständigen Wechsel aus freudiger Hoffnung und bitteren Dämpfern. Immer wieder sagt er vereinbarte Treffen kurz vorher ab, verlegt, verspricht – und hat dann doch wieder dringende Geschäftstermine. Obwohl sie schon damit rechnet, schmerzt es Edina jedes Mal, wenn sie wieder einmal ihren lange im Voraus beantragten Urlaub zurückziehen muss. Auch die Frankfurter Innenstadt ödet sie an – zu oft musste sie dort die Zeit totschlagen, die der Vater ihr vorher überschwänglich versprochen hatte.

Vorwürfe macht sie ihm deswegen nicht, und um wütend zu sein, ist sie viel zu traurig. »Ich war höchstens wütend auf mich selbst, weil ich nicht witzig und klug und liebenswert genug war. Denn sonst hätte mein Vater ja mehr Interesse an mir gezeigt. So habe ich das gesehen. Das war für mich vollkommen logisch.« Logisch auch deshalb, weil es zum Lebensgefühl der damals Anfang-20-Jährigen passt: In der DDR hatte ihre politische Überzeugung ihr Halt und Orientierung gegeben, das Leben war klar und vorhersagbar gewesen. Jetzt ist alles aus den Fugen: Die NVA gibt es nicht mehr, Edina ist nun Sekretärin bei der Bundeswehr. Ihr Stiefvater findet als ehemaliger Stasimitarbeiter keinen neuen Job und sitzt den ganzen Tag in Unterwäsche vor dem Fernseher. Ihr leiblicher Vater ist plötzlich wieder da und behauptet, immer ein Gegner des DDR-Regimes gewesen zu sein.

Das innere Chaos, die quälenden Selbstzweifel bekämpft Edina mit nächtelangen Kneipentouren und ständig wechselnden Affären, das Elend dazwischen mit Alkohol.

*

Im Frühjahr 2002 sitzt Nicole Glocke mit klopfendem Herzen im Französischen Dom am Berliner Gendarmenmarkt. Die Evangelische Akademie hat zu einer Konferenz über die Arbeit der Geheimdienste im Kalten Krieg geladen. Einer der Referenten ist Werner Stiller. Drei Jahre beschäftigt sich Nicole nun schon mit jenem Mann, der ihren Vater ins Gefängnis brachte. Sie hat seine Stasiakte studiert, die Autobiografie gelesen und alles, was ihr sonst noch zum Thema in die Hände fiel. Mittlerweile weiß sie mehr über ihn als über den eigenen Vater, denn Karl-Heinz Glocke schweigt weiter beharrlich und zeigt für die Fragen seiner Tochter nur Unverständnis. Je weiter Nicole sich von ihm entfernte, desto wichtiger war ihr Stiller geworden. Ihn persönlich zu treffen hatte sich mit der Zeit zur fixen Idee entwickelt, an der sie mit Trotz und Leidenschaft festhielt, obwohl ihre Freunde sie schon für verrückt erklärten. Doch alle Versuche, ihn ausfindig zu machen, waren fehlgeschlagen. Vergeblich hatte sie recherchiert, Historiker befragt, sich sogar mit einem BND-Mitarbeiter getroffen.

Nun also ist es so weit. Nicole kann es kaum glauben. Die ehemalige DDR-Bürgerrechtlerin Ulrike Poppe, die die Veranstaltung leitet, hat ihr versprochen, nach Stillers Vortrag ein Treffen für sie zu organisieren. Nicole fällt es schwer, sich auf das zu konzentrieren, was auf dem Podium gesagt wird. Sie zuckt zusammen, als Ulrike Poppe plötzlich eine Frage an Stiller richtet, in der es um sie geht: »Haben Sie jemals an die Familien der Westagenten gedacht, die von Ihnen enttarnt wurden? Wie würden Sie reagieren, wenn Ihnen eine junge Frau gegenübertreten würde, die sagt: Sie haben meinen Vater ins Gefängnis gebracht?« Nicole hat Mühe, seiner Antwort zu folgen, so sehr lähmt der Schreck ihr Denken. Die Frau täte ihm leid, setzt der einstige Doppelagent an, aber jeder sei nun einmal für sich selbst verantwortlich. Im Übrigen habe auch seine eigene Familie unter den Folgen seines Übertritts zu leiden gehabt.

Nicole ist selbst überrascht, als sie aufsteht und nach vorn zum Mikrofon geht. Wie von außen sieht sie sich dabei zu. Gehorchen ihre vor Aufregung zitternden Beine dem Bauch oder dem Kopf? Alle Blicke sind auf sie gerichtet. Auch Stiller wendet sich ihr zu. »Ich heiße Nicole Glocke« – die Stimme seltsam fremd und belegt. »Den Namen Stiller kannte ich schon als

Kind, weil mein Vater durch ihn enttarnt wurde.« Sie holt Luft, zwingt sich, langsam und etwas tiefer zu sprechen. Jedes Wort für sich. »Ich gebe Ihnen keine Schuld. Mein Vater ist zu Recht verurteilt worden. Aber ich finde es unangemessen, in welchem Hoppla-jetzt-komm-ich-Ton Sie von Ihrer Spionagetätigkeit sprechen. Schließlich hat Ihr Übertritt in vielen Familien Leid verursacht.«

Stiller wiederholt noch einmal seine Antwort. Nicole nimmt sie nur am Rande wahr. Sie braucht ihre ganze Kraft, um ohne zu stolpern auf ihren Platz zurückzukommen.

Eine Stunde später sitzt sie Stiller in einem leeren Konferenzraum gegenüber. Ihre Hand zittert so sehr, dass die Mineralwasserflasche beim Einschenken gegen das Glas klirrt. Sie sei etwas befangen, traut sie sich zu sagen. Das ginge ihm genauso, gesteht er zu ihrer Überraschung und lächelt. »Ich konnte es mir damals nicht erklären, aber ich hatte sofort das Gefühl, dass da eine Nähe und Vertrautheit zwischen uns war«, erinnert sie sich. »Heute denke ich, es lag daran, dass wir in gewisser Weise eine gemeinsame Geschichte hatten und er wusste, wovon ich sprach. Bei den meisten Freunden und Bekannten war ich mit dem Geheimdienstthema ja immer eher auf Unverständnis gestoßen.«

Nicole fasst Mut. Für eine Fachzeitschrift habe sie einen Artikel über ihn geschrieben, sagt sie und reicht ihm eine Kopie.[45] Stiller fängt sofort an zu lesen. Der Text ist nicht eben schmeichelhaft, behandelt kritisch seinen Übertritt, untersucht seine Beweggründe und kommt zu dem Schluss, dass nicht politische, sondern ausschließlich persönliche Motive für ihn ausschlaggebend waren. Nicole erwähnt darin auch seine in der DDR zurückgelassenen Kinder – eins aus erster, zwei aus zweiter Ehe. Über seine Selbststilisierung als »auf sich gestellter Hasardeur« seien diese ebenso »in den Hintergrund geraten« wie »die Familien der enttarnten MfS-Mitarbeiter, die zum Teil erst durch die Verhaftungen ihrer Angehörigen von deren Doppelleben erfuhren«.[46] Stiller sagt nichts dazu.

Nicole fragt ihn nach Kollegen, deren Namen ihr Vater erwähnt hatte, und lässt sich von ihm den Aufbau seiner Abteilung erklären. Stiller antwortet bereitwillig, kommt aber jedes Mal schnell wieder auf sich zu sprechen: Wie geschickt er seine Flucht eingefädelt und sich dabei seine Geliebte zunutze gemacht habe, dass ihm die Lust an Risiko und Abenteuer wohl in den Genen liege und welch immense Verunsicherung sein Verschwinden für das MfS bedeutet habe. Sobald Nicole anfängt, von sich zu erzählen, fällt er ihr ins Wort, nach ihrer Familie fragt er nicht. »Aber im Gegensatz zu meinem Vater hat er immerhin meine Fragen beantwortet«, sagt die 42-Jährige.

Später gehen sie gemeinsam zum Bahnhof Friedrichstraße. Stiller zeigt ihr die Stelle, wo damals die Tür zum sogenannten Ho-Chi-Minh-Pfad lag, über den er auf die westlichen Gleise gelangt war. Selbst mit viel Phantasie ist das kaum noch vorstellbar – aus der einstigen Agentenschleuse ist ein Supermarkt geworden.

An der Rolltreppe zur S-Bahn tauschen sie Telefonnummern und E-Mail-Adressen. Stiller muss schon am nächsten Tag zurück nach Budapest, wo er inzwischen lebt. »Ich fühle mich zum Teil für Sie verantwortlich«, sagt er zum Abschied. Der Satz hallt lange nach in Nicole. Die ganze Nacht liegt sie wach und lauscht ihm hinterher. Noch nie hat jemand so etwas zu ihr gesagt.

Als Karl-Heinz Glocke von ihrer Begegnung mit Stiller erfährt, macht er seiner Tochter bittere Vorwürfe: »Wie kannst du dich mit diesem Verräter an einen Tisch setzen? Hast du keine Ehre im Leib?« Nicole lässt es wortlos über sich ergehen. Es ist ihr mittlerweile egal, was ihr Vater denkt. Der Kontakt zu Stiller tut ihr gut. Wie intensiv und freundschaftlich er ist, sagt sie vorsichtshalber nicht: Per Mail und Telefon tauscht sie sich inzwischen regelmäßig mit »dem Verräter« aus. Einmal besucht sie ihn sogar in Budapest. Sie macht es Stiller nicht leicht, stellt unbequeme Fragen, kritisiert ihn dafür, überhaupt für die Stasi gearbeitet zu haben, und wirft ihm den Verrat an seiner Familie vor. »Dass er sich dem ausgesetzt hat, rechne ich ihm hoch an«, sagt sie heute. »Er hat mir immer das Gefühl gegeben, mit ihm über alles reden zu können. Und im Rahmen seiner Möglichkeiten hat er auch wirklich versucht, mich zu verstehen.«

Auf die Rückseite einer alten Aufnahme des Bahnhofs Friedrichstraße schreibt er für sie: »Bahnhof Friedrichstraße hat uns getrennt, hat unser beider Leben eine Wende gegeben und hat letztlich den Beginn unserer Freundschaft markiert, wobei der letzte Punkt der wichtigste sein sollte.«

Es ist Nicoles Idee, ihn um den Kontakt zu seiner Tochter zu bitten. »Irgendwann war mir klar geworden, dass sie im Grunde das Gleiche erlebt haben muss wie ich, nur eben auf der Ostseite der Mauer. Ich wollte wissen, wie es ihr damit ergangen war.« Die beiden Frauen verstehen sich auf Anhieb. Wochenlang schreiben sie sich fast täglich Mails und entdecken dabei ständig neue Gemeinsamkeiten. Als sie sich schließlich in Berlin treffen, kommt es ihnen vor, als wären sie schon seit Jahren befreundet.

»Mir war es peinlich, dass Nicole so viel mehr über meinen Vater wusste als ich«, erzählt Edina. »Vor allem aber konnte ich nicht verstehen, warum sie ihn trotzdem so idealisierte und zum leuchtenden Gegenbild ihres Vaters machte.« Mit gemischten Gefühlen hört sie Nicole vom Besuch in Budapest schwärmen. »Ich wusste, dass er sie früher oder später enttäuschen würde.«

Mit den Monaten werden Stillers Mails tatsächlich immer belangloser, und schließlich bekommt Nicole überhaupt keine mehr. Am Telefon ist er kurzangebunden – »als hätte er von einem Tag auf den anderen das Interesse verloren«, sagt Nicole. »Edina hat recht: Eigentlich hätte ich wissen können, dass es so kommt. Ich kannte ihn ja gut genug. Es traf mich dann aber doch unerwartet, und ich war furchtbar enttäuscht.«

Im Winter 2002 beginnen Nicole und Edina damit, ihre Geschichten aufzuschreiben. Es soll ein Buch daraus werden. »Bis dahin hatte ich immer schön ausgeblendet, was mein Vater getan hat«, sagt Edina. »Und ohne Nicole wäre es vielleicht auch dabei geblieben. Ich hatte Angst, Verräter und Vater nicht mehr trennen zu können und ihn dadurch noch einmal zu verlieren.« Nach und nach aber findet sie den Mut, sich auch mit dem Verräter Stiller zu befassen. Einem Mann, der wusste, was er tat und welche Konsequenzen es haben würde. Einem Mann, der über Leichen gegangen ist. Auch über ihre.

»Verratene Kinder. Zwei Lebensgeschichten aus dem geteilten Deutschland« erscheint im Herbst 2003. Für Karl-Heinz Glocke ist es »der letzte Scheiß«, Werner Stiller findet, seine Tochter könne die Vergangenheit nun endlich ruhen lassen, und bezeichnet Nicole als »nicht ganz normal«. Zu einem echten Gespräch mit den Vätern kommt es nicht.

»Den Verrat, den er damals an vielen Menschen begangen hat, werde ich niemals verstehen, geschweige denn entschuldigen«, schreibt Edina zwei Jahre später im Vorwort für die Taschenbuchausgabe. »Aber es nützt mir nichts, mich aufgrund dessen endgültig von ihm abzuwenden. Wir haben nur dieses eine Leben, und in diesem bin ich bereit, das anzunehmen, was er in der Lage ist, mir zu geben.« Nicole ist skeptischer: »Ein Zurück in die Unbekümmertheit gibt es nicht«, schreibt sie im letzten Kapitel. »Wir müssen ohne die Väter unser wahres Leben finden.«

Exkurs: Kalte Krieger – Männerbund Stasi

Einmal im Jahr, am 8. März, dem Weltfrauentag, erinnern sich die leitenden Kader des MfS, dass unter ihnen auch die ein oder andere Genossin ihren Dienst tut. Es gibt »Blümchen … und eine Rede vom Chef über die Rolle von Clara Zetkin und August Bebel und ›wir danken allen Frauen und Müttern‹«, erzählt eine ehemalige Angestellte. »Dann servierten ein paar Männer den Frauen Kaffee und Kuchen und versuchten sich im Small Talk. Mir hat es immer gegraust.«[47]

Als gleichrangige Mitarbeiter – das wird auf solch verordneten Feierlichkeiten noch einmal besonders deutlich – nehmen die Tschekisten ihre Kolleginnen nicht wahr. Kein Wunder: Frauen spielen innerhalb des MfS eine im wahrsten Sinne des Wortes untergeordnete Rolle. Bis zum Ende der DDR liegt ihr Anteil immer deutlich unter zwanzig Prozent;[48] in leitende Positionen kommen sie kaum und die offizielle Bekleidungsordnung sieht eine weibliche Generaluniform gar nicht erst vor. Das Sagen haben die Männer.

Ganz traditionell arbeiten die weiblichen Angestellten fast ausnahmslos als Sekretärinnen, Küchenhilfen, Schreib- oder Reinigungskräfte, und zwar vor allem in den »rückwärtigen Abteilungen« wie der Verwaltung oder dem Medizinischen Dienst.[49] In »operativen Diensteinheiten« sind sie kaum vertreten. Lediglich in der Postkontrolle stellen sie mit 79 Prozent die Mehrheit. Für die eigentliche, geheimdienstliche Arbeit »am Feind« gelten sie als ungeeignet, da sie, so ein internes Papier, »besondere[n] Verpflichtungen in der Familie« nachkommen müssten, zumal »der größte Teil von ihnen mit Mitarbeitern des MfS … verheiratet ist, was ihre Einsatzmöglichkeiten erheblich einschränkt«.[50] Im

Klartext: Ihre vornehmliche Aufgabe ist es, ihren berufsrevolutionären Ehemännern den Rücken freizuhalten, damit diese sich nicht noch mit Haushalt und Kindererziehung befassen müssen. Doch auch für die nicht beschäftigten Mitarbeiterehefrauen gilt das Ideal der berufstätigen Mutter. Die Behörde setzt sie daher als »Hausfrauenbrigaden« für »Reinigungstätigkeiten in Wohnobjekten und im Verwaltungsgebäude der Fahrgemeinschaft (Korridore und Treppenaufgänge)«[51] ein.

Die MfS-interne Frauenförderung erschöpft sich in besseren Einkaufsmöglichkeiten und dem Ausbau von Krippenplätzen. »Wenn von Erleichterungen für die Hausarbeiten gesprochen wird«, empört sich die Leiterin der Frauenkommission 1967 in einer Konferenz, »dann heißt es ›Erleichterungen für die Frauen‹ (der Mann hilft im Haushalt bestenfalls!); Kindergärten ›für die Frauen‹ (haben Männer keine Kinder?); die Versorgung durch die Betriebsverkaufsstelle klappt nicht, ›Soll sich die Frauenkommission darum kümmern‹. Ist das tatsächlich nur für die Frauen?«[52]

Offenbar ja. Von »geachteten« und »gleichberechtigten Kampfgefährten«, wie Erich Honecker es gern formuliert,[53] sind die Frauen im MfS jedenfalls noch weiter entfernt als in anderen Teilen der Gesellschaft. Zu stark ist der Apparat geprägt von männlicher Dominanz – auch in seinem Selbstverständnis: Obwohl physische Durchsetzungskraft im Alltagsgeschäft der Stasi kaum je gefragt ist, gilt der Agentenberuf als geradezu idealtypisch maskulin. Dass ausgerechnet hier eine Frau Männern Befehle erteilen könnte, stößt bei den Vorgesetzten offenbar auf große innere Widerstände. Auch die Arbeit mit den IM, die in der Mehrheit ebenfalls männlich sind, traut man ihnen nicht zu. Die »Erhöhung des Anteils weiblicher Angehöriger am Gesamtkaderbestand« erwägt Minister Mielke nur »zur Freisetzung von männlichen Angehörigen«, die dann »zur Lösung von politisch-operativen Schwerpunktaufgaben« herangezogen werden können.[54] Die »richtige« tschekistische Arbeit ist eindeutig Männersache.

So hat die Staatssicherheit denn auch Züge eines klassischen Männerbundes: Die Tschekisten sehen sich als auserwählte Krieger im ständigen Kampf gegen den Feind, verbunden durch einen lebenslang gültigen Schwur. Die Forderung nach unbedingter Konspiration führt zu einem Kult der Geheimhaltung, der der Arbeit jedes Einzelnen den Charakter des Besonderen gibt. Atmosphäre und Dienstordnung sind durch und durch militärisch geprägt, das Waffenarsenal ist gewaltig. Selbst das Kantinenpersonal muss regelmäßig schießen üben. Das Verhalten der Mitarbeiter – auch untereinander – regeln strikte Hierarchien und ein umfangreicher Verhaltenskodex. Die korrekte Antwort auf Glückwünsche bei Beförderungen (»Ich diene der Deutschen Demokratischen Republik!«) oder zur Auszeichnung einer Diensteinheit (»dreimal kurz ›Hurra!‹«) gehört ebenso dazu wie die Pflicht, »allen Belastungen und Entbehrungen des Dienstes standzuhalten«.[55] Daneben gilt eine Vielzahl ungeschriebener Regeln und Rituale der Ein- und Unterordnung.

Zudem wird das Vermächtnis jener alten kommunistischen Kämpfer, die den Apparat in den Fünfzigerjahren aufbauten, hochgehalten. Ihre Nachfolger, die bei den Gründern in die Schule gegangen waren, bestimmen die Organisation: eine durchgehende Übertragungslinie geheimdienstlicher Weihen, an der Frauen nie wirklich teilhaben können. Höchstens, wie eine Mitarbeiterin es nach siebzehn Jahren Dienst beim MfS ausdrückt, »als funktionierende Schräubchen« im »doppelten Patriarchat«: dem der Gesellschaft und dem des MfS.[56]

Zweifeln

»Was ist denn heut' bei Findigs los?« heißt das allmorgendliche Minihörspiel im Berliner Rundfunk. Die achtjährige Vera Lengsfeld liebt es heiß und innig. Zum Frühstück gehören die Findigs einfach dazu – die patente Mama, der gütig-strenge Papa, die Zwillinge Pit und Peggy, die sich ständig in den Haaren liegen, die zappelige Janni und natürlich Jockl, Veras Liebling, der schon fünfzehn ist und immer ein bisschen frech. Jeden Morgen um fünf vor sieben gibt es eine neue Folge. Es geht um Hausaufgaben und Mathetests, den Besuch bei Oma und den Ausflug zum See, das Pionierhalstuch und die Gruppenratswahlen. Punkt sieben, wenn die Sendung zu Ende ist, leert Veras Vater mit einem entschlossenen Ruck seinen Kaffeebecher, Vera greift zu Jacke und Ranzen. Bis zum Bahnhof Stalinallee haben sie denselben Weg – Vera zur Schule, der Vater in die Schnellerstraße, zum Verteidigungsministerium.

Vera geht in die dritte Klasse einer »Schule mit erweitertem Russischunterricht« und muss dafür jeden Morgen den weiten Weg nach Karlshorst zurücklegen. Das Viertel ist 1960 noch sowjetisches Sperrgebiet: Wenn Vera ihre Schulkameradinnen besuchen will, muss sie mehrmals Schlagbäume passieren. Direkt nach dem Krieg war hier das Hauptquartier der sowjetischen Militäradministration, und noch immer leben in dem Stadtteil viele Besatzungssoldaten mit ihren Familien. »Der russische Einfluss war überall deutlich zu spüren«, erinnert sich die heute 59-jährige. »Auf den Straßen sah man Mädchen mit langen Zöpfen und Schleifen in den Haaren in einheitlichen schwarzen Schulkleidern mit weißen Rüschenschürzen. Das kam mir immer sehr exotisch vor. Und in den Läden gab es lauter geheimnisvolle Sachen, die man sonst nirgendwo bekam. Violette Tinte zum Beispiel, mit der unsere Russischlehrer die Hausaufgaben korrigierten.«

Als sie zwei Jahre zuvor aus Sondershausen, einem kleinen Ort in Thüringen, in die Hauptstadt zogen, war Vera lange unglücklich. Nach der Idylle, in der sie ihre ersten sechs Lebensjahre verbracht hatte, kam ihr Berlin leblos und kahl vor. Am glücklichsten ist sie noch immer, wenn sie in den Ferien bei den Großeltern sein darf. Dem Stadtleben kann sie inzwischen aber auch einiges abgewinnen. Die Familie wohnt am Hendrichplatz in Lichtenberg. Dort sind 1958, gerade rechtzeitig zu ihrem Umzug, Neubauten entstanden. Die modernen, mit allem Komfort ausgestatteten Wohnungen sind den Angehörigen der »bewaffneten Organe« vorbehalten: Armee, Polizei und Staatssicherheit. Es sind fast ausnahmslos junge Familien mit Kindern in Veras Alter. »Wir waren eine große, wilde Clique«, erinnert sie sich, »gingen in allen Kinderzimmern ein und aus, machten draußen Seilspringen, Himmel und Hölle oder spielten Räuber und Gendarm.« Auf dem Hendrichplatz stehen viele alte Bäume, die umliegenden Straßen sind ruhig und kaum befahren, Autos gibt es ohnehin nur wenige – es ist das perfekte Kinderrevier. »Wir waren so viele, dass wir schnell das Sagen hatten auf dem Platz. Damals habe ich mir nichts dabei gedacht, aber rückblickend finde ich es auffallend, dass die Kinder aus den anderen Häusern immer Abstand zu uns neu Hinzugezogenen hielten. Vielleicht wussten oder ahnten sie, dass unsere Eltern zum System gehörten, und hielten sich vorsichtshalber zurück.«

Das Ministerium für Staatssicherheit liegt gleich um die Ecke, zu Fuß ist man in fünf Minuten dort. Wenn Veras Vater »ins Haus« muss, wie er sagt, kann er darum bis Viertel vor acht am Frühstückstisch sitzen bleiben. Das »Haus« besteht Ende der Fünfzigerjahre noch aus wenigen Gebäuden, doch die angrenzenden Baustellen künden bereits von kommendem Wachstum. Die Zentrale liegt im alten Finanzamt zwischen Magdalenen- und Normannenstraße. Vera fährt mit ihren Freunden unter den Augen der Wachsoldaten Rollschuh. Dass ihr Vater dort hin und wieder arbeitet, weiß sie. Was sich dahinter verbirgt, nicht. »Er hat nie über seine Arbeit gesprochen. Als ich klein war, interessierte mich das auch nicht weiter, und später hatte ich das Tabu wohl verinnerlicht und habe nie nachgefragt. Die offizielle Sprachregelung war: ›Mein Vater arbeitet in der Schnellerstraße‹ – also im Verteidigungsministerium.«

Kinder und Erwachsene leben zu dieser Zeit ohnehin in verschiedenen Welten, die sich kaum einmal überschneiden. Das Wohnzimmer dürfen Vera und ihre zwei Jahre jüngere Schwester Evelyn ab 19 Uhr nicht mehr betreten. Wie alle anderen Kinder im Block teilen sich die beiden das kleinste Zimmer der Wohnung. Als ein Ehepaar nach der Geburt des dritten Kindes das elterliche Schlafzimmer zum Kinderzimmer macht, sorgt das unerhörte Ereignis noch wochenlang für Gesprächsstoff in der Nachbarschaft.

Viele Grundnahrungsmittel sind in der DDR zu dieser Zeit noch knapp: Butter gibt es nur gegen Lebensmittelkarten, und wenn der Mutter zu Ohren kommt, dass der kleine HO-Laden zwei Straßen weiter ausnahmsweise Äpfel, Eier oder Zwiebeln im Angebot hat, schickt sie Vera sofort mit zwei großen Taschen dorthin. Dass es in Westberlin alles im Überfluss gibt, wofür sie hier oft stundenlang anstehen müssen, weiß auch die Achtjährige schon, doch es macht ihr nichts aus. Schließlich lebt sie im Sozialismus, dem nach ein paar Anfangsschwierigkeiten die Zukunft gehören wird. So jedenfalls hört sie es zu Hause, in der Schule und an den Pioniernachmittagen. »Mit uns zieht die neue Zeit«, schmettert sie dort stolz und mit der Inbrunst der Überzeugung. Obwohl die Grenze noch durchlässig ist – die Mauer wird erst ein Jahr später gebaut –, fahren Veras Eltern nie in den Westen. Umso abwegiger kommt Vera das Leben der gleichaltrigen Sabine aus dem Haus gegenüber vor, die sie morgens oft auf dem Weg zum Bahnhof trifft: Sie geht in eine reine Mädchenschule in Westberlin, lernt dort Kochen und Sticken. Auch ihr Vater, der sie hin und wieder begleitet, muss zum Arbeiten in den Westteil der Stadt. »Ich fand das damals unglaublich«, erzählt Vera, »wie konnte man so etwas freiwillig tun? Wie hielt sie es nur aus in dieser Verbrecherhochburg voller alter Nazis? Und was machte sie nachmittags ohne Arbeitsgemeinschaften und Pioniere?«

Eines Morgens im November 1961 sind am Bahnhof Stalinallee die Stationsschilder verschwunden, und auch im Pionierzimmer der Schule ist ein blanker Fleck an der Wand, wo am Vortag noch das Stalin-Porträt hing. Man wisse jetzt, dass Stalin ein Verbrecher gewesen sei, erklären die Lehrer ausweichend. Was der Mann, der eben noch ein Held war, getan haben soll, erfahren die Kinder nicht. Die Erwachsenen scheinen selbst verunsichert zu sein: Als Vera ein paar Tage später nach Hause kommt, steht ihre Mutter im Wohnzimmer vor dem Bücherregal. Zu ihren Füßen stapeln sich die roten und blauen Lederbände mit den Schriften der großen Kommunisten – auf einem Haufen die von Marx, Engels und Lenin, in einem Pappkarton daneben die von Stalin. Unschlüssig dreht sie die Ausgaben hin und her, auf denen alle vier Köpfe eingeprägt sind. Schließlich legt sie auch diese in den Karton. Vera muss die aussortierten Bücher ins Heizhaus bringen, wo sie sonst ihr Altpapier abgeben. In allen vier Öfen sieht sie Bücher brennen. »Deine Freundin Gabi war auch gerade da!«, ruft ihr der Heizer zu, und auf dem Heimweg kommt ihr der zwölfjährige Markus Schumann entgegen, dessen Vater Mitglied des Staatsrates ist – auch er mit einem offensichtlich schweren Sack über der Schulter. Vor der Haustür stehen ihre Mütter und unterhalten sich in gedämpftem Ton. »Dabei haben wir '53 doch geweint, als er starb ...«, hört Vera Frau Schumann sagen. »War denn nun alles verkehrt?« Vera kann sich auf all das keinen Reim machen, aber was die Erwachsenen reden, ist ja oft ziemlich rätselhaft, und so denkt sie schon bald nicht mehr darüber nach. Die Stalinallee heißt nun im westlichen Abschnitt Karl-Marx-, im östlichen Frankfurter Allee, an U- und S-Bahnhof hängen schon die neuen Schilder, und die riesenhafte Statue gegenüber der Sporthalle hat sich samt Sockel über Nacht in Luft aufgelöst.

Verglichen mit dem, was im Sommer passiert ist, spielen diese Veränderungen sowieso eine Nebenrolle: In der Nacht zum 13. August hatte die DDR-Führung die Sektorengrenze nach Westberlin geschlossen – »zur Unterbindung der feindlichen Tätigkeit der revanchistischen und militaristischen Kräfte Westdeutschlands«,[57] so die offizielle Erklärung, die wieder und wieder im Radio verlesen wurde. Veras Vater hatte wochenlang Urlaubssperre: Neben Polizei und Armee war auch die Staatssicherheit maßgeblich an der Durchführung und Absicherung der »Aktion Rose« beteiligt, wie die Grenzschließung intern hieß. Zugleich lieferte sie dem Politbüro mehrmals täglich Stimmungsberichte aus der Bevölkerung, denn ein Fiasko wie bei den Aufständen am 17. Juni 1953 sollte um jeden Preis verhindert werden.

Als Vera und Evelyn aus den Sommerferien bei den Großeltern in Thüringen zurückkamen, war Berlin eine unübersehbar geteilte Stadt. Die provisorischen Anlagen aus Stacheldraht und Panzersperren waren fast überall durch eine übermannshohe, von Stacheldraht gekrönte Mauer ersetzt worden, die über die gesamte Länge streng bewacht wurde. Straßenschilder wiesen Wege, die es nun nicht mehr gab, und auch das U- und S-Bahnnetz war unterbrochen. Schwere Eisengitter versperrten die Eingänge zu den Stationen Potsdamer Platz, Unter den Linden und Oranienburger Straße, und auf dem Bahnhof Friedrichstraße teilte eine Wand aus undurchsichtigem Drahtglas die Bahnsteige in »Ost« und »West«.

Zu Hause wird über diese Dinge nicht gesprochen, und in Veras Kinderalltag spielt die Grenze ohnehin keine Rolle. Als sie eines Morgens jedoch vergeblich auf Sabine wartet und später vor ihrem Haus ein Haufen Sperrmüll liegt, ahnt sie, dass das mit der Mauer zu tun haben muss, von der alle reden. »Die sind weg«, erfährt Vera von einem Jungen, der im selben Aufgang wohnt. »Abgehauen in den Westen.« Der Sperrmüll erweist sich bei näherem Hinsehen als ein kompletter Hausstand: Sofa, Stehlampe, Küchentisch, Kartons mit Tellern, Gläsern und Töpfen, Bettzeug und Zeitschriften. Unter den kreuz und quer verstreuten Büchern entdeckt Vera auch einige, die Sabine ihr mal geliehen hatte. Eins davon hatte ihr besonders gut gefallen: »Fredianer und Ingenesen bleiben gesund«. Das Buch mit den Jugendlichen auf dem Umschlag, die sich nach einem Volleyball strecken, erkennt sie gleich wieder und zieht es aus dem Stapel hervor. »Frisch und gesund«, liest sie auf der Innenklappe, »wollt ihr doch alle sein, immer bereit zum Lernen, zum fröhlichen Wettkampf und zu helfender Tat! Beherzigt darum die Ratschläge Dr. Frieders – werdet auch durch eine gesunde Lebensweise zu tüchtigen Erbauern der Gesellschaftsordnung, in der die Sorge um den Menschen oberstes Gesetz ist.«

Immer wieder sieht sie jetzt in den Straßen solche Gerümpelhaufen, in denen sich oft noch richtige Schätze finden. »Abgänge« nennen die Erwachsenen die Fortgegangenen. Über ihre Motive spricht in Veras Umfeld niemand, und sie selbst denkt nicht viel darüber nach. Die sozialistische Kinderwelt ist noch intakt, alles scheint sinnvoll und gut.

In der ersten Zeit nach dem Mauerbau hat die Zentrale Informationsgruppe des MfS, die ZIG, Mühe, ihre Berichte an das Politbüro positiv klingen zu lassen: Trotz der rituellen Beteuerungen, dass die Mehrheit des Volkes hinter der Politik der Regierung stehe und die Grenzschließung begrüße, sind skeptische Töne weit verbreitet. So würden »Provokateure in einer Reihe von Fällen die Maßnahmen der DDR mit faschistischen Maßnahmen vergleichen«, auch der Begriff »KZ« sei wiederholt gefallen. In einigen Volkseigenen Betrieben habe es Streiks gegeben, um die »Rückgängigmachung der Maßnahmen um Berlin« zu erzwingen, vereinzelt hätte es sogar bei Polizisten und Grenzsoldaten offenen Protest und Befehlsverweigerung gegeben.[58] Es häufen sich Fälle von Fahnenflucht. »Es gibt eine ganze Anzahl von negativen Äußerungen«, bilanziert die Stasi. »Sie haben im wesentlichen folgenden Inhalt: Vertiefung der Spaltung durch uns;

Stasi-Zentrale in Berlin-Lichtenberg.

2　Kindergartengruppe auf dem Weg zu einer Mai-Demonstration. Güstrow, 1972.

3   Noch trägt die neu gebaute Prachtstraße den Namen des sowjetischen Diktators. Ein Jahr später wird ihr westlicher Teil Karl-Marx-Allee heißen, der östliche Frankfurter Allee. Ostberlin, 1960.

4   Die legendäre Mokka-Milch-Eisbar in der Karl-Marx-Allee. Ostberlin, 1972.

5 November 1961: Ausbau der im August 1961 errichteten Berliner Mauer, hier an der Zimmerstraße in Kreuzberg.

Im Bahnhof Friedrichstraße verläuft die deutsch-deutsche Grenze zwischen den Gleisen.

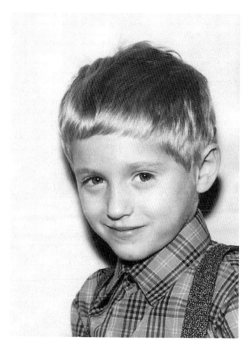

7 Martin Kramer, 1969.

8/9 Martin Kramer auf einer privaten Feier, 1982.

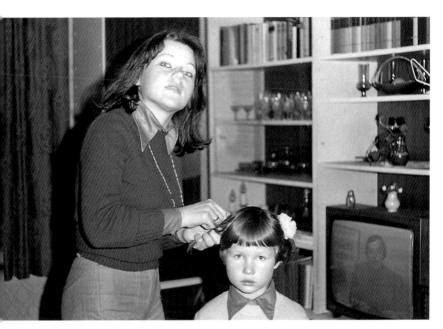

Edina Stiller mit ihrer Mutter in der Wohnung am Sterndamm, 1975.

11   Edina und ihr Stiefvater
Wolfgang Hanke. Cottbus, 1981.

12 Thomas Raufeisen (l.) mit seinen Eltern und Bruder Michael auf Usedom, Sommer 1968.

13 Der 16-jährige Thomas 1978 in Hannover, kurz vor der Flucht in die DDR …

14 … und nach seiner Haftentlassung im November 1982.

15 Nicole Glocke, 1981.

Marion und Karl-Heinz Glocke 1962 beim Urlaub in Triest.

17   Familie Lengsfeld 1962: Vera (2. v . l.) mit ihren Eltern und der
jüngeren Schwester Evelyn.

18   Vera Lengsfeld beim Olof-
Palme-Friedensmarsch, 1987.

19 Vor einem Jugendclub
in Ostberlin, 1979.

Verhörzimmer im Stasi-Gefängnis Berlin-Hohenschönhausen.

21   Helmut Laufer mit seinem Vater 1954.

22   Jochen Laufer (3. v. l.) bei der Feier seiner Jugendweihe 1971. Links neben ihm sein Bruder Helmut.

FDJ-Aufmarsch zum Nationalen Jugendfestival 1979 anlässlich des 30-jähri-
n Bestehens der DDR.

Punks auf einer privaten Party. Ostberlin, 1982.

25 Norwegen-Urlau
mit der Familie des
Bundeskanzlers: Pier
Guillaume (3. v. l.),
Rut, Matthias und
Willy Brandt im
Sommer 1973.

26 Pierre und sein Vater Günter Guillaume auf dem Bötzsee, Sommer 1982.

Anna Warnke, 1981 ...

... und im Mai 1989 mit Freundinnen auf dem Wohnzimmerbalkon in der ipziger Straße, direkt gegenüber der Mauer.

29   Ostberlin am 7. Oktober 1969: Auf dem Springer-Hochhaus soll ein Konzert
der Rolling Stones stattfinden. Das Gerücht zieht mehrere Hundert Jugendliche in
die Nähe der Mauer.

30   Erwartungsvolle Blicke Richtung Westen, doch das Dach bleibt leer. Wenige Minuten später gehen Polizei und Stasi mit Hunden und Schlagstöcken gegen die Jugendlichen vor. (Die Fotos wurden heimlich von einem Jugendlichen aufgenommen.)

31 Thomas Tröbner (l.) mit
seinen Eltern und den
Geschwistern Sabine und Lutz
im Sommer 1966.

32 Fantour in die
Tschechoslowakei:
Thomas (stehend,
2. v. l.) mit Freunden
in Prag, 1979.

33   Mitglieder der gerade gegründeten Bewegung »Kirche von unten« auf der Schlusskundgebung des Evangelischen Kirchentags in Ostberlin, 1987.

34   Trabant mit einem Aufkleber der »Friedenswerkstatt«, einer der wichtigsten Veranstaltungen der oppositionellen Friedensbewegung. Ostberlin, 1985.

Beschränkung der Freiheit; das ist keine Demokratie, in einer Anzahl von Gesprächen kommt ... Kriegsangst zum Ausdruck.«[59] Um die Lage unter Kontrolle zu halten, verschärft die DDR-Führung ihre Repressionen: Bis Ende 1961 gibt es 18.297 politische Urteile. Schon Anfang 1962 sind Protestierende und Kritiker weitgehend zum Schweigen gebracht; notgedrungen arrangieren sich die Menschen mit der Situation. »Um eingesperrt überhaupt leben zu können«, schreibt der Schriftsteller Günter de Bruyn in seinen Erinnerungen, »musste man so zu leben versuchen, als gäbe es die Absperrung nicht.«[60] Die spürbare Verbesserung der Versorgung ab Mitte der Sechzigerjahre hilft dabei – und macht Hoffnung, dass es sich diesseits der Mauer ebenso gut wird leben lassen.

Auch Veras Eltern erarbeiten sich nach und nach die »Statussymbole glücklichen sozialistischen Lebens«, wie die 59-Jährige es heute nennt. Als Erste im Block haben sie einen Wagen vor der Tür – einen ausladenden, blau-weißen Moskowitsch, von den Nachbarn neidisch bestaunt. Und in der Wohnung lösen schon bald elegante Möbel in modernem, sachlichem Stil die wuchtigen dunklen Sessel und Schränke ab, mit denen sie eingezogen waren. »In der Nachbarschaft gab es einen regelrechten Wettkampf, wer als Erster die Wohlstandsinsignien vorweisen konnte«, erinnert sich Vera Lengsfeld. »Möbel, einen Fernseher, eine Waschmaschine, einen Kühlschrank, später dann die Datsche, die nächste Beförderung, den nächsten Orden ... Meistens lag meine Familie im Rennen ganz vorn.«

Der gesellschaftliche Aufstieg ist Franz Lengsfeld ein persönliches Anliegen – genau wie die DDR selbst, der er sich verbunden fühlt, weil er ihr alles verdankt, was er hat: Als fünfzehnjährige Vollwaise war er 1946 aus dem Sudetenland vertrieben worden. In Thüringen lernte er die junge Lehrerin Ursula kennen und wurde Grenzpolizist im Harz. Die Stelle ermöglichte ihm, seine durch Krieg und Vertreibung versäumten Schulabschlüsse nachzuholen. Männern wie ihm bot das MfS in den ersten Jahren der DDR noch außerordentliche Aufstiegsmöglichkeiten, ungeachtet der Herkunft und Bildung. So macht er schnell Karriere – erst als Offizier bei der »militärischen Abwehr« im Verteidigungsministerium, später als Kaderleiter bei der Hauptverwaltung A, der Auslandsspionage des MfS. Die Schrecken der jüngsten Vergangenheit noch in den Knochen, gehören seine Frau und er zu jener typischen Aufbaugeneration, die daran glaubt, dass mit der DDR eine friedlichere und gerechtere Gesellschaftsordnung entsteht, und bereit ist, sich dafür einzusetzen. Vor allem der Antifaschismus ist ihnen Motivation und Legitimation zugleich. Als Gründungsmythos der DDR ist er allgegenwärtig: Im Westen sitzen die Faschisten, im Osten die Guten.

Auch Vera und Evelyn werden in diesem Geist erzogen, beide sind enthusiastische Pioniere. Vera wird von ihrer Klasse sogar in den Freundschaftsrat gewählt, das Leitungsgremium der Pionierorganisation ihrer Schule. Für ihr Engagement bekommt sie im Sommer 1964 feierlich eine Einladung für die »Pionierrepublik Wilhelm Pieck« überreicht. Ein Aufenthalt in dem zentralen Pionierlager am Werbellinsee, fünfzig Kilometer nördlich von Berlin, gilt als große Auszeichnung: Wer dorthin »delegiert« wird, hat sich bei der »Erfüllung des Pionierauftrags« besonders verdient gemacht und soll auf weitere gesellschaftspolitische Funktionen vorbereitet werden. Die Zwölfjährige kann es kaum erwarten, ihren Eltern davon zu erzählen. Auf dem Teilnehmerheft, das sie vom Pionierleiter der Schule bekommen hat, sieht man zwei große Häuser mit Balkonen inmitten hoher Bäume und Büsche. Davor sitzen Mädchen und Jungen mit weißen Hemden und Halstuch auf einer Bank; alles sieht fröhlich und sommerlich aus. »Die Pionierrepublik ›Wilhelm Pieck‹«, heißt es im Vorwort, »leistet seit ihrem Bestehen einen wichtigen Beitrag bei der kommunistischen Erziehung der jungen Generation unseres Landes und zur weiteren Festigung der Freundschaft der Kinder auf der ganzen Welt.« Von ihrem Gruppenleiter weiß Vera, dass sie dort sogar französische und skandinavische Kinder treffen wird, obwohl deren Heimatländer nicht zum sogenannten Sozialistischen Wirtschaftsgebiet gehören. Sie sind eingeladen, weil ihre Eltern Funktionäre der jeweiligen Kommunistischen Partei sind. Auf diese Begegnungen ist Vera besonders gespannt.

Was sie im Teilnehmerheft über die »Ordnung der Pionierrepublik« liest, findet sie weniger reizvoll: »Wo über 900 Pioniere lernen und leben, muss es auch eine gute Ordnung und straffe Disziplin geben ... Dein Leben wird sich nach einem festen Tagesrhythmus gestalten. 6.00 Uhr Wecken, 6.05–6.50 Uhr Frühsport, Morgentoilette, Zimmer säubern, 6.50 Uhr Frühstück, 7.25–12.05 Uhr Unterricht, 12.15 Uhr Mittagessen, 12.45 Uhr Mittagsruhe, 13.45 Uhr Appell, 14–17.30 Uhr Pioniertätigkeit« – das klingt nicht unbedingt nach Ferien. Und dann muss vor der Abreise auch noch ein Arzt auf dem beiliegenden »Gesundheitsblatt« ihre »Lagertauglichkeit« bestätigen.

Die sechs Wochen am Werbellinsee haben es tatsächlich in sich. Vera gehen die lückenlosen Tagespläne bald gründlich auf die Nerven. Auch den Appellen, Marschier- und Schießübungen kann sie nichts abgewinnen, und die verordneten »Diskussionen« nach der allabendlichen »Aktuellen Kamera« sind ihr viel zu lang. »Weil ich Käse mit der Gabel gegessen habe, wurde ich verwarnt«, notiert sie in ihrem »Brigadetagebuch«, das alle führen müssen. »Dann bin ich mit Bärbel, die ebenfalls verwarnt wurde, spazieren gegangen. Wir haben Rehe beobachtet und sind zu spät zur Vergatterung gekommen«, einem Zählappell, bei dem die Pionierpflichten verlesen werden. »Ich wusste nicht, dass Vergatterung war. Ich soll bestraft werden. Es ist furchtbar hier. Ich will nach Hause.«

An den Drill kann sie sich bis zum Schluss nicht gewöhnen – selbst das Baden im See läuft auf Kommando. Das Zusammensein mit Kindern aus anderen Ländern genießt sie dagegen sehr und findet schnell Kontakt zu Niederländern, Franzosen und Westdeutschen. Am besten versteht sie sich mit Kari, einem Mädchen aus Oslo, das fast fließend Deutsch spricht. Wann immer es geht, verbringen die beiden Zeit miteinander. Kari erzählt von Trollen und Fjorden und plant schon gemeinsame Ferien auf der Insel Ombo. Als Vera ihr sagt, dass sie wahrscheinlich nicht nach Norwegen kommen kann, will Kari es lange nicht glauben. Beim Abschied kämpfen beide mit den Tränen.

Zurück in Berlin macht sich Vera sofort daran, all ihren neuen Freunden zu schreiben. An das Gefühl von damals erinnert sie sich noch heute: »Wenn ich nach Hause kam, und auf meinem Schreibtisch im Kinderzimmer lag wieder so ein Brief aus einer ganz anderen Welt, mit bunten Marken und großen Stempeln – das war immer ein Festtag für mich.« Doch das Glück währt nur wenige Wochen: Dem Ehepaar Spack aus der Etage unter ihnen sind die exotisch aussehenden Umschläge aufgefallen, die der Postbote nun plötzlich regelmäßig bei Familie Lengsfeld in den Kasten wirft. Als Herr Spack, Offizier beim MfS, ihn eines Tages auffordert, ihm diese Briefe auszuhändigen, sieht er seine schlimmsten Ahnungen bestätigt: Die Post kommt aus Frankreich und Norwegen – vom Klassenfeind also! Und das bei einem so fortschrittlich denkenden Genossen – unfassbar! Noch am selben Abend bekommen Veras Eltern Besuch von Herrn Spack, der sie, seine überlegene Position sichtlich genießend, zur Rede stellt und vor die Hausgemeinschaftsleitung zitiert, wo sich Ursula und Franz Lengsfeld für die Brieffreundschaften ihrer ältesten Tochter rechtfertigen müssen. Dass es sich dabei um Kinder verlässlicher Kampfgenossen handelt, die hochoffiziell von der DDR-Regierung eingeladen worden waren, beruhigt die zum Tribunal versammelten Nachbarn nur teilweise. Ein Stirnrunzeln bleibt – die Lengsfelds muss man im Auge behalten.

»Am nächsten Morgen«, erzählt Vera Lengsfeld, »haben meine Eltern dann versucht, mir zu erklären, dass ich die Kontakte zu diesen Kindern abbrechen muss, weil sie aus Ländern kämen, die uns feindlich gesinnt seien. Ich hab gemerkt, dass ihnen das Gespräch unangenehm war. Offenbar waren sie selbst überrascht von den Reaktionen der Hausgemeinschaft und fanden sie insgeheim wohl auch überzogen. Aber sie hatten auch Angst, sagten, sie könnten Schwierigkeiten bekommen, wenn ich die Brieffreundschaften weiter pflegen würde. Von da an wusste ich, dass ich aufpassen muss. Immer. Auch zu Hause.«

»Welchen Takt die Jugend wählt, ist ihr überlassen«, hatte Staatschef Walter Ulbricht auf dem VI. Parteitag der SED 1963 noch generös verkündet und väterlich augenzwinkernd hinzugefügt: »Hauptsache, sie bleibt taktvoll!« Damit hatte der Twist, zuvor als westlich-dekadent verpönt, den offiziellen Segen der Partei und durfte auch in den FDJ-Klubs getanzt werden. Es sollte eine Wende in der Jugendpolitik sein, ein Zeichen für die neue Zeit, genau wie der neue, liberalere Kurs in der Wirtschaft. »Der Jugend Vertrauen und Verantwortung beim umfassenden Aufbau des Sozialismus« lautete der programmatische Titel des sogenannten Jugendkommuniqués – offenbar hatten SED- und FDJ-Führung eingesehen, dass nach der Schließung der Grenze ein wenig Lockerung nach innen nötig war, damit der Unmut der jungen Generation nicht überkochte. »Gängelei, Zeigefingerheben und Administrieren« sollten der Vergangenheit angehören. Selbst auf dem Deutschlandtreffen der FDJ, Pfingsten 1964, hatte es neben den üblichen Aufmärschen und ideologischen Reden auch viele Musikveranstaltungen gegeben, und der Berliner Rundfunk sendete seitdem sein neues Jugendprogramm DT64 mit unzensierten Interviews, Reportagen und vor allem: Beatmusik. Die Haare wurden länger, die Röcke kürzer; im ganzen Land gründeten sich Bands, die den Stil der Beatles, Kinks und Rolling Stones kopierten.

Doch schon im Herbst 1965 ist es vorbei mit der neuen Offenheit: Per Beschluss des Politbüros wird Beatmusik verboten, DDR-Bands wie die Butlers dürfen nicht mehr auftreten – zu groß scheint den Genossen die Gefahr, dass mit den westlichen Rhythmen auch freiheitliche Gedanken die DDR-Jugend erreichen. »Es war aber nicht mehr rückgängig zu machen«, sagt Vera Lengsfeld. »Die Parteioberen hatten einen Geist aus der Flasche gelassen, den sie letztlich nie mehr loswurden. Denn alle haben natürlich weiter Beat und Rock gehört, auch Kinder aus systemtreuen Elternhäusern wie ich – nur eben heimlich. Übers Westradio.« Ganz leise, damit die Nachbarn nichts mitbekommen, hört Vera, wenn sie allein zu Hause ist, RIAS und SFB. Hinterher muss sie daran denken, die Frequenz wieder auf den Berliner Rundfunk zurückzustellen, denn auch die Eltern dürfen nichts merken. Ihre Schulkameraden und Freunde aus der Nachbarschaft halten es genauso. Als Vera zur Jugendweihe das kleine Taschenradio »Mikki« bekommt, stellt dieses Geschenk für sie darum alle anderen in den Schatten. Jetzt kann sie endlich die »Schlager der Woche« hören, die montags um 20 Uhr gesendet werden – natürlich leise und unter der Bettdecke, denn Evelyn schläft im selben Zimmer.

Der Hendrichplatz ist zu dieser Zeit ein angesagter Treffpunkt, auch für die Jugendlichen aus den umliegenden Straßen. »Viele Jungs kamen, weil sie Mädchen kennenlernen wollten«, erzählt Vera Lengsfeld. »Die meisten trugen die Haare länger als erlaubt und Twisthosen mit Schlag. Wenn sie gewusst hätten, dass rundherum Stasileute wohnen, wären sie sicher woanders hingegangen.« Vera ist im Viertel die erste »Stones-Käthe« – ein Ehrentitel. Sie trägt die blonden Haare als schulterlangen Pilzkopf, den Pony bis über die Augenbrauen, die Röcke so kurz wie möglich, also eben überm Knie. »Mädchen, muss das denn sein?«, fragt der Vater manchmal milde tadelnd, doch im Grunde hat er nichts dagegen. Nur wenn die Kollegen aus der Nachbarschaft sich wieder über Aussehen und Umgang seiner Ältesten ereifern, ruft er Vera mal zur Ordnung – ob sie denn unbedingt mit diesen Jungs rumhängen müsse und ausgerechnet auf dem Hendrichplatz, vor aller Augen? »Ich habe seine sanften Ermahnungen eigentlich nie so richtig ernst genommen«, sagt sie heute. »Ich wusste ja, dass er mir mein Outfit und die Treffen mit den anderen letztlich nicht verbieten würde. Ihn nervten die Nachbarn, die alles ständig im Blick hatten, aber er wollte meinetwegen auch keine Schwierigkeiten bekommen. Ich glaube, er musste sich ziemlich oft für seine Tochter rechtfertigen – gerade auch im Dienst.«

Kein Wunder, denn die Stasi verfolgt die »Verwestlichung« der Jugend mit größtem Argwohn. Mitte der Sechzigerjahre heißt es in einer Analyse des MfS: »Der Gegner unternimmt verstärkte Anstrengungen …, mittels einer breiten Skala von Möglichkeiten der politisch-ideologischen Diversion Einfluss auf die Jugendlichen in der Hauptstadt der DDR zu gewinnen.« Das habe »bereits zu einer relativ starken Verherrlichung der westlichen Lebensweise«[61] geführt. Zur selben Zeit stoßen Beatfans auch im Westen auf Unverständnis und Ablehnung bei Eltern, Lehrern und Vorgesetzten. Die Zentimeterfrage – ob bei Röcken oder Haaren – sorgt an bundesdeutschen Frühstückstischen genauso für Streit, befeuert durch die geifernde Empörung der Springer-Presse. Die jungen Frauen und Männer mit Pilzköpfen, Schlaghosen und Parkas aber, die sich auf den Straßen und Plätzen von Ostberlin, Dresden oder Leipzig treffen, gehen im Gegensatz zu ihren Altersgenossen auf dem Ku'damm ein echtes Risiko ein. Denn in der DDR ist jedes Abweichen von der Norm gleich politisch, auch wenn es ursprünglich gar nicht so gemeint war. Als im Oktober 1965 in Leipzig, der Hochburg der Beatbewegung, mehrere Hundert Schüler und Lehrlinge gegen das Auftrittsverbot der DDR-Beatbands protestieren, reagiert die Volkspolizei mit Wasserwerfern, Hunden und Schlagstöcken. 279 Demonstranten zwischen fünfzehn und 25 Jahren werden verhaftet, 144 strafrechtlich verfolgt. Etliche landen zur sogenannten Umerziehung im Braunkohletagebau – wochenlang und ohne Gerichtsurteil.

»Ich denke, Genossen«, erklärt Walter Ulbricht 1965 im Zentralkomitee in Anspielung auf einen Beatles-Song, »mit der Monotonie des yeah, yeah, yeah und wie das alles heißt, sollte man doch Schluss machen.« Schützenhilfe liefert die DDR-Presse, die nun einen Feldzug gegen die vermeintlich fehlgeleitete Jugend, die »Asozialen« und »Gammler«, startet. »Ihr Anblick bringt das Blut vieler Bürger in Wallung«, schreibt etwa das *Neue Deutschland*, Sprachrohr der SED, »… verwahrlost, lange, zottelige, dreckige Mähnen, zerlumpte Twist-Hosen. Sie stinken zehn Meter gegen den Wind. Denn Waschen haben sie ›freiheitlich‹ aus ihrem Sprachschatz gestrichen. Und von einer geregelten Arbeit halten die meisten auch nichts.« Das alles sei letztlich ein Werk des Westens. In »seinem teuflischen Hass gegen den Sozialismus« knüpfe er »an die Abenteuerlust, den Erlebnisdrang der Jugend an und serviert oft in einer anziehenden Verpackung von heißen Rhythmen, aufpeitschender Musik oder Sexliteratur Rowdytum, Dekadenz und Demoralisierung«.[62]

»Natürlich wussten wir, dass es verboten ist«, sagt Vera Lengsfeld, »und sicher hatten wir auch Spaß daran, ein bisschen zu provozieren. Im Grunde war das alles aber völlig harmlos und ganz und gar unpolitisch. Wir waren einfach nur jung und genau wie damals alle jungen Leute auf der Welt elektrisiert von dieser Musik und dem Lebensgefühl, das wir damit verbanden.«

Es ist die Regierung selbst, die bei ihrem sozialistischen Nachwuchs für »Demoralisierung« sorgt. Das zeigt sich besonders 1968, als in der Tschechoslowakei ein politischer Erneuerungsprozess in Gang kommt, der auch in der jungen DDR-Bevölkerung Hoffnungen weckt. »Sozialismus mit menschlichem Antlitz«, lautet die Losung des neuen Parteiführers Alexander Dubček, die das ganze Land im »Prager Frühling« aufblühen lässt: Die Zensur wird abgeschafft, die Reisefreiheit eingeführt; eine unabhängige Presse berichtet über die sozialen und wirtschaftlichen Probleme. Viele Jugendliche aus der DDR reisen in diesen Wochen in das Nachbarland, um die Freiheit, die sie so sehr vermissen, hautnah mitzuerleben. Doch das Glück währt nur kurz: In den Parteizentralen der sozialistischen Staaten fürchten die Herrschenden den Verlust ihrer Macht. Am 21. August besetzen sowjetische Truppen die ČSSR und beenden gewaltsam die friedlichen Reformen. Auch Walter Ulbricht will verhindern, dass die DDR vom Virus der Freiheit infiziert wird, und unterstützt die völkerrechtswidrige Aktion, die von der SED-Propaganda als »Hilfsmaßnahme der Bruderstaaten« gegen westliche Gewalt verkauft wird.

Vor allem die jungen Leute in der DDR hören die Nachricht vom Einmarsch der Sowjets mit Entsetzen. Auch an Veras Schule gibt es heftige Diskussionen darüber. Rosita Hunzinger und Erika Berthold, zwei Schülerinnen aus der Klasse über ihr, haben zusammen mit befreundeten Studenten in Prenzlauer

Berg 500 handgeschriebene Flugblätter verteilt: »Es lebe das rote Prag!«, »Hoch Dubček!« Jetzt sitzen sie im Gefängnis. Erikas Vater leitet das Institut für Marxismus-Leninismus, gehört also zur Funktionärselite der DDR. Überhaupt sollen etliche Kinder aus staatstreuen Elternhäusern unter den Protestierenden sein – ein Fanal für die SED. Allein in Berlin zählt das MfS 389 Flugblattaktionen und 272 Losungen an Hauswänden, Mauern und Telefonzellen.[63] »Was das alles bedeutete, konnte ich damals natürlich noch nicht verstehen«, sagt Vera Lengsfeld. »Ich habe aber sehr deutlich gespürt, dass etwas passiert war, das das System in seinen Grundfesten erschütterte. Und ich selbst hatte auch immer mehr Fragen: Wie konnte es sein, dass ein sozialistisches Land ein anderes besetzt und die DDR das sogar noch gutheißt? Und natürlich hat es mich sehr beschäftigt, dass zwei Mädchen, die ich kannte, plötzlich ›Verbrecher‹ sein sollten.«

»I'll take it easy«, steht in selbstbewusst-schnörkeliger Mädchenschrift auf dem ersten Blatt des Reisetagebuchs, das die sechzehnjährige Vera für ihre Freundin Gabi schreiben will. Am liebsten wäre sie in Berlin geblieben, doch ihre Eltern hatten darauf bestanden, dass die Familie geschlossen in die Sowjetunion fährt – es sei höchste Zeit, dass Vera und Evelyn den »großen Bruderstaat« kennenlernten. Es ist Februar 1969. Schon in Berlin ist es ungemütlich kalt. Wie wird es da erst in Moskau sein? Vera graut vor allem vor der Reisegruppe, die nur aus langweiligen alten Leuten besteht. So oft wie möglich will sie sich abseilen, um Moskau und Leningrad allein zu erkunden – wozu hat sie schließlich all die Jahre Russisch gepaukt? Und ansonsten: alles leicht nehmen – »I'll take it easy …«

Doch schon als der Zug drei Stunden Aufenthalt in der Grenzstadt Brest hat und Vera aussteigt, um sich die Beine zu vertreten, wird ihr klar, dass sie dieses Motto kaum durchhalten wird: die Straßen voller Schlaglöcher, die Häuser unverputzt, die Männer in dicker, ärmlicher Winterkleidung und unförmigen Filzstiefeln, die Frauen in abgetragenen Fellmänteln und groben Strickstrümpfen. Auf dem Bahnhofsvorplatz bieten Verkäufer in Bretterbuden Unterwäsche, Töpfe, Spielzeug, Gläser und Taschen an, alles von sichtlich minderer Qualität und trotzdem zu hohen Preisen. Vera ist geschockt. Die Armut und die Tristesse passen so gar nicht zu ihrem Bild vom ruhmreichen Bruder im Osten.

In Moskau sieht es kaum besser aus. Die Menschen, auch hier in dunklem Woll- und Fell-Einerlei, wirken verloren in der gigantischen Stadt, die trotz der protzigen Prachtstraßen aus der Stalinzeit einen heruntergekommenen, fast provinziellen Eindruck macht. Ein Café sucht Vera vergeblich, das Angebot an Lebensmitteln ist jämmerlich, Kleidung und Schuhe sind teuer und hässlich. Über der ganzen Stadt scheint ein Schleier aus Grau und Braun zu liegen. »Ruhm unserer sowjetischen Heimat«, liest sie als Leuchtreklame auf den Häuserdächern, auf Fahnen, Plakaten und Transparenten, manche davon handgeschrieben – wie der Realität zum Hohn. »Ruhm der Partei«, »Es lebe die Sowjetunion«.

In ihrem hellen Nylonmantel und der leicht glänzenden Hose aus Silastik kommt sie sich zwischen all den schwarz und braun gekleideten Menschen wie ein Paradiesvogel vor. Und tatsächlich folgen ihr überall neugierige Blicke. Alle paar Meter wird sie angesprochen, fast immer fragt man sie nach Kaugummi – auch die Erwachsenen. Wegen ihres Akzents und der blonden Haare hält man sie für eine Estin. Dass sie aus der DDR kommt, wird mit großem Erstaunen zur Kenntnis genommen und lässt sie offenbar noch exotischer erscheinen. Im Kaufhaus GUM am Roten Platz bilden sich um sie immer wieder kleine Menschentrauben: Sie solle Mantel, Hose und Stiefel verkaufen, drängt man sie und bietet ihr Schaffellmäntel, Kognak und Goldschmuck zum Tausch. Als sie aus Neugier zum Schein darauf eingeht, wird sie von den prächtigen Ladenpassagen, über denen sich das gläserne Dach wölbt, in ein düsteres Kellergeschoss hinabgeführt, in dem ganze Familien kampieren, die zum Einkaufen nach Moskau gekommen sind – auf provisorischen Lagern aus Decken und alter Pappe. Auch Alte, Kleinkinder und sogar Babys sind dabei. Es stinkt nach Schweiß und Urin, nach Wodka, schwerem Parfum und gebratenen Zwiebeln. Wie verzweifelt müssen die Menschen sein, um sich das hier anzutun?, denkt Vera. Sie murmelt irgendeine Entschuldigung und ergreift die Flucht. Raus hier, ins Freie, nur weg.

Das also ist die Sowjetunion, denkt sie, das große Vorbild, das Land mit fortschrittlicher Industrie und Wissenschaft, modernster Landwirtschaft und reichen Bodenschätzen. »Wie kann es sein«, notiert sie abends in ihrem Tagebuch, »dass dieses Land nicht in der Lage ist, seine Menschen angemessen zu versorgen? Wie kann es sein, dass selbst in der Hauptstadt das Angebot an Lebensmitteln und Kleidung so jämmerlich und teuer ist?« Der Raumflug von Juri Gagarin fällt ihr wieder ein. Der erste Mensch im All – natürlich kam er aus der Sowjetunion! Was hatte sie damals für diesen Helden geschwärmt. Sein Mut, sein Erfolg, der Sieg der Sowjetunion im kosmischen Wettstreit mit den USA waren bei den Pioniernachmittagen und in der Schule immer wieder Thema gewesen. Die Überlegenheit der UdSSR stand für sie immer außer Frage. Angesichts der Armut aber, die ihr hier auf Schritt und Tritt begegnet, wird sie zornig: »Warum steckt die SU Millionen in die Rüstung und in die Erforschung des Weltalls, während die eigenen Leute in einem solchen Elend leben müssen?« Vera ahnt, dass sich die Erfahrungen, die sie auf dieser Reise macht, auch auf ihre Haltung zur DDR auswirken werden. Allzu genau will sie darüber noch nicht nachdenken. Eine Begegnung am nächsten Tag zwingt sie jedoch dazu.

Wieder einmal ist sie auf eigene Faust in der Stadt unterwegs; ihre Eltern besichtigen mit der Reisegruppe das Lenin-Mausoleum. Es sind zwanzig Grad unter null, der Wind ist eisig, und in den wenigen, kleinen Geschäften kann man sich nicht so lange aufhalten, dass es zum gründlichen Durchwärmen reicht. Vera beschließt, sich die altehrwürdige Leninbibliothek anzusehen, immerhin eine der größten der Welt. Das imposante Eingangsportal mit den umlaufenden Säulen und dem breiten Treppenaufgang vermittelt noch etwas von der Pracht des alten Russlands.

Vor der Tür sitzt ein überlebensgroßer bronzener Dostojewski. Im Russischunterricht haben sie viele seiner Romane und Erzählungen gelesen. Was würde er wohl zu den heutigen Verhältnissen in seiner Heimat sagen? Andächtig geht Vera durch die Gänge. Die ruhige, würdevolle Atmosphäre tut ihr gut. In beleuchteten Vitrinen liegen kostbare alte Handschriften, das Manuskript von »Schuld und Sühne«, alles atmet Geschichte. Auch hier fällt Vera auf – eine so junge Touristin, und dann noch des Russischen kundig, sieht man in der Staatsbibliothek der Sowjetunion nicht allzu häufig. Eine Mitarbeiterin spricht sie an, führt sie schließlich durchs ganze Haus. Sie freut sich über Veras Interesse und genießt das Gespräch mit dem Mädchen aus Deutschland. Vera erzählt von ihren Erlebnissen im GUM und gesteht ihr, wie sehr sie die Armut und Trostlosigkeit der Stadt schockieren. »Ich glaube, sie war ein bisschen überrascht, dass ich so naiv war«, erinnert sich Vera Lengsfeld. »Aber dann hat sie sehr offen mit mir über das Leben in der Sowjetunion gesprochen. Über den Gegensatz zwischen den Losungen der Partei und der Realität im Land, der vor allem junge Leute dazu brachte, innerlich vom System abzurücken. Von ihr hörte ich außerdem zum ersten Mal von den Verbrechen der Kommunisten.« Mindestens 17 Millionen Menschen, erzählt die junge Frau, seien unter Stalin ums Leben gekommen: ermordet, deportiert, erfroren, verhungert, in Arbeitslagern zu Tode geschunden. Vera kann es nicht fassen: 17 Millionen! Das entspricht der Bevölkerung der gesamten DDR!

»Als ich wieder auf der Straße stand, war ich immer noch geschockt«, erinnert sie sich. »17 Millionen – die Zahl ging mir nicht aus dem Kopf. Ich stellte mir vor, dass alle, die ich kannte, und alle, die ich jemals gesehen hatte, tot sind. Ich bin dann so schnell ich konnte ins Hotel gelaufen, um mit meinen Eltern zu sprechen. Ich wollte unbedingt wissen, ob sie davon wussten.« Ursula und Franz Lengsfeld reagieren verlegen – die drängenden Fragen ihrer Tochter sind ihnen sichtlich unangenehm. Der Vater schweigt, die Mutter tastet sich zögernd vor: Ja, es seien einige schlimme Dinge passiert, Verhaftungen und auch Hinrichtungen, darum sei man ja auch von Stalin abgerückt. So etwas würde aber nie wieder vorkommen und hätte nichts mit dem Kommunismus zu tun. Vera lässt nicht locker, die Unsicherheit der Eltern beunruhigt sie. »Und bei uns?«, will sie wissen. »Hat es in der DDR auch so etwas gegeben?« Die Mutter schüttelt den Kopf, weicht ihrem Blick aber aus. »Nicht direkt. Nicht so. Aber in den Fünfzigern sind auch bei uns einige Menschen verschwunden. Den Mann von Frau Behnke, der Schulsekretärin, zum Beispiel, den haben die Sowjets eines Tages abgeholt, und er ist nie wiedergekommen. Sie war damals gerade schwanger mit Florian. An den erinnerst du dich doch, oder?« Vera nickt. Sie war dem drei Jahre älteren Jungen mal auf einem Schulfest begegnet. Franz Lengsfeld steht abrupt auf, drückt seine Zigarette in den Aschenbecher. »Du musst dich verhört haben«, sagt er. »Vielleicht waren es ein paar Tausend, meinetwegen auch 17.000, aber sicher keine Millionen. Woher will diese Frau das überhaupt wissen? Vergiss die ganze Sache, solche Spekulationen sind nur Wasser auf den Mühlen des Klassenfeinds. Denk an die großen Verdienste der Sowjetunion. Ohne sie wären wir nicht da, wo wir jetzt sind.«

Für den Vater ist die Debatte damit beendet, und Vera weiß, es ist sinnlos weiterzufragen. Den Eltern gegenüber wird sie das Thema nie wieder ansprechen, doch in ihr keimt ein Zweifel, der zu grundsätzlich ist, um ihn noch zur Seite zu schieben. Was ihr als »Wahrheit« verkauft wird, erweist sich als Lüge; der ruhmreiche Bruderstaat Sowjetunion als ein Land, das seine Verbrechen verschweigt und seine Bürger darben lässt. Die sozialistische Ideologie erscheint wie eine Ansammlung hohler Phrasen, die mit der Realität der Menschen nichts zu tun haben. »Dass aus mir keine gläubige Marxistin-Leninistin geworden ist«, sagt Vera Lengsfeld heute und lacht ein bisschen, »verdanke ich meinen Eltern, die mich zu dieser Reise zwangen und damit eigentlich das Gegenteil erreichen wollten.«

Als sie zwei Wochen später wieder zu Hause in Berlin ist, ist alles wie immer – und nichts mehr, wie es war.

Exkurs: Kollegen unter sich – Stasi-Wohngebiete

Anderthalb Jahrzehnte lang hätten sein Vorgesetzter und er im selben Haus gelebt, berichtet ein ehemaliger Major aus der Berliner Bezirksverwaltung des MfS. »Seine Etagenwohnung befindet sich schräg über uns …, doch die Regeln zwingen uns, einander wie fremdgebliebene Mieter im Treppenhaus zu begegnen.«[64] Die Regeln – laut Dienstordnung beinhalten diese vor allem die Pflicht zu »lückenloser Geheimhaltung« und »hoher revolutionärer Wachsamkeit zur … Gewährleistung der Sicherheit des MfS«. In diesem Sinne habe jeder Mitarbeiter sein »gesamtes persönliches Verhalten innerhalb und außerhalb des Dienstes« auszurichten.[65]

Ob er sich tatsächlich an die Regeln hält, überwachen nicht nur seine Vorgesetzten im »Dienstobjekt«, sondern nach Feierabend auch seine Nachbarn, denn die sind in der Regel ebenfalls bei der Stasi. Das MfS konzentriert seine Hauptamtlichen, wo immer es geht, in zusammenhängenden Wohngebieten und hat zu diesem Zweck 1958 eine eigene Verwaltung geschaffen, die allein in Berlin mit der Zeit komplette Straßenzüge und ganze Viertel übernimmt: in Lichtenberg, wo die Zentrale liegt, aber auch in Treptow, Hohenschönhausen und Weißensee. Für die Generäle gibt es eine Siedlung im Grünen an Oranke- und Obersee. Und auch für die nötige Infrastruktur ist gesorgt: Eigene Krankenhäuser, Verkaufsstellen und Kinderkrippen, oft mit deutlich besserer Ausstattung als üblich, vereinfachen den Alltag der Angestellten. Das MfS betreibt sogar zwei Buslinien, die die Wohnviertel mit den »Dienstobjekten« verbinden und die Genossen in aller Frühe zur Arbeit bringen, aus Gründen der Konspiration hinter blickdichten Gardinen.

»Die Gewährleistung und ständige Verbesserung der Wohnraumversorgung ist … ein hoher Beitrag zur Sicherung der ständigen Einsatzbereitschaft und zur Erfüllung der dem Ministerium für Staatssicherheit gestellten Aufgaben«, heißt es in einer Anordnung Erich Mielkes.[66] Und tatsächlich bringt die konzentrierte Ansiedlung seiner Mitarbeiter dem MfS nur Vorteile: Rund um die Dienstgebäude, vor allem die Zentrale in Lichtenberg, kann es Wohnungen, aus denen man in das Innere sehen kann, mit eigenen Leuten besetzen und sich so vor neugierigen Blicken schützen. Im Falle eines Angriffs sind die Genossen außerdem schnell zur Stelle: Einsatzpläne beschreiben bis ins Detail, was bei einer »Annäherung feindlicher Kräfte an den Sicherungs- und Verteidigungsraum« zu tun ist, welche Mitarbeiter von welchem Gebäude aus die vorgesehenen Maschinengewehre bedienen sollen, welche Fenster sich als Basis für die Kontrolle bestimmter Straßen eignen und wo und von wem Blockaden aus Stacheldraht und spanischen Reitern zu errichten sind. Ständig aktualisierte »Melderrouten« der in der Nachbarschaft wohnenden Kollegen halten außerdem fest, wer im Notfall wen zu benachrichtigen hat.[67] Die Genossen müssen jederzeit einsatzbereit sein. Selbst in ihren Wohnzimmern.

So bewegen sich die Hauptamtlichen in einer eigenen, nahezu abgeschlossenen Welt, die ihnen rund um die Uhr konformes Funktionieren abverlangt – eine soziale und letztlich auch geistige Isolation, die ganz im Sinne des mächtigen Dienstherrn ist, ermöglicht sie ihm doch die umfassende Kontrolle und Vereinheitlichung der Lebenswelt seiner Mitarbeiter und ihrer Familien.

Dabei kann er auch auf den Eifer des Einzelnen zählen. Die gegenseitige Bespitzelung ist – befeuert von entsprechender Überzeugung und dem Wunsch, selbst gut dazustehen – innerhalb der Wohngebiete besonders massiv. In den Akten der Hauptabteilung Kader und Schulung liegen Hunderte Dokumente nachbarlicher Wachsamkeit. Darunter der Brief eines Offiziers, der seinen Kollegen beim nächtlichen Spaziergang beobachtet hat: »1. Ich halte es nicht für gut, dass Gen. H. des nachts allein auf der Straße zu Fuß geht. 2. Es wundert mich, dass Gen. H. keine Straßenbahn benutzte, obwohl noch welche fuhren, denn von der beschriebenen Kreuzung bis zur Wohnung des Gen. H. sind noch ca. 20 Minuten zu laufen.«[68]

Die Kontrollmöglichkeiten der Stasi sind den Mitarbeitern durch ihre eigene Arbeit nur allzu bewusst, doch die meisten haben gelernt, sich damit zu arrangieren, ohne dass ihre Überzeugung ins Wanken gerät: »Informanten gab es überall, auch in den eigenen Reihen«, erzählt ein Ehemaliger. »Ich überlegte mir jeden Satz, den ich zu Hause in mein privates Telefon sprach. Darin übte ich mich so, dass sich das unverfängliche Gespräch eines Tages von selbst einstellte … Ganz bestimmt hatte ich vor Menschen, die ich gut kannte, wenig zu verbergen, doch ehe mich ein falscher Zungenschlag … in ein schlechtes Licht rückte, beschränkte ich mich auf das Notwendigste und nur auf den Fakt, den ich mitteilen wollte.«[69]

Widerstehen

Wer das Gerücht in die Welt gesetzt hat, kann am Ende keiner mehr sagen. Im Spätsommer 1969 ist es plötzlich da und verbreitet sich in der ganzen DDR: Die Rolling Stones kommen! Am 7. Oktober sollen sie auf dem Dach des Axel-Springer-Hochhauses spielen – und so auch Ostberlin beschallen, denn das Gebäude steht unmittelbar an der Mauer. Die Stasi ist alarmiert: Am 7. Oktober feiert die DDR ihren zwanzigsten Jahrestag. Dass der Klassenfeind ausgerechnet für dieses Datum eine solche Provokation plant, ist unerhört. Bald erreichen die MfS-Zentrale Meldungen aus dem ganzen Land, dass sich überall Jugendliche auf den Weg in die Hauptstadt machen wollen. Schon Wochen vorher starten daher die Gegenmaßnahmen: Junge Leute mit »negativ-dekadentem Äußeren« bekommen für den Jahrestag ein offizielles Berlin-Verbot; etlichen nimmt man den Personalausweis ab. Mit dem Ersatzausweis – »PM 12« genannt – sind sie nun bei jeder Kontrolle als potentielle Unruhestifter zu erkennen.

Auch für die 17-jährige Vera Lengsfeld und ihre Freunde gibt es seit Wochen kein wichtigeres Thema als das bevorstehende Konzert. Ob sie tatsächlich ihre Idole live zu hören, vielleicht sogar zu sehen bekommen? In ihrer Schule hätten sie jedenfalls Logenplätze: Die Zweite Erweiterte Oberschule Berlin-Mitte liegt in der Leipziger Straße, in unmittelbarer Nähe zur Mauer also und in Sichtweite des Springer-Gebäudes. »Natürlich war die Schule dann an den entscheidenden Tagen gesperrt«, erzählt Vera Lengsfeld. »Angeblich dienten die Klassenräume als Quartier für FDJler, die für die Feier des ›Republikgeburtstags‹ nach Berlin gekommen waren.«

Der zwanzigste Jahrestag soll besonders prächtig ausfallen: Nach den Unruhen wegen der Niederschlagung des »Prager Frühlings« im Jahr zuvor will das Politbüro Einigkeit und Geschlossenheit demonstrieren. Gerade noch rechtzeitig wurden die Neugestaltung des Alexanderplatzes und der hochmoderne Fernsehturm fertiggestellt, zuletzt hatten sogar noch NVA-Brigaden mit anfassen müssen. Die Magistralen sind mit Fahnen geschmückt, an jeder Laterne hängen Schilder mit der römischen Zwanzig – »XX«. Es soll der Eindruck entstehen, das ganze Volk feiere seinen Staat. »Die FDJ war dafür rund um die Uhr im Einsatz«, erzählt Vera Lengsfeld. »Auch ein paar meiner Mitschüler und ich mussten in Blauhemd und Halstuch Spalier stehen. Ich sah das Ganze aber damals schon mit großem innerem Abstand. Vieles kam mir vor wie absurdes Theater.« An den Bahnhöfen werden unterdessen Hunderte Jugendliche abgefangen und verhaftet, denen es trotz aller Gegenmaßnahmen gelungen ist, nach Berlin durchzukommen.

Am Nachmittag – die Militärparade entlang der Karl-Marx-Allee ist noch in vollem Gang – strömen mehr und mehr junge Leute in die Leipziger Straße, wo Volkspolizei und Stasi massive Präsenz demonstrieren. Die Gegend ist zu dieser Zeit an vielen Stellen noch grün überwucherte Brache; die Hochhäuser, die wenige Jahre später fast die gesamte Straße säumen, stehen noch nicht; bis zum Springer-Gebäude herrscht freie Sicht. Auch Vera ist mit ihren Mitschülern auf dem Weg zum Spittelmarkt. Sie wollen sehen, ob sie nicht doch irgendwie in ihr Klassenzimmer kommen. Vergeblich, Polizisten riegeln das Schulgebäude ab. Selbst der Sportplatz, normalerweise von der Straße aus zugänglich, ist jetzt von einem Bretterzaun umgeben. Es herrscht eine merkwürdig gespannte Atmosphäre aus Bedrohung und Erwartung. Überall stehen Grüppchen von Jugendlichen, die Blicke hoffnungsvoll auf das Verlagsgebäude gerichtet; von allen Seiten kommen weitere hinzu.

Die Grenze ist nah, die Volkspolizei nervös. Als die Menge dichter wird, gehen die Beamten mit Knüppeln und Hunden dazwischen. »Wir wollen Freiheit, wir wollen Stones!«, schallt es ihnen entgegen. Als die ersten Fans abgeführt und auf Lkw verladen werden, ergreifen viele die Flucht. Sogenannte Ordnungsgruppen der FDJ zerstreuen die letzten noch Ausharrenden und drängen sie in Nebenstraßen ab. »Unter Hochrufen auf unsere Republik und die Partei der Arbeiterklasse waren sie bald Herr der Lage«, heißt es im Abschlussbericht des MfS zur Aktion »Jubiläum«. Bevor sie selbst wegläuft, sieht Vera noch, wie Jugendliche von der Polizei in die frisch ausgehobenen Baugruben getrieben werden. Die Bilder hat sie bis heute im Kopf. Insgesamt werden 430 Fans festgenommen, auf Polizeistationen gebracht, stundenlang verhört und geprügelt.

Das Gerücht bleibt ein Gerücht, das Dach des Springer-Hochhauses leer. Das Konzert findet nicht statt und geht trotzdem in die Geschichte ein.

Zu Hause gehört es zu Veras Aufgaben, die Uniform des Vaters auszubürsten. Bis vor ein paar Jahren tat sie das noch gern, war fast ein bisschen stolz, dass er etwas offensichtlich so Wichtiges macht, auch wenn sie keine Ahnung hat, was es ist. Jetzt, mit beinahe achtzehn Jahren, sieht sie die Uniform fast schon mit Widerwillen. Als sie die Hose einmal faltet und über den Bügel legt, fällt ein kleines Lederetui auf den Teppich. Sie bückt sich, öffnet es: »Ministerium für Staatssicherheit« steht da über dem Passbild des Vaters, darunter seine Unterschrift. »Ich stand da wie vom Donner gerührt und konnte es einfach nicht glauben. Für mich war die Stasi damals schon eine furchtbare Organisation, und dass mein Vater ihr angehörte, war ein Riesenschock für mich.« Ihn darauf anzusprechen, traut sie sich nicht. Schon als ihr vor ein paar Jahren beim Staubwischen seine Dienstpistole in die Hände gefallen war, hatte er seine Verärgerung nicht verbergen können. Was würde er da erst zu Fragen nach seinem Dienstverhältnis bei der Stasi sagen? Die Entdeckung ist für Vera auch deshalb ein Schock, weil sie nun weiß, dass sie belogen wurde. Doch das passt zu ihrem Lebensgefühl, wie sie es seit der Reise in die Sowjetunion hat: Sobald man beginnt, genauer hinzusehen und die Dinge zu hinterfragen, stolpert man überall über Verborgenes, Widersprüche und Ungereimtheiten. Die Fassaden bröckeln, nun also auch zu Hause.

Vera fällt auf, dass ihr Vater viel und regelmäßig trinkt: jeden Abend Kognak, oft eine ganze Flasche, dazu reichlich Bier. Am nächsten Tag ist ihm nie etwas anzumerken. »Heute denke ich, die Trinkerei war eine Reaktion auf den ungeheuren Druck, dem er bei der Arbeit ausgesetzt war«, sagt sie. »Alle Stasileute, die ich kennengelernt habe, waren Alkoholiker. Anders war der Job wohl nicht auszuhalten.«

Immerhin lässt der Vater ihr viel Freiheit und drückt oft ein Auge zu – keine Selbstverständlichkeit, wie Vera aus den Erzählungen ihrer Freundin Gela weiß: Auch deren Vater ist beim MfS, und er hat das Tun und Lassen seiner Tochter genau im Blick. Sie wird oft geschlagen, bekommt für die kleinste Verspätung Hausarrest und muss stets Rechenschaft ablegen, wo sie sich aufhält und mit wem sie sich trifft. Als die beiden Freundinnen eines Abends auf eine Party gehen, statt auf ein Treffen der FDJ, wie ihre Eltern glauben, ist Gela nervös und sieht ständig auf die Uhr. Auch Vera ist die Runde nicht ganz geheuer. Dass die Gäste der DDR offenbar fast ausnahmslos ablehnend gegenüberstehen, ist nicht zu überhören. Doch die hitzige politische Debatte, in die sie verwickelt werden, kaum dass sie angekommen sind, reizt und interessiert sie. Gela möchte am liebsten sofort wieder gehen: Wenn sie hier erwischt werden sollte, sähe es übel für sie aus. Als der Gastgeber schließlich das Fenster aufreißt und »Scheiß DDR!« brüllt, greift sie hastig zu Jacke und Tasche und zieht Vera mit nach draußen. Auf der Straße fängt sie an zu weinen. Was, wenn ihr Vater herausbekommt, dass sie hier waren? Vergeblich versucht Vera, sie zu beruhigen, sie solle sich keine Sorgen machen, niemand würde es erfahren. Aber als sie sich voneinander verabschieden, ahnt sie, dass die Geschichte kein Geheimnis bleiben wird.

Danach fehlt die Freundin einige Tage in der Schule, und Vera wagt nicht, bei ihr anzurufen. Als Gela wieder da ist, werden sie gemeinsam ins Zimmer der Direktorin bestellt. Dort erwarten sie zwei junge Männer, die sich, wie sie sagen, mit ihnen »unterhalten« wollen. Eine Stunde lang reden sie auf die Mädchen ein: Wie sie dazu kämen, sich auf der Fete eines Feindes der DDR herumzutreiben, abstreiten sei zwecklos – man wisse über alles Bescheid. Dies sei eine scharfe Verwarnung. Sie wollten doch Abitur machen, oder etwa nicht? Die Affäre hat keine weiteren Folgen. Aber Vera bleibt diese erste Begegnung mit der Stasi lange in Erinnerung.

So ganz kann Vera ihr Glück noch nicht fassen: Seit drei Monaten sind Moran und sie ein Paar. Mit seiner hellbraunen Haut, den dunklen Augen und den unfassbar langen Wimpern war er ihr sofort aufgefallen – genau wie wahrscheinlich allen anderen in der U-Bahn, zumal er auch noch Westklamotten trug. Wie sich herausstellte, ist er der Sohn des jugoslawischen Handelsattachés, und auch sein blonder Freund Brko, in den sich Gela schon bald verliebt, ist ein Diplomatenkind: Seine Eltern arbeiten in der jugoslawischen Botschaft. Das ganze Frühjahr über verbringen die vier nun schon jede freie Minute miteinander, trinken Kaffee in der Mokka-Milch-Eisbar und machen Radtouren zum Müggelsee. Im Ostberlin von 1970 ist vor allem Moran eine exotische Erscheinung. Wenn er mit Vera Arm in Arm durch die Straßen spaziert, drehen sich die Leute immer wieder verstohlen nach ihnen um. Den Eltern hat Vera ausführlich von Moran erzählt, so stolz ist sie auf ihre Eroberung.

Es ist der erste warme Abend, in der Luft liegt schon eine Ahnung von Sommer. Gela und Vera kommen von einem Fackelzug der FDJ: Am nächsten Tag ist der Erste Mai. Die Jungs haben sie abgeholt, nun schlendern sie zu viert durch den frühsommerlichen Abend. Bis Gela zu Hause sein muss, bleibt ihnen noch etwas Zeit, sodass sie den Umweg über die Museumsinsel nehmen. Plötzlich hält neben ihnen ein Streifenwagen. »Die Ausweise.« Vera wird schlecht vor Schreck: Sie hat ihre Tasche zu Hause gelassen, sie wäre beim Fackeltragen nur im Weg gewesen; an den Ausweis hatte sie nicht gedacht. »Steigen Sie ein«, der Polizist öffnet die hintere Wagentür. »Wir müssen Ihre Angaben überprüfen.« Was soll schon passieren?, beruhigt sich Vera auf der Fahrt zum Revier. Ich habe nichts Unrechtes getan. »Auf der Wache stellte sich dann heraus, dass ich eine sogenannte Sperradresse hatte«, erzählt sie. »Das Wort hörte ich damals zum ersten Mal. Dadurch wussten die Beamten, dass mein Vater ein Angehöriger der bewaffneten Organe ist. Deswegen bestanden sie darauf, mich nach Hause zu fahren.«

Mittlerweile ist es fast halb zwölf, und in der Wohnung am Hendrichplatz sind alle Fenster dunkel. Die Polizisten klingeln, Veras Vater öffnet im Schlafanzug die Tür, zuckt zusammen, als er die Beamten sieht. »Guten Abend, Genosse Major!«, sagt der eine und legt kurz die Hand an die Mütze. »Ihre Tochter wurde mit einem kapitalistischen Element auf der Straße aufgegriffen.« Den Ausdruck im Gesicht ihres Vaters werde sie nie vergessen, sagt Vera Lengsfeld über vierzig Jahre danach: »Es war nackte Angst.« Ihm sei doch wohl klar, fährt der Beamte fort, dass Jugoslawien praktisch kapitalistisches Ausland sei? Dieses eine Mal würde man es bei einer Verwarnung belassen. Wenn so etwas aber noch einmal vorkäme, hätte das auch Konsequenzen für ihn. Franz Lengsfeld sagt kein Wort und stellt keine Fragen. Als die Polizisten gegangen sind, dreht er sich zu Vera um und schlägt zu. Hart und mit dem Zorn des erlittenen Schreckens. Bis Vera das Bewusstsein verliert.

Als sie wieder zu sich kommt, liegt sie in einer Arztpraxis. Ihr Arm ist in Gips, ihre Rippen schmerzen, die Unterlippe ist aufgeplatzt. Vera muss weinen, als sie in den Spiegel sieht. »Die Prügel hatte ich meinem Vater aber schon damals verziehen«, sagt sie. »Er war ja ein großer, kräftiger Mann und die beiden Vopos standen im Dienstgrad deutlich unter ihm. Trotzdem hatte er sich von ihnen maßregeln lassen und dabei diese wahnsinnige Angst im Gesicht. So hatte ich ihn noch nie erlebt. Da ahnte ich zum ersten Mal, unter welchem Druck er stand. Natürlich fand ich das Ganze trotzdem furchtbar ungerecht und bin danach sehr auf Abstand gegangen.«

Schon zwei Tage später behauptet Vera, sie müsse zu einer FDJ-Versammlung. Trotz des zuvor verhängten Hausarrests lassen die Eltern sie gehen, ohne weitere Fragen zu stellen. »Ich glaube, meinem Vater war seine Überreaktion peinlich. Aber weder er noch meine Mutter haben je wieder ein Wort über die Angelegenheit verloren.« Sie verzeiht ihm, doch die Distanz zwischen Vater und Tochter wächst: Zum ersten Mal ist er selbst als Staatsgewalt in Erscheinung getreten, hat sie für den Verstoß gegen Regeln bestraft, die so widersinnig sind, dass sie ihm selbst nicht bewusst waren – sie hatte ihm ja von ihrer Beziehung zu Moran erzählt. Was sollte denn auch dabei sein, sich mit dem Sohn eines Mannes zu treffen, der als Vertreter eines befreundeten Landes völlig legal in der DDR lebt? Wieder einmal erweisen sich die offiziellen Darstellungen als Lügen – und der eigene Vater gehört zu denen, die sie verteidigen müssen.

»Von da an hatte ich jeden Abend FDJ-Versammlung«, erzählt Vera Lengsfeld, »und meine Eltern haben nichts dazu gesagt.« Moran und sie treffen sich heimlich in Parks und abgelegenen Gaststätten, immer auf der Suche nach Orten, an denen sie nicht erkannt werden. Kein einfaches Unterfangen: Hin und wieder lässt Veras Mutter Bemerkungen fallen, Kollegen hätten sie mit einem hübschen jungen Mann gesehen. Die unausgesprochene Warnung entgeht Vera nicht. Sich deswegen nicht mehr zu sehen kommt aber für beide nicht infrage. Moran ist Veras erste große Liebe, und das Gefühl erfüllt sie durch und durch. Die Unbefangenheit der ersten Monate aber gibt es nicht mehr, und mit jedem verstohlen der Realität abgetrotzten Treffen schleicht sich die bittere Erkenntnis in ihr Zusammensein, dass es für sie keine gemeinsame Zukunft geben kann.

Die Abiturprüfungen absolviert Vera fast unbeteiligt und wie in Trance. Ihre Gedanken sind bei Moran und der Unmöglichkeit, ihre Liebe zu leben. Im Herbst kehrt er mit seinen Eltern nach Jugoslawien zurück, Vera geht zum Studieren nach Leipzig. Jetzt verläuft die Mauer auch durch ihr Leben. Nie wieder wird es möglich sein, sie zu ignorieren.

*

Der Berliner Liedermacher Wolf Biermann ist der SED-Führung lange schon ein Dorn im Auge. Seit 1965 hat er Auftritts- und Publikationsverbot, das MfS ist bereits geraume Zeit mit seiner »Zersetzung« befasst. Trotzdem gibt er keine Ruhe, singt weiter freche Lieder über die Widersprüche im real existierenden Sozialismus, lässt seine Tonbänder in den Westen schmuggeln und dort auf Platten pressen. Das Angebot, in die BRD überzusiedeln, hatte er 1974 rundheraus abgelehnt. Als ihn die Gewerkschaft IG Metall nun, im November 1976, zu einer Konzertreise in den Westen einlädt, nutzt das Politbüro die Gelegenheit, den unbequemen Dichter loszuwerden: Man genehmigt ihm die Reise und nimmt sein erstes Konzert zum Anlass für seine Ausbürgerung. Am 13. November tritt er vor 7000 Zuhörern in der Kölner Sporthalle auf. Drei Tage später meldet das DDR-Fernsehen in der »Aktuellen Kamera«, ihm sei »das Recht auf weiteren Aufenthalt in der Deutschen Demokratischen Republik entzogen« worden. Mit seinem »feindseligen Auftreten gegenüber der DDR« habe er »sich selbst den Boden für die weitere Gewährung der Staatsbürgerschaft ... entzogen«. Noch am selben Abend sendet die ARD die Aufzeichnung des Kölner Konzerts. Vielen DDR-Bürgern hat der Name Wolf Biermann bisher nichts gesagt, nun ist er ein Begriff. Auch außerhalb der oppositionellen Szene.

Am nächsten Tag steht Stasimajor Franz Lengsfeld bei seiner Tochter vor der Tür. Vera ist überrascht: Seit sie wieder in Berlin lebt, hat sich ihr Verhältnis nicht verbessert. In ihrer Wohnung in Berlin-Weißensee, wo sie mit ihrem vierjährigen Sohn Philipp lebt, hat der Vater sie noch nie allein besucht. Er müsse mit ihr reden, sagt er und zündet sich spürbar nervös eine Zigarette an.

Nach der Meldung von der Ausbürgerung Wolf Biermanns habe er sich das ganze Konzert angesehen. »Mädchen, der Mann ist doch kein Feind!«, sagt er und sieht Vera an, als könne sie ihm die Politik der Partei erklären. »Der ist doch Kommunist! Hat vielleicht 'ne große Klappe, aber der steht doch hinter diesem Staat! Er sagt nur, was stimmt.« Vera zuckt mit den Schultern und nickt. Ihr Vater tut ihr leid. Es hatte Jahre gedauert, bis er bereit war einzugestehen, dass es in der DDR Fälle von Machtmissbrauch gibt. Immer wieder hatten sie darüber gestritten. Wolf Biermanns Rauswurf aber scheint ihn zutiefst zu verunsichern, obwohl er ihn bisher nur als Namen kannte – und als erbitterten Staatsfeind. »Dass er damit ausgerechnet zu mir kam!«, staunt Vera Lengsfeld noch heute. »Aber ich konnte ihm nicht helfen. Er musste sich selbst wieder auf Linie bringen, die Zweifel begraben, um weiter seine Arbeit machen zu können.«

Es hätte die Gelegenheit sein können für eine wirkliche Annäherung zwischen Vater und Tochter – jener kleine, zerbrechliche Moment, in dem sich seine Bestürzung mit den Zweifeln deckte, die Vera schon seit Jahren mit sich herumträgt. Doch auf seinen Besuch kommt er nie wieder zu sprechen.

Für das Politbüro erweist sich die Ausbürgerung von Wolf Biermann als Eigentor: Schon am 16. November wenden sich bekannte Künstler, Schriftsteller und Schauspieler der DDR in einem offenen Protestbrief an die Regierung und bitten um die Rücknahme der Entscheidung. Die Liste der Unterzeichner wird in den folgenden Tagen immer länger. Auch in Kreisen der Bevölkerung, die bislang nicht aufgefallen waren, regt sich Unmut. Im ganzen Land registriert die Stasi »feindlich-negative Vorkommnisse«. Viele besorgen sich Mitschnitte von Biermann-Liedern; Abschriften seiner Texte gehen von Hand zu Hand. Selbst bei manch staatstreuen Genossen stößt die Entscheidung des Politbüros auf Kritik. Die SED-Führung reagiert wie immer: mit Härte. Viele Unterzeichner bekommen Berufsverbot oder werden mit »Zersetzungsmaßnahmen« der Stasi drangsaliert. Etliche prominente Künstler ziehen unter dem Druck ihre Unterschrift zurück. Weniger bekannte und einfache Bürger, die sich dem Protest angeschlossen haben, werden verhaftet.

Auch in Veras Bekanntenkreis hinterlässt der Fall Spuren. Seit einiger Zeit schon bewegt sich die 24-Jährige in der Dissidentenszene, ist mit der kritischen Liedermacherin Bettina Wegner befreundet und steht in engem Kontakt zu dem Schriftsteller Jürgen Fuchs, der zu den Unterzeichnern des Protestbriefs gehört. Zusammen mit seinen Freunden Christian Kunert und Gerulf Pannach, Musikern der verbotenen Klaus Renft Combo, wird er am 19. November verhaftet. Nach neun Monaten im Stasigefängnis Berlin-Hohenschönhausen werden die drei in die Bundesrepublik abgeschoben. Viele Künstler und Intellektuelle, wie der Schauspieler Manfred Krug oder der Schriftsteller Jurek Becker, gehen in den folgenden Jahren in den Westen – entmutigt von den Schikanen und Repressionen, mit denen der Staat den Gebrauch des Rechts auf freie Meinungsäußerung beantwortet. Für die, die trotz allem im Land bleiben, hinterlässt jeder Weggegangene eine schmerzliche Lücke. »In den Westen zu gehen, das hieß für uns damals, verloren zu sein«, sagt Vera Lengsfeld. »Wir glaubten ja immer noch an die Reformierbarkeit des Systems. Es fiel mir schwer zu verstehen, dass so viele resignierten und aufgaben.«

Beim MfS ist es nicht unbemerkt geblieben, dass sich die älteste Tochter des Genossen Lengsfeld in »negativen Kreisen« bewegt. Regelmäßig bekommt er von seinem Vorgesetzten entsprechende Berichte auf den Tisch gelegt. Immer wieder muss er sich rechtfertigen und schriftlich erklären, keinen Kontakt zu Vera zu haben – eine Zusicherung, an die er sich nicht hält: Das Verhältnis ist zwar distanziert, die Kluft zwischen ihren politischen Haltungen unüberbrückbar. Trotzdem sehen sich Vater und Tochter hin und wieder. Dafür, dass er den per Dienstbefehl geforderten Bruch nicht vollzieht, wird das MfS Franz Lengsfeld mit vorzeitiger Pensionierung »aus gesundheitlichen Gründen« bestrafen. 1986 – Vera ist bereits eine der bekanntesten Oppositionellen – müssen seine Frau und er auch die Wohnung am

Hendrichplatz räumen. »Da hieß es plötzlich: Wir ziehen nach Hellersdorf«, erinnert sich Vera Lengsfeld. »Ich konnte das überhaupt nicht verstehen. Die Wohnung dort war dunkel und viel kleiner. Da passten ihre schönen Möbel gar nicht alle rein.« Über die wahren Gründe für den Umzug schweigen die Eltern. Franz Lengsfeld wird die Schwierigkeiten, die er wegen seiner Tochter hatte, ihr gegenüber nie erwähnen. Vera erfährt davon erst nach dem Mauerfall: aus ihren eigenen Stasi-Akten.

*

Oberstleutnant Siegfried Herbrich, Ausbilder in der »Terrorabwehr« des MfS, hat sich gleich nachdem sein Sohn Stefan wegen der kritischen Wandzeitung verhaftet worden war, von diesem distanziert. Als im Mai 1981 das Urteil des Bezirksgerichtes Leipzig feststeht, erklärt er gegenüber seinen Vorgesetzten noch einmal schriftlich, »dass ich das Verhalten … meines Sohnes auf das Schärfste verurteile«. Er werde »nach der Strafverbüßung keine persönlichen oder schriftlichen Kontakte mehr« zu ihm »unterhalten« – eine »Festlegung«, die auch seine Ehefrau und seine »im Haushalt lebende Tochter« betreffe. Denn: »In einer Aussprache im Familienkreis wurde die strafbare Handlung … ausgewertet und übereinstimmend festgestellt, dass sich unser Sohn mit seinem Verhalten außerhalb der Gesellschaft und auch außerhalb der Familie gestellt hat. … Mit seiner Tat hat er sich gegen all die Ideale und Ziele ausgesprochen, für die alle Mitglieder unserer Familie eintreten und die heute von jedem bewussten Bürger der DDR vertreten werden. Durch die Verunglimpfung unseres sozialistischen Staates hat er sich selbst jede Grundlage genommen, künftig auch weiterhin als anerkanntes Familienmitglied zu gelten.«

Falls Stefan »nach seiner Haftentlassung zu Hause vorsprechen« sollte, werde man ihm offen sagen, »dass wir keinen Wert auf weitere Kontakte mit ihm legen«. Er müsse zunächst »unter Beweis stellen«, seine Handlung »zutiefst« zu bereuen »und die notwendigen Schlussfolgerungen für sein weiteres Leben« gezogen zu haben. Erst wenn Stefan »seine Arbeit als bewusster, engagierter Bürger unseres Landes versieht«, bestehe »die Möglichkeit, wieder ... Kontakte zur Familie herzustellen«. Über alle »Vorkommnisse, Kontaktversuche und dergleichen«, schließt der Vater seine Erklärung, werde er das »Kaderorgan ... sofort ... informieren«.

Siegfried Herbrich hält Wort: Dank seiner Berichte sind in den Akten sämtliche »Vorkommnisse« zwischen Vater und Sohn vermerkt: von der Zeit nach Stefans Entlassung bis zum Mauerfall. Zusammen mit den Reaktionen seiner Vorgesetzten dokumentieren sie die Unerbittlichkeit eines Systems, das auf familiäre Bindungen keine Rücksicht nimmt.

Am 10. November 1981, Stefan sitzt seit gut zehn Monaten im Gefängnis, meldet der Leiter der Strafvollzugsanstalt Brandenburg: »Hinsichtlich der politischen Haltung des Strafgefangenen Herbrich wird eingeschätzt, dass Genannter sich während der bisherigen Haftzeit völlig zurückhielt. Er gibt somit nicht zu erkennen, ob er sich weiterhin gegen die Politik unseres Staates stellt, oder sie anerkennt. Als er im Verlaufe eines Erziehungsgespräches gefragt wurde, wie er nunmehr zur Straftatbegehung steht, antwortete H. lediglich, dass diese vermeidbar gewesen wäre.«

Fünf Monate später, im März 1982, wird Stefan Herbrich entlassen. Es dauert eine ganze Weile, bis er das Gefühl hat, wieder einigermaßen im Leben angekommen zu sein. Die Erfahrungen aus dem Gefängnis überschatten die Gegenwart, doch er kann sie mit niemandem teilen. »Natürlich wollte keiner hören, wie es im Knast ist«, erzählt er. »Für die einen war ich als Exhäftling noch immer verdächtig, und die anderen trauten sich nicht zu fragen.« In Leipzig beginnt der 23-Jährige wieder als Altenpfleger zu arbeiten. Um das Heim, in dem sich die Kollegen damals kollektiv gegen ihn ausgesprochen hatten, macht er einen großen Bogen. Im Herbst nimmt er sich ein Herz und ruft seine Eltern an.

Bei dieser Gelegenheit, berichtet Oberstleutnant Herbrich am 22. November 1982 geflissentlich nach Berlin, habe Stefan zum

Ausdruck gebracht, dass er die Absicht hätte, zu Besuch zu kommen, »um sich einmal mit seinen Eltern auszusprechen«. Am Samstag, den 20. November 1982, sei er um »ca. 15 Uhr« erschienen, und zwar »in Begleitung einer Frau und einem Kleinkind«. Mit »diesen Personen« sei er bis zum nächsten Tag »14 Uhr« geblieben. Er selbst, fährt Siegfried Herbrich fort, habe »in den geführten Gesprächen ... klar gemacht, dass wir ... in keiner Weise seine Handlungsweise dulden oder tolerieren würden und dass er dafür von uns kein Verständnis erwarten darf. Wir erwarten vielmehr, dass er aus seiner Straftat Konsequenzen gezogen hat und sich künftig so verhalten wird, wie wir es, und auch unsere Gesellschaft, von ihm als Bürger unseres Staates erwarten. Solange er diesen Beweis nicht erbracht hat, bleibt ihm künftig das Elternhaus verschlossen.«

Das MfS beobachtet die Entwicklungen genau. Der zuständige Abteilungsleiter reicht Siegfried Herbrichs Schreiben ein paar Tage später an die nächsthöhere Dienststelle weiter: »In der Anlage übergebe ich den von Genossen Herbrich übersandten Bericht, in dem er darüber informiert, dass sein ... Sohn am 20. 11. 1982 durch einen Besuch in der Wohnung des Genossen Herbrich in Erscheinung trat. Der mündlichen Schilderung und schriftlichen Information nach zu urteilen, hat sich Genosse Herbrich im Wesentlichen richtig und entsprechend gegebener Verhaltenslinie verhalten.« Dennoch halte er »eine nochmalige Aussprache ... für notwendig, insbesondere zur eindeutigen Klärung des Faktes, dass eine Kontaktaufnahme so lange bewusst und konsequent von seiner Seite aus zu verhindern und zu vermeiden ist, bis von unserer Entscheidung abhängig dazu eine Erlaubnis gegeben wird«.

*

»Virus« nennt die Stasi den »OV«, den Operativvorgang, den die Hauptabteilung XX im September 1982 für den »Friedenskreis Pankow« anlegt. Die Gruppe trifft sich seit fast einem Jahr im

Gemeindesaal der alten Pankower Pfarrkirche, Vera – inzwischen ist sie zum zweiten Mal verheiratet und heißt Wollenberger – gehört zu den Mitbegründern. Der Friedenskreis sammelt und verbreitet Informationen über Umweltverschmutzung und die zunehmende Militarisierung der Gesellschaft, über Frauenfragen, Verstöße gegen Menschenrechte und die Stationierung von Atomraketen. Er organisiert Diskussionsveranstaltungen, Seminare und Radsternfahrten, vervielfältigt mit primitiven Mitteln Broschüren und Zeitungen. Bald gründen sich im ganzen Land ähnliche Initiativen. Unter dem schützenden Dach der Kirche formiert sich so allmählich eine Opposition, die man erst nach dem Zusammenbruch der DDR Bürgerrechtsbewegung nennen wird.

Dass sie früher oder später in die Schusslinie der Stasi geraten würden, ist allen im »Friedenskreis Pankow« klar. Gleich am Anfang erzählt Vera ihren Mitstreitern darum von ihrem Vater – einer der schwierigsten Momente ihres Lebens, wie sie heute sagt: »Bei einigen spürte ich sofort das Misstrauen. Und später, als wir dann tatsächlich Schwierigkeiten bekamen und die Stasi das Gerücht streute, ich würde für sie arbeiten, hieß es dann: ›Kein Wunder bei dem Vater …‹ Darunter habe ich sehr gelitten.« Im Laufe der Jahre muss sie sich immer wieder erklären. Beteuern, dass sie politisch ganz woanders steht – das Gift der »Zersetzung« zeigt Wirkung.

Wann und in welcher Dosis es zum Einsatz kommt, ist detailliert im »Zersetzungsplan« des »OV ›Virus‹« festgelegt. Das MfS zieht dabei alle Register seiner Macht: Es schickt Studenten der Stasi-Hochschule Potsdam auf die Treffen, wo sie »progressiv« – also im Sinne der Partei – in die Diskussionen eingreifen und die Arbeit durch ständige Einwürfe stören. Es lässt Gerüchte verbreiten, die Mitglieder des Friedenskreises in ihren Familien, Partnerschaften und in der Gruppe diskreditieren sollen, schleust »legendierte« IM ein – inoffizielle Mitarbeiter mit erfundenen Lebensläufen –, veranlasst »konspirative Wohnungsdurchsuchungen« und greift in das berufliche Schicksal der Aktivisten ein. Für Vera sieht der Maßnahmeplan »eine Entfernung ... aus ihrer jetzigen Arbeitsstelle« als Lektorin vor. Sie wird aus der SED ausgeschlossen und darf die DDR nicht mehr verlassen. Eines Tages, sie kommt gerade vom Einkaufen, steht die Wohnungstür offen. Es fehlt nichts, doch ihr Schreibtisch wurde durchwühlt, Bücher mutwillig aus den Regalen gerissen, in der Küche liegt zerschlagenes Geschirr auf dem Boden. »Die Botschaft war eindeutig. Ich sollte spüren, dass ich auch zu Hause nicht sicher bin. Dass sie jederzeit Zugriff auf mich haben, wenn sie nur wollen.« Sie ist damals hochschwanger mit ihrem dritten Kind und braucht Wochen, um sich von dem Grauen zu erholen, das der Einbruch in ihr ausgelöst hat. Die Angst bleibt. »Trotz all dieser Erfahrungen war ich immer noch blind für den wahren Charakter des Systems«, sagt sie und schüttelt den Kopf über sich. »Ich glaubte immer noch, die DDR ließe sich reformieren.«

Ostberlin, 17. Januar 1988. Ein kalter, grauer Tag mit Nieselregen. Die SED hat zur »Kampfdemonstration zu Ehren von Karl Liebknecht und Rosa Luxemburg« aufgerufen. Der Gedenkmarsch für die 1919 ermordeten Führer der Arbeiterbewegung gehört zu den verordneten Feierlichkeiten der Partei. Diesmal aber ist in mehreren Oppositionsgruppen die Idee entstanden, sich mit eigenen Transparenten daran zu beteiligen – ein riskantes Vorhaben. Das MfS ist bestens informiert, die Strecke weiträumig gesichert. Schon am Tag vorher sind »negative Elemente« unter Hausarrest gestellt oder verhaftet worden. Nur einer Handvoll Aktivisten gelingt es, zum offiziellen Demonstrationszug durchzukommen. Dort entrollen sie ihre Plakate mit Luxemburg-Zitaten: »Freiheit ist immer die Freiheit des Andersdenkenden«, »Wer sich nicht bewegt, spürt die Fesseln nicht«. Stasi und Volkspolizei greifen sofort zu. Vera wird auf dem Weg zur Frankfurter Allee festgenommen, ihr Transparent mit dem Artikel 27 der DDR-Verfassung beschlagnahmt: »Jeder Bürger hat das Recht, seine Meinung frei und öffentlich zu äußern.« Die zwei Männer, die sie von hinten packen, weisen sich nicht aus, Vera hört nur ein gebelltes »Komm mit!«. Sie weigert sich, was die beiden zwingt, sie die hundert Meter bis zum bereitstehenden Lkw zu schleifen. Sie tun es unter den erschrockenen Blicken der staatstreuen Demonstranten mit ihren Wimpeln und Fahnen.

Dem MfS gelingt an diesem Tag mit über 120 Festnahmen der geplante »Enthauptungsschlag« gegen die Bürgerrechtsbewegung. Es kann aber nicht verhindern, dass ein Kamerateam der ARD die Proteste und gewaltsamen Zugriffe filmt. Abends sind diese Bilder der Aufmacher in den Nachrichten des Westfernsehens und gelangen so auch in die Wohnzimmer der DDR. Ein paar Tage später nimmt die Stasi in einer zweiten Verhaftungswelle weitere Oppositionelle fest – ein für alle Mal soll Ruhe sein. Nun sind sie alle in Haft: Bärbel Bohley, Vera Wollenberger, Lotte und Wolfgang Templin, Freya Klier und viele andere, die für eine gerechtere, menschlichere DDR gekämpft haben. Der Vorwurf: »Landesverräterische Agententätigkeit«. Darauf stehen Höchststrafen.

Mit dieser Drohung setzt man die Gefangenen massiv unter Druck, das Land zu verlassen. Der Rechtsanwalt Wolfgang Schnur drängt sie, der Ausbürgerung zuzustimmen. Auch Vera vertraut ihm zunächst. Später wird sich herausstellen, dass er als IM »Torsten« im Auftrag der Staatssicherheit arbeitet. Viele gehen – die hohen Haftstrafen vor Augen – schweren Herzens auf das »Angebot« ein und verlassen das Gefängnis in Richtung Westen. Vera Wollenberger und Bärbel Bohley werden nach langem Hin und Her nach England abgeschoben. Da sie sich weigern, ihre Staatsbürgerschaft aufzugeben, dürfen sie ihre Pässe behalten; die Abschiebung wird als vorübergehender »Studienaufenthalt« deklariert: Die DDR-Führung will die zwei unbequemen Frauen um jeden Preis loswerden. Vera kann ihre beiden kleinen Kinder mitnehmen. Der sechzehnjährige Philipp will noch bleiben, um sein Abitur zu machen.

Fast vierzig Jahre lang hat Franz Lengsfeld der DDR die Treue gehalten, sie verteidigt, geschützt und an sie geglaubt – auch um den Preis familiärer Zerwürfnisse. Im Februar 1988 ist es mit seiner Loyalität vorbei: Im *Neuen Deutschland* muss er von der Verurteilung seiner Tochter lesen. Mit vollem Namen wird sie dort erwähnt, wie eine Schwerverbrecherin! Ihre politische Haltung hatte er lange Zeit nicht nachvollziehen können, und ihr Engagement – gegen den Staat, wie ihm schien – hatte ihn manches Mal geschmerzt. Mittlerweile aber muss er sich eingestehen, dass sie in vielen Dingen recht hat. Im Oktober dann der nächste Schock: Sein Enkel Philipp und drei seiner Mitschüler werden wegen »verräterischer Gruppenbildung« von der Schule verwiesen und aus der FDJ ausgeschlossen. Sie hatten in einem Beitrag für die Wandzeitung die alljährliche Militärparade der DDR kritisiert. Für die vier bedeutet die Relegation durch die Carl-von-Ossietzky-Oberschule landesweites Abiturverbot. Philipp folgt seiner Mutter daraufhin nach Cambridge.

Als Vera im Juni 1989 zu Besuch in die DDR kommt, ahnt sie nichts von dem Sinneswandel ihres Vaters. Ein dreitägiger Aufenthalt wurde ihr genehmigt, um den 85. Geburtstag ihres Großvaters in Sondershausen feiern zu können. Seit ihrer Einreise lässt die Stasi sie nicht aus den Augen. Schon auf der Autobahn folgen ihr zwei Wagen bis Thüringen, und vor Ort hat die Bezirksverwaltung des MfS bereits Dutzende Ordnungskräfte zusammengerufen, die nun mit gezückten Walkie-Talkies Haus und Grundstück umstellen. »Ich hatte meinen Besuch angekündigt«, erzählt sie, »und eine Stunde vor meiner Ankunft extra noch einmal angerufen, um meinen Eltern die Gelegenheit zu geben, zu verschwinden und mir nicht begegnen zu müssen.« Doch zu ihrer großen Überraschung sind beide da und begrüßen sie herzlich. Noch bevor auch nur ein Wort über die Ereignisse gefallen ist, liegt Versöhnung in der Luft. Auch der Vater nimmt Vera kurz und etwas verlegen in den Arm. Dass rundherum die ehemaligen Kollegen Wache schieben, scheint ihn nicht im Geringsten zu stören. Vergnügt lästert er über die greisen

Herren im Politbüro, die nicht mitbekommen, was in der DDR los ist – Vera traut ihren Ohren nicht. Auch aus seiner Empörung über ihre Verhaftung und Philipps Relegation macht er kein Hehl: »Meine Tochter ist keine Kriminelle!« Nachbar Schultz sitzt mit an der Kaffeetafel und wird die unerhörten Worte des Genossen getreulich an die Stasi weitergeben.

Später, als die Familie wieder unter sich ist, plaudert Franz Lengsfeld aus dem Nähkästchen des Geheimdienstlers: von toten Briefkästen, Geheimtinte und Minikameras in Taschen und Feuerzeugen; wie man unauffällig beschattet und was zu tun ist, wenn man selber verfolgt wird. Plötzlich springt er auf, greift Vera am Handgelenk, seine Augen leuchten vor Vergnügen: »Komm, wir hauen ab. Ich weiß noch, wie das geht! Wir schütteln die einfach ab!« Veras Mann hat Bedenken, und auch ihre Mutter warnt. Franz Lengsfeld ist nicht zu bremsen: Sie solle zum Hinterausgang gehen, erklärt er Vera seinen Plan, und sich dort bereithalten. In der Zwischenzeit würde er vor den Augen der Genossen um das Grundstück herumfahren und direkt vor der Hintertür halten. »Da steigst du schnell in den Kofferraum, und bis die Jungs hinten sind, sind wir schon weg!«

Die Flucht gelingt. Keiner der Bewacher merkt, dass die »Zielperson« das »Objekt« verlassen hat. Als sie außer Sicht sind, klettert Vera auf den Beifahrersitz. Ihrem Vater ist anzusehen, wie viel Spaß ihm das Manöver gemacht hat. Sie ist kurz davor, ihn zu umarmen, zögert aber eine Sekunde zu lang. Die Freude über den gemeinsamen Coup verbindet sie auch so. Franz Lengsfeld dreht eine große Runde durch die Stadt, sie fahren hoch zum Kaiser-Wilhelm-Denkmal auf dem Kyffhäuser und am Waldrand entlang zurück. Als Vera wieder nach hinten in den Kofferraum steigen will, legt er ihr die Hand auf den Arm. »Nein, Mädchen, das machen wir anders.« Er biegt in die kleine Stichstraße ein, die zum Haus seiner Schwiegereltern führt, fährt im Schritttempo an den postierten Stasimännern vorbei, die erschrocken zum Walkie-Talkie greifen, als sie sehen, dass Vera mit im Auto sitzt. Vor dem letzten Posten hält er an, kurbelt die Scheibe herunter. »Sie haben doch sicher Feuer, Genosse.« Der Wachmann zögert, wirft seinen Kollegen einen unsicheren Blick zu. Schließlich holt er ein Feuerzeug aus der Jackentasche und reicht es ins Auto. »Besten Dank!« Franz Lengsfeld nimmt einen tiefen Zug, legt den Gang ein und fährt weiter bis vors Haus. »Die haben wir schön geärgert«, sagt er und legt seiner Tochter beim Reingehen den Arm um die Schultern.

Als Vera sich am nächsten Tag von den Eltern verabschiedet, hat sie Tränen in den Augen. »Mir war gar nicht bewusst, wie sehr mich der Konflikt zwischen uns all die Jahre belastet hatte«, erzählt sie. »Jetzt waren wir wieder eine Familie, ohne dass es großer Worte bedurft hätte. Ich war selbst überrascht, wie dankbar und glücklich mich das machte und wie schwer mir der Abschied fiel.«

Auf Schritt und Tritt gefolgt von der Stasi, trifft sie sich vor dem Rückflug nach England noch mit alten Freunden in Ostberlin. In ihr kämpfen unvereinbare Gedanken und Gefühle: Sehnsucht nach den vertrauten Menschen diesseits der Mauer; der Wunsch, gemeinsam mit ihnen das Land zu verändern; die Erleichterung, es wieder verlassen zu können. »Ich wollte es mir noch nicht so recht eingestehen, aber im Grunde war mir da schon klar, dass ich nicht in mein altes, überwachtes Leben zurückkehren konnte. Die Droge Freiheit hatte mich schon süchtig gemacht.«

*

Ostberlin im Juni 1983. Wieder einmal ist Oberstleutnant Herbrich zu einer »Aussprache« in die Diensträume der Zentrale bestellt worden. Dabei soll geprüft werden, heißt es im Protokoll der Hauptabteilung Kader und Schulung, »ob im Sinne der bisherigen Festlegungen zu Problemen der Kontaktversuche des Sohnes verfahren wurde«. Mit anderen Worten: ob der Vater hart geblieben ist.

Das ist er. Nur mit der Mutter gab es Probleme: Im April, hält der Bericht fest, habe es »einen postalischen Kontakt sowie mehrere Telefongespräche« zwischen Stefan und ihr gegeben. »Genosse Oberstleutnant Herbrich« habe daraufhin mit ihr »und der im Haushalt lebenden Tochter mehrere Auseinandersetzungen und klärende Aussprachen geführt«. Mutter und Schwester hätten »die … verlangte Linie« akzeptiert, »ohne jedoch diese Forderungen nach Abgrenzung echt zu verstehen«. Aus diesem Grund, so der zuständige Kaderoffizier, habe man dem Genossen »nochmals eindeutig klargemacht, dass es persönliche Beziehungen erst nach unserer ausdrücklichen Genehmigung geben kann« und der Termin »von uns in Abhängigkeit vom Entwicklungsstand des Sohnes festgelegt« werde. Dabei sei »die Dauer von mehreren Jahren … aufgezeigt worden«. Oberstleutnant Herbrich habe hierzu »sein volles Verständnis und Einverständnis« erklärt und versprochen, »auf seine Frau und die Tochter in entsprechender Weise« einzuwirken.

In den folgenden Jahren findet sich am Ende jeder dienstlichen Beurteilung des Oberstleutnants die stereotype Wendung: »Die durch die Kaderorgane erteilten Auflagen bezüglich seines Sohnes … werden von ihm und seiner Familie eingehalten.«

Fragt man Stefan Herbrich heute nach jener Zeit, kann er sich an nichts erinnern. Wie es sich anfühlte, von der eigenen Familie verstoßen zu sein? »Nicht schön«, sagt er. Und dann nichts mehr. Ob er darunter gelitten habe? Er zuckt mit den Schultern – »ach, ich weiß nicht«. Und was ist mit den wenigen Begegnungen, von denen die Akten berichten? »Kann sein, dass da was war. Hab ich alles vergessen oder irgendwie weggeschoben. Keine Ahnung.« Die Beerdigung der Oma in Gera? »Ja, stimmt …« Stefan nickt, greift zu Tabak und Blättchen. »Da hat der Alte meine Freundin und mich hinterher im Auto nach Berlin mitgenommen, wo wir damals wohnten. Er hatte wohl irgendwas ›im Haus‹ zu tun. Worüber wir geredet haben, weiß ich nicht mehr.«

Stefans Vater nimmt diese Begegnung zum Anlass, sich an seine Dienstvorgesetzten zu wenden: Er habe den Eindruck, dass bei seinem Sohn eine positive Entwicklung eingetreten sei, und bitte um Prüfung, ob diese es rechtfertige, das Kontaktverbot aufzuheben.

Nein, heißt es einige Wochen später, im Januar 1986: »Die durchgeführten Ermittlungen« hätten »keine Ergebnisse zur positiven Veränderung der politisch-ideologischen Haltung des Sohnes« erbracht. Vielmehr habe Stefan Herbrich »keine Schlussfolgerung aus der Strafverbüßung gezogen«, sei durch seine Freundin fest »in aktive postalische und persönliche« Westkontakte »integriert« und pflege »einen undurchsichtigen, namentlich unbekannten Umgangskreis«. Es sei »ferner zu vermuten, dass der Sohn des Gen. OSL Herbrich Verbindungen zu kirchlichen Kreisen unterhält und Träger pazifistischen Gedankengutes ist«.

Der »Aussprachevermerk« hält auch die Reaktion des Vaters fest: »Gen. OSL Herbrich war von den negativen Ergebnissen der Überprüfungen stark beeindruckt. Es war zu erkennen, dass sie nicht seinen Vorstellungen entsprachen, und er suchte nach Anhaltspunkten, die Ergebnisse abzuschwächen.« Er selbst habe mit der Beibehaltung der »Verhaltenslinie« keine Probleme, rechne aber mit Schwierigkeiten bei seiner Frau, die die Meinung vertrete, man solle dem Sohn »die Strafverbüßung nicht ewig anhängen«. Was diese Haltung für ihn bedeutet, wird Siegfried Herbrich unmissverständlich klargemacht: Ihm sei bewusst, heißt es abschließend, »dass die Nichtklärung des Problems ihn vor die Alternative stellt, Trennung von der Ehefrau bzw. Trennung vom Organ«.

Die Auseinandersetzungen daheim scheint der Oberstleutnant in den Griff bekommen zu haben. In einer Beurteilung vom 30. Juni 1987 heißt es: »OSL Herbrich ist begeisterter Jäger. Auf diesem Gebiet ist er außerhalb des MfS gesellschaftlich als Vorstandsmitglied der örtlichen Jagdgesellschaft … tätig … Verbleibende Freizeit widmet er vor allem seiner Familie sowie dem Ausbau und der Verschönerung seines Wochenendgrundstückes. Die durch die Kaderorgane erteilten Auflagen bezüglich seines

Sohnes Stefan Herbrich werden von ihm und seiner Familie eingehalten.«

Im August 1988 – das Kontaktverbot besteht seit mehr als sechs Jahren – bittet Siegfried Herbrich um ein »persönliches Gespräch« mit seinen Vorgesetzten und klagt: Obwohl ihm nach der Inhaftierung seines Sohnes »weiterhin Vertrauen zugesichert« worden sei, sofern er sich an die Auflagen halte, stagniere seine Karriere seitdem. Posten, die ihm einmal in Aussicht gestellt wurden, seien anderweitig besetzt worden, und seine aktuelle Tätigkeit in der Auswertungs-Abteilung befriedige ihn nicht.

Die Beschwerde wird zu Protokoll genommen. Man verspricht, sein Anliegen zu prüfen. »Im Ergebnis des Gespräches mit dem Genossen Herbrich«, ist auf dem »Ausspracheblatt« festgehalten, »wird unter Berücksichtigung seiner Persönlichkeit vorgeschlagen«, den »Einsatz als Fachlehrer« zu prüfen. Im Übrigen sei ihm »Vertrauen entgegenzubringen, wenn er sich an die getroffene Verhaltenslinie gehalten hat«. Hierzu seien »dem Kaderorgan … keine Verstöße bekannt«.

Der mittlerweile 29-jährige Stefan – nach wie vor »Träger pazifistischen Gedankengutes« – hat in Berlin in der Samariter- und der Zionskirche unterdessen Gleichgesinnte gefunden, die dem System ähnlich kritisch gegenüberstehen wie er. Er geht dort zu Punkkonzerten und auf Fotoausstellungen, die woanders nie stattfinden könnten, engagiert sich im »Arbeitskreis Solidarische Kirche« gegen die Kriminalisierung von Ausreisewilligen und für die Freilassung von politischen Gefangenen. »Gedankliche Frischluft tanken« nennt er das heute.

Dem MfS bleibt all das nicht verborgen: »Genosse Herbrich wurde (auf der Grundlage seiner Nachfrage) vom derzeitigen Erkenntnisstand über seinen Sohn informiert«, beginnt ein »Ausprachebericht« vom 13. Dezember 1988. Man habe ihm mitgeteilt, dass Stefan und dessen Lebensgefährtin »nach wie vor an ihren negativen Grundpositionen« festhielten und »aktiv mit der Kirche liiert« seien, was den Genossen jedoch nicht überrascht habe: »Sein Sohn wäre vor ca. 6 Wochen unangemeldet bei ihm zu Hause aufgetaucht – mit Enkel. Es hat eine Unterhaltung gegeben, und somit konnte Genosse Herbrich den Standpunkt seines Sohnes selber erfahren.« Er habe ihn nicht wegschicken wollen, »da er annahm, dass er seine Einstellung verändert hat«. Das sei jedoch nicht der Fall gewesen.

Ein- oder zweimal im Jahr tauche Stefan »unangemeldet« bei ihnen zu Hause auf. Sie selbst würden ihn jedoch nicht in Berlin besuchen. Lediglich die »beiden Enkel würden zum Geburtstag Geschenke erhalten – weitere Kontakte existieren nicht«.

Im April 1989 spricht Siegfried Herbrich gegenüber seinen Vorgesetzten ein weiteres Mal »die Stationen seiner Entwicklung im MfS« an – die »Problematik seines Sohnes« verhagelt dem 54-Jährigen noch immer die Karriere. Nach dem Mauerfall wird er es Stefan zum Vorwurf machen.

»Genosse Herbrich«, vermerkt das Protokoll, habe im Gespräch hervorgehoben, »dass der derzeitige Wohnsitz seines Sohnes in Berlin ihn vorrangig dazu bewogen habe, selbst keinen Umzug nach Berlin zu vollziehen«. Bezüglich der »Gesamtproblematik« sei er von Seiten des MfS »wie folgt orientiert« worden: Das »Problem« stehe »seinem persönlichen Einsatz nicht entgegen«, sofern er weiter »nach der generellen Verhaltensorientierung« verfahre. Da »sich keine wesentlichen Änderungen im politischen Denken und Verhalten seines Sohnes« abzeichneten, sollte »ein weiterer Ausbau« der Kontakte »nicht erfolgen«. »Gelegentliche Kurzbesuche« des Sohnes seien »akzeptabel«. Sie sollten aber »zur Informationsmitbeschaffung« und »politisch-positiven Einflussnahme genutzt werden«.

Berlin, 15. September 1989: »Beurteilung des Genossen Oberstleutnant Herbrich, Siegfried … Bei der Erfüllung seiner fachlichen Arbeitsaufgaben entwickelt OSL Herbrich Initiative und Ehrgeiz. Seiner übertragenen Verantwortung wird er mit Übersicht und Umsicht gerecht … Die im Zusammenhang mit der inneren Sicherheit des MfS durch das Kaderorgan … präzisierten Auflagen bezüglich des Sohnes … werden von ihm und seiner Familie eingehalten.«

Funktionieren

In der Magdalenenstraße, gleich neben der Zentrale in Berlin-Lichtenberg, liegt das zweite große Untersuchungsgefängnis der Staatssicherheit, intern UHA II genannt. Anders als das Gefängnis in Hohenschönhausen, von dessen Existenz in der Regel nicht einmal die dort Inhaftierten wissen, ist dieses Gebäude stadtbekannt: Wer die Erlaubnis bekommt, einen Freund oder Angehörigen während dessen U-Haft zu besuchen, muss dafür in »die Magdalene«. Auch Anwaltstermine, die sogenannten Sprecher, finden meist dort statt. Und frisch Verhaftete landen hier zur »Klärung eines Sachverhalts«. Danach warten sie im Zellentrakt oft wochen- oder monatelang, bis man sie dem Haftrichter vorführt oder nach Hohenschönhausen »überstellt«. Die Liedermacherin Bettina Wegner, der Musiker Christian Kunert und etliche andere bekannte Künstler und Oppositionelle werden hier vernommen. Für viele Menschen in der DDR ist die Magdalenenstraße daher Synonym für politische Verfolgung. Für Silke Ziegler ist sie die Adresse ihrer Kindheit.

Sie ist elf, als sie 1972 mit Eltern, Großmutter und ihrer zwei Jahre jüngeren Schwester Petra von hier in die benachbarte Frankfurter Allee zieht – in die »Stasi-Platte«, sagt sie heute. Nicht anders als in der Magdalenenstraße wohnen auch in dem dort neu entstehenden Viertel viele Mitarbeiter des MfS. Der gewaltige Komplex der Zentrale liegt direkt gegenüber.

Silkes Eltern arbeiten beide für die Staatssicherheit: Mutter Doris als Sekretärin in der Verwaltung, Vater Harald ist Referatsleiter in der Hauptabteilung I, die für die »Abwehrarbeit« bei der NVA und den Grenztruppen zuständig ist.

»Mama und Papa haben gewartet, bis sie Angst haben mussten, dass wir fragen, dann haben sie es uns gesagt«, erzählt Silke. Zwölf und vierzehn sind die Schwestern da und gerade mit dem Vater unterwegs zum Badesee. »Da hat er uns beiseitegenommen und uns den Unterschied zwischen Polizei und Stasi erklärt. Ich weiß noch, dass ich es aufregend fand und auch ein bisschen stolz war, dass die beiden so eine wichtige Aufgabe hatten.« Es ist das einzige Mal, dass Harald Ziegler mit seinen Kindern über die Arbeit spricht. Anschließend verdonnert er sie zum Schweigen: »Draußen« sollen sie weiterhin sagen, dass ihre Mutter und er beim Ministerium des Innern beschäftigt seien. »Die einzige verordnete Lüge, an die ich mich erinnern kann«, sagt Silke.

Ansonsten nämlich gibt es bei den Zieglers nichts zu verheimlichen: »Dieses Zu-Hause-etwas-anderes-sagen-als-draußen – das gab's bei uns nicht. Um den Lehrern zu gefallen, musste ich in der Schule nur das sagen, was ich zu Hause sowieso ständig zu hören bekam. Die Parteilinie ging über alles. Sie wurde bei uns nicht nur gepredigt, sondern gelebt. Da kam keine Luft ran.«

Zu den Feiertagen hängen Fahnen aus den Wohnungsfenstern, an den Aufmärschen teilzunehmen ist selbstverständlich. »Die Partei hat immer recht« – vor allem ihre Mutter habe dieses Dogma vor sich hergetragen, erzählt Silke. In Bezug auf die SED sei sie geradezu »gottesfürchtig« gewesen. »Und von ihren Töchtern erwartete sie das Gleiche.« Die Mädchen müssen lernen, »vom Klassenstandpunkt aus zu diskutieren«. Im MfS-Kindergarten bastelt Silke hingebungsvoll Fähnchen für den Republikgeburtstag. »Und dass im Kapitalismus der Mensch durch den Menschen ausgebeutet wird, war für uns vollkommen klar. Warum auch nicht? So war das eben.«

Schon als kleines Mädchen ist es ihr ein Anliegen, vermeintlich Abtrünnige zu bekehren. Eine abfällige Bemerkung über den Pionierleiter, ein Stöhnen über das nachmittägliche Altpapiersammeln – jeder, der auch nur den Anschein erweckt, von der vorgegebenen Linie abzuweichen, muss überzeugt werden, dass er falsch liegt. Vor allem Kinder, die in die Kirche gehen, werden von Silke bearbeitet. Schwarz und Weiß, alles sonnenklar. »Ich war voll eingenordet«, sagt sie.

Den Eltern kann sie es trotzdem kaum recht machen. In ihrer Erinnerung sehe sie die Mutter nur schimpfend und meckernd vor sich, erzählt sie. »Es herrschte eigentlich immer ein gereizter Ton. Ich hatte sehr viel Angst.«

Der harte Griff am Handgelenk, das Rumgerissenwerden, »sieh mich an, wenn ich mit dir rede!«, der helle, brennende Schmerz nach einer Ohrfeige – Silke weiß bis heute, wie es sich anfühlte, Kind zu sein. Noch mit achtzehn habe sie sich geduckt, wenn ihre Mutter die Hand hob. Zärtlichkeiten aber hätten sie und ihre Schwester gar nicht gekannt. »Keine Umarmung, kein Streicheln. Nicht einmal einen Gute-Nacht-Kuss.« Silke ist 22, als der Vater ihr zum ersten Mal kurz tröstend den Arm um die Schulter legt, weil sie durch eine wichtige Prüfung gefallen ist.

Zu Schulzeiten kann sie von einer solchen Geste nur träumen. Silke ist Klassenbeste, die Dinge fallen ihr einfach zu. Und wenn sie sich anstrengt, werden sie sogar noch ein bisschen besser. Sie ist im Gruppenrat der Pioniere, später wird sie zur FDJ-Sekretärin gewählt. Das Gefühl, nicht gut genug zu sein, ist trotzdem ihr steter Begleiter.

»Schreib das noch mal, aber diesmal ordentlich«, sagt der Vater oft, wenn er ihr bei den Hausaufgaben über die Schulter sieht. Am wichtigsten sind ihm Heimat- und Staatsbürgerkunde. Die Grundgedanken marxistischer Philosophie, die wahren Hintergründe des Aufstands vom 17. Juni 1953, die »Waffenbrüderschaft« mit der Sowjetunion – es muss alles sitzen. Silke gibt sich viel Mühe, zieht auf jeder Heftseite mit dem Lineal Ränder für die Korrekturen, immer exakt fünf Zentimeter, so, wie es sein muss. Die Anerkennung des Vaters bedeutet ihr viel. »Als Kind war er für mich der Größte«, sagt sie. Sie ist schon froh, wenn er mal nichts auszusetzen hat. Lob bekommt sie nie zu hören. Auch nicht bei sehr guten Noten: »Von mir hättest du dafür keine Eins bekommen«, sagt Harald Ziegler gern. Viele Jahre später wird seine Tochter zu ihrem Kind dasselbe sagen.

Jeden Morgen verstauen Silke und Petra als Erstes ihre Decken und Kissen, damit man die Betten tagsüber als Couch nutzen kann: Ihr Kinderzimmer ist zugleich das Esszimmer – ein Durchgangsraum mit mächtiger Schrankwand. Für Spielzeug und Bilder ist kaum Platz, die Schulaufgaben machen die Schwestern am Esstisch. »War halt so«, sagt Silke. Und wehe, die Tagesdecken liegen nicht Kante auf Kante.

Den Haushalt führt die Großmutter. »Omi« sagen sie zu ihr, aber eigentlich hat sie nichts gemein mit den gütigen Omis, die Silke und Petra aus dem Fernsehen kennen. »Sie hatte selbst Angst vor unseren Eltern. Sogar vor ihrer eigenen Tochter«, erinnert sich Silke. »Darum war sie immer besonders darauf bedacht, dass wir auch ja alle Regeln einhielten. Und davon gab es viele!« Nach der Schule umziehen und die Sachen gefaltet zusammenlegen, im Wohnzimmer nichts essen und Hände weg von der Vitrine. Die Schuhe in den Schrank stellen, höflich fragen, wenn man noch einen Keks essen möchte, und abends nach acht keinen Mucks mehr. Nichts, wofür es keine Regel gibt.

»Wir standen ständig unter Beobachtung«, sagt Silke. »Sogar draußen vor der Tür.« Auf dem Spielplatz mit der kleinen Grünfläche hinter dem Hochhausblock müssen sie immer in Sichtweite des Küchenfensters bleiben. Silke ist dreizehn, als sie es wagt, dagegen zu verstoßen. Sie denkt in dem Moment gar nicht daran, will sich nur kurz auf die Bank setzen. Mit Hans, der in ihre Klasse geht und in den sie verliebt ist. Ein bisschen Händchen halten, der erste Kuss – »Oh, das gab Ärger!«

Ihrer Schwester Petra fällt es leicht, die Eltern anzulügen, und sie tut es oft. »Die müssen nicht alles wissen«, sagt sie manchmal mit einem Achselzucken. Silke beneidet sie um diese Haltung. Sie selbst würde nie wissentlich eine Regel verletzen. Den Eltern etwas zu verschweigen kommt ihr vor wie ein Verbrechen – Petra klaut sogar Geleebananen in der Kaufhalle.

Jeden Tag, pünktlich um 17.40 Uhr, kommt Doris Ziegler nach Hause. Als Erstes kontrolliert sie die Hausaufgaben. Punkt 18.45 Uhr gibt es Abendbrot. Um 18.30 Uhr müssen die Mädchen nach oben kommen – es sei denn, das Küchenfenster wird schon vorher geöffnet und das ärgerliche Gesicht der Mutter taucht darin auf. »Dann wusste ich: Es ist wieder irgendwas. Irgendeine Kleinigkeit. Ein Klecks im Heft, ein Riss in der Schulhose. Da konnte ich gleich unten noch anfangen zu flennen«, erzählt Silke. Jeden Tag nimmt sie sich vor, artig zu sein, alles richtig zu machen. Sie weiß, dass sie die Strafen verdient, die Ermahnungen, das viele Schimpfen. Es ist alles ihr Fehler. Wenn sie sich nur ein klein wenig mehr anstrengen könnte, wäre alles gut. Aber sie schafft es ja nicht einmal, pünktlich zu sein. Und das ist zu Hause schließlich das oberste Gebot. »Das Mindeste«, sagt die Mutter, »eine Selbstverständlichkeit unter zivilisierten Menschen« der Vater.

Auch Silkes Hang zum Träumen und Trödeln, wie die Eltern es nennen, ist immer wieder Anlass für Standpauken. Während eines Urlaubs im Harz wollen sie ihr diese Unart endgültig austreiben: Wie schon so oft hatte Silke, ohne es zu merken, bei einem Spaziergang den Anschluss verloren. Erst hatte sie lange ein Eichhörnchen beobachtet, bis es im Tannengrün verschwunden war. Dann hatte ein riesiger Ameisenhaufen ihre Neugierde geweckt. Als sie wieder aufsah, war niemand mehr zu sehen. Mutter, Vater, Schwester – verschwunden.

Silke ruft nach ihnen. Läuft den Waldweg entlang, erst in die eine, dann in die andere Richtung. Ihr Herz klopft und klopft. Es wird schon dämmrig. Sie hat keine Ahnung, wie sie zum Ferienhaus zurückfinden soll. Sie dreht sich, ruft in alle Richtungen – nichts. Weinend läuft sie ein paar Schritte. So weit können Mama und Papa doch noch nicht sein! An einer Gabelung bleibt sie stehen. Aus dem Schreck ist mittlerweile Angst geworden. Sie weint, ruft. Plötzlich tauchen die Eltern aus dem Wald auf. »Na, Fräulein? Ja, heul ruhig. Das hast du dir alles selbst zuzuschreiben.« Wie lange Vater und Mutter sie schmoren ließen, bevor sie aus dem Unterholz auftauchten, kann Silke heute nicht mehr sagen. »Die Angst, nicht mehr nach Hause zu finden, werde ich aber mein Leben lang nicht vergessen.«

Dass mit ihr irgendetwas nicht stimme, sei ihr immer wie das

Selbstverständlichste der Welt erschienen, erzählt sie. Genau wie das schlechte Gewissen, den Erwartungen der Eltern nicht gerecht zu werden. Petra scheint das alles viel weniger auszumachen. Silke beneidet sie insgeheim, spricht sie aber nie darauf an. »Wir wussten wenig voneinander. Im Grunde mochten wir uns nicht«, sagt sie. Petra spielt Gitarre und singt im Chor. Das würde Silke auch gern. Sehr gern sogar. Sie hatte immer schon Spaß am Singen. Bei den Pionierliedern bekommt sie jedes Mal eine Gänsehaut. »Was willst du mit deiner Brummelstimme denn im Chor?«, fragt die Mutter. »Petra ist die Musikalische von euch beiden. Du kannst ja Sport machen.« Also geht Silke zum Turnen. »War halt so«, sagt sie. Sie trainiert viel und gehört schon bald zu den Besten. Dass sie nicht die Beste ist, wurmt sie. Silber ist eben kein Gold.

Am schlimmsten aber ist es, nirgendwo richtig dazuzugehören. Ob im Verein oder in der Schule – unter Gleichaltrigen fühlt sie sich meist außen vor. »Na ja, kein Wunder«, sagt die heute 50-Jährige. »Ich hatte immer nur Einsen und Zweien, keine Westklamotten, keine Ahnung von Musik, und bei den Sendungen, die im Westfernsehen liefen, konnte ich auch nicht mitreden.« Ihren Kummer versteckt sie hinter einer großen Klappe. Sich jemandem anzuvertrauen kommt für sie nicht infrage. Zu Hause erst recht nicht: »Ich kann mich nicht erinnern, dass uns die Eltern jemals getröstet hätten. Heulen gab's bei uns nicht – das galt als Anstellerei. Entweder hatte man keinen Grund dazu oder man war selbst daran schuld.«

Über Ärger in der Schule brauchen sich die Schwestern zu Hause schon gar nicht zu beklagen: Die Lehrer werden ihre Gründe haben, lautet die Standardantwort von Doris und Harald Ziegler. Erwachsene sind grundsätzlich im Recht, und für Lehrer gilt diese Regel doppelt. »Wir sollten einfach funktionieren und in der Spur sein«, sagt Silke. »Ich glaube nicht, dass Mama und Papa sehr viel mehr über uns nachgedacht haben.«

Nur während der Ferien sind die Eltern etwas weniger streng, und auch sie selbst wirken entspannter. Mindestens zweimal im

Jahr macht die Familie Urlaub in einem der vielen »Erholungsobjekte« des MfS. Mal in den Bergen, mal am Meer. Dass das Luxus ist und für die Mehrheit der DDR-Bürger unerreichbar, wird Silke erst bewusst, als sie 1976 auf eine Schule in Prenzlauer Berg kommt. »Ein wirklich krasser Bruch«, sagt sie.

Nicht nur das Viertel, auch die Erweiterte Oberschule ist eine völlig andere Welt als die, in der sich Silke die ersten fünfzehn Jahre ihres Lebens bewegt hat. Ihre neuen Mitschüler hört sie ganz unverhohlen Kritik üben – und Fragen stellen, auf die sie nicht einmal gekommen wäre. Einige der Lehrer gehen sogar darauf ein und diskutieren mit. Und in den Pausen wird kräftig über das Kollegium gelästert: über die schrille Stimme von Frau Dr. Hensel, die idiotischen Aufgaben in der letzten Russischklausur, über Herrn Winkler und seinen todlangweiligen Staatsbürgerkundeunterricht. Silke kann es nicht fassen. Manche bezeichnen gleich das ganze Schulsystem als ungerecht, weil nur eine Minderheit Abitur machen kann. Silke hört zu und staunt. Sie gehören doch selbst zu dieser Minderheit – irgendeinen Grund wird es dafür doch wohl geben.

In ihrer Klasse war außer ihr nur noch ein Junge für den höheren Abschluss zugelassen worden. Auch Silkes Freundin Claudia, immerhin Zweitbeste, hatte vergeblich gehofft, auf die EOS gehen zu dürfen. Silke muss sich eingestehen, dass sie sich über all das noch nie Gedanken gemacht hat.

Auch die Sache mit den Wahlen gibt ihr zu denken: Eine Mitschülerin hat gesagt, es könne dabei nicht mit rechten Dingen zugehen. In einem Dorf in Mecklenburg seien die Einwohner beim letzten Mal geschlossen nicht wählen gegangen, und am Ende wurden doch wieder 99,8 Prozent Stimmen für die SED verkündet. Als Silke davon zu Hause erzählt, erntet sie strenge Rückfragen: »Wer hat das gesagt?«, will die Mutter wissen. »Das sind doch Propagandalügen! Wohnt sie denn selbst in dem Dorf?« Silke ist unbehaglich zumute. Sie hätte das Ganze gar nicht erst ansprechen sollen. »Nein«, sagt sie leise. »Aber ihre Tante.« – »Na, da haben wir's doch schon! Wer weiß, welchen

Umgang diese Frau hat. Ist sie denn Genossin? – »Das weiß ich nicht.« Auch der Vater schaltet sich ein: »Glaubst du das etwa?« Silke guckt auf die Tischkante, zuckt mit den Schultern. »Überleg doch mal: Warum sollte an solch fragwürdigen Gerüchten mehr dran sein als an den Aussagen unserer Staats- und Parteiführung?«

Silke weiß nichts mehr zu erwidern. Aber was soll sie damit anfangen, dass plötzlich überall Fragen auftauchen, die sich mit ihrem bisherigen Weltbild nicht beantworten lassen? Was die Eltern sagen, leuchtet ihr ein. Sie weiß das alles ja tatsächlich nicht aus eigener Anschauung. »Außerdem ging es mir gut«, sagt sie heute. »Ich habe mich nicht eingeengt oder ungerecht behandelt gefühlt. Sollte ich mich gegen Mama und Papa stellen, wo ich doch selbst gar nicht sagen konnte, ob es stimmte, was die anderen sagten?«

Der Zwiespalt quält sie. Alles scheint plötzlich fraglich – sie selbst, ihr Engagement in der FDJ, das Leben, vielleicht sogar das ganze System. Wieso mache ich das eigentlich alles?, fragt sie sich einige Wochen lang. Es geht ihr nicht gut damit, die Fragen tun weh, und Antworten findet sie nicht. Um nicht zu versinken, beschließt sie eines Nachts, sich selbst wieder auf Kurs zu bringen und ab sofort nur noch nach vorn zu sehen. Ein klarer Schnitt. »Danach war ich wieder auf der 150-Prozent-Schiene und bin auch da geblieben. Naja, vielleicht bei 125 Prozent.«

Kurz vor dem Abitur bittet Silke ihren Vater, sich »im Haus« umzuhören, welche Möglichkeiten es für sie dort gäbe. Bei der Stasi zu arbeiten stellt sie sich aufregend vor. Sie sieht sich selbst schon als »Kundschafterin« im Ausland. Doch der Vater kommt mit enttäuschendem Befund: »Außer Schreibkraft ist nicht viel drin.« Als Frau Karriere beim MfS zu machen sei nahezu unmöglich.

Der Job einer Sekretärin kommt für Silke nicht infrage. Für sie steht schon lange fest, dass sie einen echten Männerberuf ergreifen will. Sie wäre ohnehin lieber ein Junge gewesen, hat sich deswegen schon als Teenager angewöhnt, immer ein bisschen breitbeinig zu laufen – »Seemannsgang« nennen es ihre Klassenkameraden.

Ein Freund bringt sie auf die Idee, es mit Architektur zu versuchen. Er ist selbst gerade im ersten Semester – und restlos begeistert. Hier sei man im wahrsten Sinne des Wortes am Aufbau des Sozialismus beteiligt, schwärmt er. Die Wohnungsnot zu beseitigen sei ein so ehrgeiziges Ziel, dass dafür jeder kluge Kopf gebraucht werde. Und ja: selbstverständlich auch Frauen. Vor allem solche wie sie. Silke ist Feuer und Flamme.

Seit das Zentralkomitee der SED im Oktober 1973 das Wohnungsbauprogramm verabschiedet hat, entstehen im ganzen Land moderne Hochhaussiedlungen mitsamt der dazugehörigen Infrastruktur wie Kindergärten, Arztpraxen, Schulen und Kaufhallen. Bis 1990 soll es drei Millionen neue Wohnungen geben. Doch trotz des großen Fachkräftebedarfs ist ein Studienplatz in Architektur keine Selbstverständlichkeit. »Als klar war, dass das mein Traumberuf ist, haben meine Eltern die Sache in die Hand genommen«, erzählt Silke. »Damals habe ich mir nichts dabei gedacht. Erst später wurde mir bewusst, dass ich das Studium im Grunde ihnen und ihren Beziehungen verdanke.« Im Sommer 1981 zieht die Zwanzigjährige nach Weimar und wird Studentin der renommierten Hochschule für Architektur und Bauwesen.

Wie überall ist auch dort »ML« – Marxismus-Leninismus – fester Bestandteil des Studiums. Noch bevor die eigentlichen Lehrveranstaltungen beginnen, stehen politische Kolloquien, Seminare und Vorlesungen auf dem Programm. »Rote Woche« nennen die Studenten diesen Einstieg. ML-Veranstaltungen bleiben aber bis zum Abschluss Pflicht. Die dazugehörigen Themen gehören in jede Diplomarbeit und werden entsprechend bewertet. Silke muss sich bei alledem nicht verstellen. Was die ML-Dozenten von ihr hören und lesen wollen, ist ihr von zu Hause vertraut – und entspricht ohnehin ihrer Überzeugung. Sich in der FDJ zu engagieren ist ihr auch hier an der Hochschule selbstverständlich.

Alles scheint klar und übersichtlich – bis zu jenen Vorlesungen in Politischer Ökonomie, in denen sie zum ersten Mal von den Widersprüchen des sozialistischen Wirtschaftssystems erfährt. Wie damals auf der EOS traut sie ihren Ohren nicht: Da stehen angesehene Forscher – allesamt Parteimitglieder und fern jeden Verdachts, zum Klassenfeind zu gehören – und erklären mehr oder weniger verklausuliert, dass das alles so nicht funktionieren könne.

Manche Dozenten werden abends nach ein paar Gläsern Wein sogar noch deutlicher: Die Wirtschaft der DDR sei marode und im Grunde nicht mehr zu retten. Wenn nicht bald etwas geschehe, ginge dieser Staat mit all seinen Errungenschaften den Bach runter. »Diesen Leuten musste ich zuhören«, sagt Silke. »Die standen schließlich genauso hinter dem Sozialismus wie ich.«

Anders als früher gelingt es ihr nicht mehr, das, was sie da hört, als Lügen abzutun. Sie ahnt, dass die Analysen durchaus Substanz haben, und an vielen Stellen sieht sie selbst, dass es so nicht weitergehen kann. Deswegen aber gleich das ganze System in Zweifel zu ziehen käme ihr nicht in den Sinn. Wenn etwas falsch läuft, sind das die Fehler von Einzelnen. Und »das da drüben« könne doch schließlich auch keine Lösung sein. »Ich war mir sicher, dass es eine Erklärung gibt, die ich bloß noch nicht kenne«, erzählt Silke. »Ich dachte, ich müsse nur besser Bescheid wissen, dann könnte ich das alles widerlegen.«

1987 feiert Berlin seinen 750. Geburtstag. Beide Teile der Stadt überbieten sich dabei mit aufwändigen Feierlichkeiten. Im Osten finden vom ersten bis zum letzten Tag des Jahres mehr als 2000 Veranstaltungen und über 300 Ausstellungen statt. Das Renommierprojekt ist der Wiederaufbau des Nikolaiviertels, das noch ein paar Jahre zuvor größtenteils Brachland war: Nach der Zerstörung durch den Krieg war es in Vergessenheit geraten. Erst angesichts des nahenden Jubiläums erinnerte sich die Staats- und Parteiführung daran, dass dort die Wurzeln Berlins liegen, und ließ das einstige Zentrum wiederauferstehen. »Nach historischen Vorlagen«,[70] wie es hieß, aber mit den modernen Mitteln der Plattenbauweise war zwischen dem Roten Rathaus und dem Marx-Engels-Forum innerhalb kürzester Zeit eine neue Altstadt entstanden.

Als die wiederaufgebaute Nikolaikirche am 14. Mai 1987 mit einem Staatsakt »zur Freude der Bürger«[71] eröffnet wird, verfolgt auch Silke Ziegler das Ereignis mit Stolz: Gleich nach ihrem Diplom hatte sich für sie die Möglichkeit ergeben, an diesem historischen Städtebauprojekt mitzuarbeiten – wenn auch in untergeordneter Position. Es ist dennoch ein großartiges Gefühl, dabei gewesen zu sein: Hier sieht man doch, was der Sozialismus kann, findet die 26-Jährige. Westberlin jedenfalls ist nichts Vergleichbares gelungen.

Im Herbst merkt Silke, dass sie schwanger ist. Der Vater des Kindes, das sie eigentlich noch gar nicht haben will, ist ein aufstrebender Stasioffizier. Vor der Hochzeit weint sie sich heimlich die Augen aus. Mit diesem Mann den Rest ihres Lebens zu verbringen, kann sie sich eigentlich nicht vorstellen. Selbst schuld, sagt sie sich. Das hast du dir nun eingebrockt. Also reiß dich am Riemen. Im Juni 1988 kommt die kleine Marie zur Welt. »Das Leben war in seiner Bahn«, sagt Silke. »Ich dachte, so geht es jetzt immer weiter.«

Die junge Familie zieht in eine Zweiraumwohnung im Gleimviertel, einem Kiez in Prenzlauer Berg. Die gesamte Gegend ist Sperrgebiet und darf nur mit entsprechendem Ausweis betreten werden: Die Mauer verläuft mitten hindurch. Wer hier in unmittelbarer Nähe zur Grenze wohnen darf, muss systemtreu und verlässlich sein. Silkes neue Nachbarn sind fast ausnahmslos »Angehörige der bewaffneten Organe«. Außer von ihren Eltern, die Dauerpassierscheine besitzen, können sie und ihr Mann keinen spontanen Besuch bekommen: Eine Genehmigung zum Betreten des Grenzgebiets muss schriftlich beantragt werden und dauert mindestens vier Wochen.

Die Ruppiner Straße läuft geradewegs auf die Grenze zu. Von

ihrer Wohnung aus kann Silke jenseits der Mauer Leute in Kneipen gehen und einkaufen sehen. Sogar die Auslagen in den Schaufenstern sind gut zu erkennen. »Das ist doch krank«, denkt sie jeden Tag, wenn sie morgens mit dem Kaffeebecher am Küchenfenster steht und zusieht, wie auf der anderen Seite der Grenze der neue Tag beginnt – genau wie hier, aber unerreichbar weit weg. »Ich fand es schrecklich und eigentlich auch nicht hinnehmbar«, sagt sie. »Aber ich habe den historischen Gegebenheiten die Schuld dafür gegeben – so wie ich es eben immer von unserer Parteiführung gehört hatte.«

Ganz in der Nähe, außerhalb des Sperrgebiets, liegt die Gethsemanekirche. Dort finden nun schon seit Wochen Andachten statt »für die zu Unrecht Verhafteten« der Rosa-Luxemburg-und-Karl-Liebknecht-Demonstration am 17. Januar 1988. Silke hat davon gehört. Inzwischen soll sich die Kirche zu einem zentralen Treffpunkt der oppositionellen Friedensbewegung entwickelt haben. Wenn sie mit dem Kinderwagen im Viertel spazieren geht, macht Silke immer einen großen Bogen um den Backsteinbau an der Stargarder Straße. Was da vor sich geht, ist ihr unheimlich.

Dabei ist sie mittlerweile selbst der Meinung, dass es so nicht weitergehen kann mit der DDR, verbietet sich aber, den Gedanken zu Ende zu denken. Soll ich etwa Dissident werden?, fragt sie sich. Undenkbar, das einmal als wahr Akzeptierte über Bord zu werfen. Der Staat muss geschützt, was ihn gefährdet, im Keim erstickt werden. Heute, über zwanzig Jahre später, sieht Silke Ziegler das alles sehr kritisch. »Aber damals«, sagt sie, »wäre ich niemals diejenige gewesen, die gefordert hätte, die Gesetze zu ändern.«

Die Massenfluchten im Sommer 1989 beunruhigen sie, obwohl sie die Menschen verstehen kann. Die fehlende Reisefreiheit ist ja tatsächlich nur schwer zu erklären. Und wenn sie – aus sicherer Entfernung – sieht, wie Abend für Abend Hunderte in die überfüllte Gethsemanekirche drängen, bekommt sie es mit der Angst zu tun: Ist das nun doch das Ende?

Als im November schließlich die Mauer fällt, steht Silke erst unter Schock. Doch schon ein paar Wochen später ertappt sie sich dabei, die neue Zeit zu genießen. Merkt plötzlich, wie wenig sie bisher sie selbst sein konnte und wie satt sie es hat zu funktionieren. Was sie bisher nicht weiterdenken wollte, löst sich nun in Wohlgefallen auf. Es ist herrlich, nach der Arbeit nicht mehr in endlosen Parteiversammlungen zu sitzen. Ein Luxus, sich für nichts mehr rechtfertigen zu müssen. Am 19. März 1990 reicht Silke die Scheidung ein. Es ist der Tag nach den ersten freien Wahlen.

Für Silkes Eltern hingegen ist die »Wende« eine Katastrophe: Mit der DDR ist nicht nur ihr Lebenswerk zusammengebrochen, sondern auch ihr Ansehen. Eben noch in guten Positionen, stehen sie nun am Rande der Gesellschaft. Bis zum Rentenalter ist es noch lange hin: Harald Ziegler ist erst 53, seine Frau fünfzig Jahre alt. Doch mit dem Stigma Stasi ist die Jobsuche für beide ein Spießrutenlaufen. Manchmal fühlt Silke sich schuldig, weil es ihr selbst so gut geht. Sie arbeitet als Zeichnerin in einem großen Architekturbüro. Die wiedervereinigte Stadt wird gerade zu einer Riesenbaustelle – in den nächsten Jahren wird es für Architekten mit Sicherheit genug zu tun geben. Dass der Sozialismus in der DDR gescheitert ist, bedauert sie noch immer – eine gerechte Gesellschaftsordnung bleibt ihr Ideal. Aber auch mit dem Kapitalismus lässt sich leben, findet sie: »Er ist zwar nicht der Himmel auf Erden, aber er funktioniert.«

Exkurs: Nichts ist privat – Liebe und Partnerschaft beim MfS

Fünf Jahre lang war Kurt Strasser ein vorbildlicher Genosse. Als Wachmann in der MfS-Bezirksverwaltung Leipzig zeigte er, wie seine Akte lobend vermerkt, eine »geradlinige politische Entwicklung«, erfüllte »alle dienstlichen und gesellschaftlichen Aufgaben widerspruchslos und mit der notwendigen Einsatzbereitschaft«, er zeichnete sich durch »konsequentes parteiliches Auftreten« aus. Dann wird der 23-Jährige plötzlich aufsässig, beschwert sich über den durchgehenden Schichtdienst und bittet um seine Entpflichtung. Zwar zieht er das Gesuch nach eingehender Bearbeitung durch seine Vorgesetzten wieder zurück, gerät kurz darauf jedoch erneut ins Visier der Disziplinaroffiziere, weil er seinem Dienstherrn die neue Freundin verschwiegen hat. Und nicht genug damit: Wie die »bekannt gewordenen Fakten aus den Ermittlungen« ergeben, haben die Dame und ihre Eltern »verwandtschaftliche Verbindungen nach der BRD« – die Abteilung M, die Postkontrolle, hat sie bereits erfasst. Zweimal im Jahr, zu den Leipziger Frühjahrs- und Herbstmessen, sind die Westverwandten sogar bei der Familie zu Besuch. Für das MfS macht all das »die Forderung eines sofortigen Abbruchs der Verbindung unumgänglich«.

Feldwebel Strasser hätte es wissen können und weiß es vermutlich auch: Wer sich für den hauptamtlichen Dienst verpflichtet hat, kann sich nicht einfach die Partnerin aussuchen, die ihm gerade passt. Sie könnte ja »politisch negativ« eingestellt sein, »starke religiöse Bindungen« oder sogar Kontakte ins NSW, das »nicht sozialistische Wirtschaftsgebiet«, haben. Im Interesse der »inneren Sicherheit« werden die Lebenspartner darum ebenso gründlich überprüft und beobachtet wie die Angestellten selbst.

214

Finden sich dabei »kaderpolitisch ungünstige Momente«, sind die Vorgesetzten ausdrücklich angewiesen, »unmittelbar Einfluss auf die Lösung der Partnerbeziehungen zu nehmen«.[72] Beim Schlussmachen selbst ist den Mitarbeitern dann der »helfende Einfluss des Dienstvorgesetzten« sicher, der für »eine ausreichende Legendierung bzw. angemessene Begründung gegenüber der Partnerin und ihren Familienangehörigen« sorgt – schon allein, um die »vertrauensvollen … Beziehungen der Bürger zum sozialistischen Staat« nicht zu gefährden.

Vor allem »junge Angehörige« des MfS, warnt die Hauptabteilung Kader und Schulung, die HA KuSch, in einem internen Papier, verhielten sich bei der Partnerwahl oft »leichtfertig bzw. gar bedenkenlos« und entschlössen sich »zu festen Bindungen an ungenügend bekannte oder teilweise auch zweifelhafte Personen, ohne … die erforderlichen Überprüfungen abgewartet zu haben«. Hier sei daher die »helfende Einflussnahme« der Vorgesetzten gefragt, schlummerten doch gerade in diesem Bereich »große Möglichkeiten für die individuelle Erziehung der jungen Genossen«.[73]

Oft reicht die Androhung der Entlassung, bei Kurt Strasser aber zieht sie nicht: In einer Stellungnahme erklärt er seinen »unumstößlichen Entschluss«, seine Freundin zu heiraten und »alle sich daraus ergebenden Konsequenzen« auf sich zu nehmen – auch den Ausschluss aus den Reihen des MfS. »Es muss eingeschätzt werden«, resümiert der Oberst, der den unerhörten Fall bearbeitet, »dass Genosse Feldwebel Strasser den Weg des geringsten Widerstandes beschreitet und sich bewusst von seiner abgegebenen Verpflichtung … lossagt«. Er habe frühzeitig »über die umfangreichen Westverbindungen seiner Freundin und deren Eltern« Bescheid gewusst, aber »trotz dieser Tatsache … keine persönlichen Schlussfolgerungen« gezogen. Stattdessen »festigte er das Verhältnis so weit, dass die M. überwiegend bei ihm im Komplex der Dienstwohnungen des MfS … mit wohnhaft ist«. Der Genosse sei daher »als Unsicherheitsfaktor wegen Nichteignung zu entlassen«.

Mit der Entspannungspolitik und der zaghaften Westöffnung der DDR in den Siebzigerjahren wird es für die Stasi immer schwerer, die hohen Anforderungen an ihre Mitarbeiter aufrechtzuerhalten. Dass sie trotzdem an ihnen festhält, hat skurrile Folgen: »Die Partnerwahl«, heißt es in einer internen Analyse, »erweist sich als ein bedeutendes Problem«, da es »für unsere Angehörigen durch die insgesamt anwachsende Zahl der Westkontakte in der Bevölkerung der DDR zunehmende Schwierigkeiten« gibt, »den geeigneten Partner zu finden«.[74]

Umso wichtiger ist der Behörde der Schutz bestehender, »mit den kadermäßigen Anforderungen übereinstimmender« Beziehungen,[75] schließlich liege die »Entwicklung gesunder und gefestigter Ehen« im Interesse des MfS.[76] Mit Sorge beobachtet man daher die steigende Zahl von Scheidungen unter den Mitarbeitern, die der allgemeinen Entwicklung in der DDR entspricht. Als eine der Ursachen analysiert die HA KuSch, dass es vielen Frauen am nötigen Verständnis für die »mit der Tätigkeit ihrer Ehemänner im MfS verbundenen Unregelmäßigkeiten und Erschwernisse« fehle, vor allem, wenn sie selbst nicht dort beschäftigt sind. Sie fühlten sich »vernachlässigt, unverstanden, zurückgesetzt und sehen ihre Erwartungen in die Ehe nicht erfüllt«. Umgekehrt bekämen sie von ihren Männern nicht genug Unterstützung, um die »besondere Belastung ... durch Beruf, Haushalt und Erziehung der Kinder« zu bewältigen.[77]

Lange Arbeitszeiten, Schichtdienst, ständige Einsatzbereitschaft – die »Erschwernisse« des Dienstes sind tatsächlich eine Belastung für die Familien und Paare. Auch unter der Geheimhaltungspflicht leiden viele. Die MfS-Zentrale richtet darum 1975 eine Familienberatungsstelle ein, die bei der »Überwindung von Störfaktoren in der Ehe«[78] helfen soll, es der Behörde zugleich aber ermöglicht, noch direkter über das informiert zu sein, was sich hinter den Wohnungstüren ihrer Mitarbeiter abspielt. Der Pflicht, sämtliche – auch private – Veränderungen unverzüglich mitzuteilen, kommen nämlich bei Weitem nicht alle nach: »Die freiwillige Entscheidung, bei uns Dienst zu leisten …, erfordert auch alle Konsequenzen bei der verantwortungsbewussten Gestaltung des gesamten Lebensinhalts. Wir dürfen uns nicht damit abfinden, wenn ein Angehöriger unseres Organs glaubt, mit uns nicht über seine Schwierigkeiten sprechen zu können.«[79]

Vor allem Affären und außereheliche Beziehungen gelten als gefährliche Sicherheitslücken, weil sie in der Regel nicht nur der Ehefrau, sondern auch dem MfS verborgen bleiben, was den Abwehrexperten des Apparates zunehmend Kopfschmerzen bereitet.[80] Zu Recht, wie 1979 die geglückte Flucht des Oberleutnants Werner Stiller zeigt, der über die Westverwandtschaft seiner heimlichen Geliebten Kontakt zum Bundesnachrichtendienst aufgenommen hatte.

Als Konsequenz setzt die Behörde auf eine noch massivere Kontrolle der eigenen Leute – und auf die frühzeitige Formung des Nachwuchses: Schon während des Einstellungsprozesses sei den Rekruten »der objektiv bestehende Zusammenhang zwischen persönlicher Eignung für den Dienst im MfS und der Gestaltung positiver … Partnerschaftsbeziehungen zu vermitteln«, empfiehlt der Leiter der HA KuSch.[81] Von ihnen sei »zu fordern, sich über die künftige Partnerin … rechtzeitig und genau zu informieren, deren weltanschauliche Haltungen, politische Einstellungen, soziale bzw. familiäre Herkunft und Verhältnisse noch vor Entscheidungen zu festen Bindungen zu klären, alle eigenen Feststellungen mitzuteilen und erforderliche Prüfungen und Stellungnahmen der Kaderorgane des MfS abzuwarten«.[82]

Für die Vorgesetzten seien hier »vertrauensvolle persönliche Aussprachen« das Mittel der Wahl, wobei jedoch Eile geboten sei: »Nicht selten« führten »bereits eingetretene Schwangerschaften, negative Beeinflussungen durch den Partner oder starke emotionale Bindungen« dazu, dass sich Mitarbeiter »›für‹ den Partner und ›gegen‹ den weiteren Dienst« entschieden.[83] Ab Mitte der Achtzigerjahre häufen sich solche Fälle – Indiz für die allmähliche Aufweichung der Ideologie, gerade innerhalb des frisch geworbenen Personals. Das lässt sich zum Teil auch nicht mehr so leicht einschüchtern wie die ältere Generation. Zum Vorwurf, seine Freundin trage Sachen, »die eindeutig aus dem ›Westen‹ stammen«, äußert sich beispielsweise ein Untergefreiter aus Leipzig in seiner schriftlichen Stellungnahme durchaus selbstbewusst: »Ich habe mir ihre Sachen angesehen und muss sagen, dass sie sich kaum oder gar nicht von denen unterscheiden, die es im Exquisit zu kaufen gibt.«

Innerhalb vieler Familien hauptamtlicher MfSler gelten die strikten Regeln jedoch bis zuletzt: »Auch die Kinder wussten seit dem elften, zwölften Lebensjahr, in welcher Richtung sie ihre Partner suchen müssen«, sagt ein ehemals hochrangiger Mitarbeiter. »Da kann man doch nicht erst mit anfangen, wenn der Junge 16 ist.«[84]

Suchen

Über dem Sarg aus hellem Eichenholz liegt die Fahne der DDR. Daneben stehen vier Männer von der Ehrenkompanie des Wachregiments »Feliks Dzierzynski«, die Augen in die Ferne gerichtet, Maschinenpistolen vor der Brust. Seitlich, neben den großen Blumengestecken und Kränzen, glänzen auf dunkelblauem Samt die Orden und Abzeichen des Verstorbenen. In der Ecke hängt eine Fahne mit dem Emblem der Staatssicherheit. Die Feierhalle im Krematorium Baumschulenweg in Berlin ist bis auf den letzten Platz besetzt. Mindestens zweihundert Trauergäste sind gekommen, viele davon in Uniform. Das MfS trägt an diesem 16. Juni 1969 mit allen militärischen Ehren einen Mann der ersten Stunde zu Grabe: Oberst Paul Laufer. Kommunist, Widerstandskämpfer, Abteilungsleiter in der Auslandsspionage – der Hauptverwaltung Aufklärung. Nach der Einäscherung wird seine Urne auf dem Sozialistenfriedhof Friedrichsfelde beigesetzt werden.

Ganz vorn in der ersten Reihe sitzt der neunzehnjährige Helmut, die Haare kurz geschoren, ein zerknülltes Taschentuch in den sauber geschrubbten Händen. Am liebsten würde er weglaufen. Die vielen Leute machen ihm Angst, in dem schwarzen Anzug kommt er sich fremd und verkleidet vor. Bis vor zwei Tagen hat er Häftlingskleidung getragen – ausrangierte Reichsbahnuniformen mit eingenähten farbigen Streifen auf Ärmeln und Rücken. Seine waren gelb. Gelb für »kriminell«. Neunzehn Monate war er im Gefängnis. Erst gestern hat ihn die Jugendstrafvollzugsanstalt Dessau entlassen: Wegen des Todes seines Vaters wurde der Rest seiner Haftstrafe zu einem Jahr Bewährung ausgesetzt. Schnell, unbürokratisch und zu ungewöhnlich gnädigen Konditionen – eigentlich hätte er noch fünfzehn weitere Monate hinter Gittern verbringen müssen. Vermutlich war seine Freilassung der letzte Wille des Vaters gewesen. Helmut weiß es nicht.

Plötzlich und ohne jede Ankündigung hatte man ihn gehen lassen. Der Anstaltsleiter, sonst Gottvater gleich für niemanden zu sprechen, hatte ihn persönlich zur Effektenkammer begleitet und den Beamten in der Ausgabe angewiesen, seine Sachen auszubürsten, bevor er sie ihm überreichte. Helmut hatte die Überraschung in den Mienen der Stasimänner gesehen, die ihn nach Berlin fahren sollten. Draußen hielten sie ihm sogar die Autotür auf.

Drei Plätze weiter sitzt Helmuts Bruder, der dreizehnjährige Jochen, neben ihm Mutter Elli und seine Schwester Helga. Erstaunt und auch ein bisschen stolz verfolgt er die feierliche Zeremonie: Er kennt den Vater nur als bescheidenen, älteren Herrn, der zu Hause am liebsten einen Trainingsanzug trug. Wenn ihm aber ein solches Ehrenbegräbnis ausgerichtet wird, muss er wohl ein bedeutender Mann gewesen sein. Auch dass er offensichtlich für die Staatssicherheit gearbeitet hatte, war Jochen nicht klar – in der betreffenden Spalte des Klassenbuchs stand immer »MdI«.

Der Tod des 65-Jährigen war nicht überraschend gekommen. Jochen hatte ihn mit Mutter und Schwester oft im Krankenhaus besucht. Zuletzt war er sich nicht sicher gewesen, ob er sie überhaupt noch erkannte. »Jetzt ist er erlöst«, hatte die Mutter gesagt, als er gestorben war.

Die Orgel spielt »Unsterbliche Opfer«. Dann kommt ein Mann in auffallend elegant geschnittenem Anzug den Mittelgang entlang. Schlank und groß, sehr aufrecht, kein Zögern in den Schritten. Dunkelrandige Brille, leicht gewelltes dunkles Haar. In den Reihen wird hörbar eingeatmet, einige Gäste stoßen sich an. »Der Mischa!«, hört Helmut sie tuscheln. »Mischa Wolf hält die Trauerrede!« Den Namen des Chefs der HV A hört er an diesem Tag zum ersten Mal. Markus Wolf stellt sich hinters Rednerpult, faltet ein Blatt Papier auseinander. Wartet, bis das letzte Flüstern und Füßescharren verstummt ist. Dann spricht er vom »großen Paul«, seinem Freund und langjährigen Kampfgefährten, dem »standhaften Kommunisten und Tschekisten« und »unbeugsamen Kämpfer für Frieden und Sozialismus«.

Knapp zwei Monate ist es her, dass Helmut seinen Vater zum letzten Mal gesehen hat: Wie jeden Morgen war er auf dem Weg in die Gefängniswerkstatt gewesen, in der Teile für das Gasgerätewerk Dessau hergestellt werden. Man hatte ihn zurückbeordert und Zivilkleidung anziehen lassen. »Ihr Vater will Sie sehen. Sie werden jetzt nach Berlin in die Klinik gefahren.« Er stirbt, dachte Helmut erschrocken, jetzt ist es so weit. Auf dem Hof warteten schon zwei Männer vom MfS an einem dunklen Wolga. Zwei Stunden später stand Helmut im Krankenzimmer. Blass und grau sah der Vater aus. Mager, schon fast am Verschwinden, verwirrt über Ort und Zeit. Doch seinen Sohn erkannte er, streckte die Hand aus, versuchte ein Lächeln, deutete auf einen Stuhl neben dem Bett.

Wie lange er dort gesessen hat, worüber sie gesprochen haben – Helmut weiß es nicht mehr. Nur dass er sich elend fühlte. Mitschuldig am Zustand des Vaters. Und dass dessen Freundlichkeit das Gefühl noch verstärkte.

Dann das letzte Bild: der Vater, der ihm zum Abschied zunickt, ganz schwach nur. Tür zu, vorbei an der vor dem Zimmer postierten Wache. Der Krankenhausgang, tränenverschwommen. Die Fahrt zurück ins Gefängnis, wortlos wie die Hinfahrt, neben ihm der Mann vom MfS. Ein paar Wochen später war der Vater tot.

Helmut erfuhr davon aus dem *Neuen Deutschland*. Jeden Abend nach der Arbeit wird ein ganzer Stapel davon in den Haftraum geworfen. Dreißig Stück – für jeden Insassen eines. Die Kosten zieht man ihnen vom Lohn ab. Helmut rührte sein Exemplar nie an. Die Hetze gegen den Westen, die immer gleichen Erfolgsmeldungen sind ihm zuwider. Ein Zellenkamerad war auf die Meldung gestoßen. »Paul Laufer – ist das nicht dein Vater?«

Die Orgel setzt wieder ein. Die Wachposten treten zur Seite, präsentieren ihre MPs, der Sarg wird abgesenkt, verschwindet langsam im Boden. Die Mutter, bis eben stumm und gefasst, drückt sich ein Taschentuch an die Augen. Helmut sieht Jochen und Helga weinen. Auch ihm kommen die Tränen.

Später steht er mit den Geschwistern neben der Mutter, die die Kondolenzen entgegennimmt. Fremde Gesichter, Uniformen, gemurmelte Worte, hin und wieder ein direkter Blick. Nur wenige Trauergäste, so kommt es dem Neunzehnjährigen vor, geben ihm herzlich die Hand. Die meisten scheinen zu wissen, woher er kommt. Nach den vielen Monaten im künstlichen Licht der Haftanstalt tut der helle Junitag weh in den Augen.

*

»Wie ein Opa« sei der Vater ihm vorgekommen, sagt der heute 55-jährige Jochen Laufer. Vor allem im Vergleich zu den Vätern seiner Klassenkameraden. Als Kind wünscht er sich einen Papa, mit dem man auch Fußball spielen kann. Mit seinem ist das undenkbar und wäre ihm außerdem ziemlich peinlich – er ist einfach zu alt. Aber Paul Laufer ist ohnehin kaum zu Hause. Nach dem gemeinsamen Frühstück, auf das er großen Wert legt, sehen die Kinder ihn höchstens noch, wenn er abends zum Gute-Nacht-Sagen den Kopf in ihr Zimmer steckt. Meistens schlafen sie schon, wenn er vom Dienst kommt.

Erst als er sich 1964 wegen seiner angegriffenen Gesundheit aus der »operativen Arbeit« zurückzieht, hat der verdiente Stasi-oberst mehr Zeit für seine Familie. Wehmütig erinnert sich Jochen Laufer noch heute an die gemeinsamen Spaziergänge, auf denen der Vater ihm Geschichten erzählte. Streng oder strafend habe er ihn nie erlebt, sagt er. »Für mich war er immer der gütige Papa.« Es ist Mutter Elli, die hin und wieder für Disziplin sorgt, oft auch mit dem Teppichklopfer. Sie ist Paul Laufers zweite Frau. Die erste, eine Überlebende des Konzentrationslagers Ravensbrück, ist 1954 gestorben – vier Jahre nach Helmuts Geburt.

Die Familie lebt in einer großzügigen Vierraumwohnung in der Lichtenberger Straße. Die meisten Nachbarn sind ebenfalls »Genossen« – an Feiertagen hängt aus allen Fenstern die Fahne der DDR. Zwei Straßen weiter geht Jochen bis zur Einschulung in die Wochenkrippe. Montags früh bringt der Vater ihn im Dienstwagen hin, freitagnachmittags holt die Mutter ihn wieder ab. Auch sie arbeitet viel: für die Nationale Front – den Zusammenschluss der Parteien und Massenorganisationen der DDR.

Beide Eltern haben die Schrecken des Nationalsozialismus am eigenen Leib erfahren. Der junge, antifaschistische Staat DDR ist ihr Lebensprojekt. Paul Laufer ist anerkannter VdN – Verfolgter des Naziregimes. Vom Volksgerichtshof wurde er zu drei Jahren Haft verurteilt, kam später ins berüchtigte Strafbataillon 999 der Wehrmacht. Als seine Kompanie zur Partisanenbekämpfung nach Dalmatien versetzt wurde, desertierte er und kämpfte auf Seiten der jugoslawischen Partisanen gegen die faschistischen Besatzer. Gleich nach dem Krieg beteiligte er sich in der sowjetisch besetzten Zone am Aufbau der Geheimapparate. 1955, ein Jahr vor Jochens Geburt, begann er seine Laufbahn bei der Staatssicherheit im Rang eines Majors. Er wurde Leiter der Abteilung II der HV A, die für die »Bearbeitung« der SPD und des Deutschen Gewerkschaftsbundes zuständig ist.

Den »großen Paul« nennt man ihn im MfS ehrfürchtig – erst wegen seiner Statur, später wegen seiner Erfolge: Regelmäßig gelingt es ihm, »Kundschafter« in die SPD einzuschleusen. Auch Christel und Günter Guillaume bereitet er auf ihren Einsatz »im Operationsgebiet« vor. 1956 gehen sie auf seinen Befehl nach Frankfurt am Main, wo beide schnell in der hessischen SPD Karriere machen. Den größten Erfolg seiner Arbeit aber erlebt Paul Laufer nicht mehr: 1972 schafft Günter Guillaume den Sprung ins Zentrum der Macht. Er wird persönlicher Referent von Bundeskanzler Willy Brandt.

»Bei keinem meiner Klassenkameraden wurde der damals gerade entstehende Sozialismus so streng gelebt wie bei uns«, erinnert sich der heute 61-jährige Helmut Laufer. »Bei uns wurde nicht nur kein Westfernsehen geschaut. Bei uns wurde alles, was vom Klassenfeind kam, so abrundtief gehasst, dass mir gar nichts anderes übrig blieb, als mich dafür zu interessieren.«

Der Netzstecker des Fernsehers ist, wenn die Eltern nicht da sind, in einem kleinen Kasten eingeschlossen. Mit vierzehn kauft Helmut sich ein »Puck« – ein röhrenbetriebenes Kofferradio –, versteckt es unterm Kleiderschrank, hört heimlich politische Kommentare im RIAS und montagabends die »Schlager der Woche«. Eine seiner Lieblingssendungen ist »Die Zone spricht für die Zone«, an der sich Hörer aus der DDR mit Briefen beteiligen können. Anonym und über Deckadressen. Das persönliche Risiko ist dennoch groß: Im Gefängnis wird Helmut später einen Mann kennenlernen, der für einen solchen Brief verurteilt wurde – die Stasi hatte ihn mit Schriftvergleichen als Absender identifiziert.

Helmut schreibt zweimal an die Redaktion. Fünfzehn ist er da. Statt einer Unterschrift wählt er einen Code aus Buchstaben und Zahlen, paust ihn sorgsam auf Millimeterpapier durch, damit er auch in Zukunft identisch ist. Die Frequenzen seiner Lieblingssender notiert er in einem alten Schulheft.

Elli Laufer entdeckt das Radio eines Tages beim Saubermachen. »Warte, bis dein Vater nach Hause kommt!«, sagt sie drohend. Ein paar Stunden später sitzt Helmut in dessen Arbeitszimmer. Auf dem niedrigen Rauchertisch mit dem Spitzendeckchen steht das leuchtendgrüne »Puck«. Paul Laufer setzt sich die Brille auf, greift zu Papier und Bleistift. Seine Hand zittert, die Stimme ist brüchig. Natürlich hat er bemerkt, dass die RIAS-Frequenz eingestellt war. Es hat keinen Zweck zu leugnen. »Du paktierst mit den Faschisten!«, stößt er schließlich hervor. Kein Zorn, sondern blankes Entsetzen. Noch fast fünfzig Jahre später wird sich Helmut an diese Szene erinnern. »In dem Moment hätte ich am liebsten alles so gemacht, wie er wollte. Aber schon im nächsten Augenblick war ich wieder ich selbst.«

Wo die kindliche Auflehnung endete und der Widerstand gegen das System begann, fragt sich Helmut Laufer bis heute. Auch wann ihm die Pioniernachmittage, Fahnenappelle und all die anderen »gesellschaftlichen Pflichten« nicht nur lästig, sondern unerträglich wurden, kann er nicht mehr sagen. Nur dass es seinen Freunden genauso ging, obwohl sie fast alle wie er aus staatstreuen Elternhäusern kamen. »Solange ich denken kann, war mir das Leben in der DDR fremd und suspekt, später dann regelrecht verhasst.«

Dass seine Eltern aus tiefster Seele von diesem Staat überzeugt sind, selbst sogar Teil des Systems sind, ist ihm schon früh bewusst: Er ist elf, als ihn auf dem Heimweg ein junger, gut gekleideter Mann anspricht. Mitte August 1961, die Tage des Mauerbaus. Ob er ihm sagen könne, wo man hier nach Westberlin komme. Leider nein, sagt Helmut bedauernd. Der Mann bedankt sich, legt ihm für einen Moment die Hand auf die Schulter. »Das bleibt unter uns. Abgemacht?« Helmut verspricht es. Der Mann dreht sich um und geht. Helmut sieht ihm noch lange nach. Sieht zu, wie er auf der Stalinallee allmählich zwischen den anderen Fußgängern verschwindet. Zu Hause erzählt er nichts – der Vater würde den Vorfall sofort melden. »Später hab ich mir vorgestellt, was wohl passiert wäre, wenn ich den Mann verraten hätte«, sagt Helmut heute. »Dann sah ich im Geist meinen Vater, wie er losrennt, um alles zu tun, dass der Mann gestellt wird. Für meinen Vater wäre ich ein Held gewesen. So war ich es nicht und hatte deswegen noch lange Gewissensbisse.«

Helmut ist das schwarze Schaf der Familie. »Aus der Art geschlagen«, nennt er es heute. Dabei ist er als kleines Kind noch ihr Stolz und Mittelpunkt. Als seine Mutter stirbt, erkundigt sich sogar Ernst Thälmanns Witwe Rosa persönlich danach, wie er mit dem Verlust fertig werde. Sie hatte seine Mutter im Konzentrationslager kennengelernt. Der kleine Helmut ist der leuchtende Stern, auf den sich alle Erwartungen richten. Auch er soll für den Antifaschismus kämpfen, auch in seinem Herzen soll die Flamme des Sozialismus brennen. Das Vermächtnis der Eltern als Maßstab. »Ich habe sie furchtbar enttäuscht«, sagt er.

Seine Freunde sind ihnen ein Dorn im Auge, die schulischen

Leistungen lassen zu wünschen übrig. Und wenn's irgendwo Ärger gibt, ist er fast immer dabei. Von einer Reise in die Sowjetunion bringen die Eltern ihm die Adresse eines Mädchens aus Alma Ata mit: Es soll seine russische Brieffreundin werden. Zwei Briefe schreibt er – »es war ein Krampf«, erinnert er sich. »Nicht einmal den Gefallen konnte ich ihnen tun.«

Die gesamte Verwandtschaft redet ihm ins Gewissen. Regelmäßig muss er sich vor den versammelten Tanten und Onkeln rechtfertigen. »Familienrat« heißt das – man will ja nur sein Bestes. Helmut sitzt da, mit gesenktem Kopf, schweigt und hofft, dass das Tribunal bald vorbei ist. Er kann im RIAS keinen »Nazisender« sehen. Die Berichterstattung auf den westlichen Kanälen kommt ihm schon damals sachlicher vor als die der DDR. Doch es hat keinen Zweck, ihnen das zu sagen. Es würde die Sache nur schlimmer machen. »Er versteht es nicht«, hört er die Erwachsenen flüstern. »Die verpacken die Hetze so geschickt.« Später heißt es: »Das ist nicht er selbst. Das ist der Klassenfeind, der da durch unseren Helmut spricht.«

Mit fünfzehn versucht Helmut zum ersten Mal, aus der DDR zu fliehen. Er fährt allein mit dem Zug nach Rostock, fragt sich zum Überseehafen durch. Er will sich auf einem Schiff verstecken und hinter der Grenze von Bord gehen. In einer Kneipe vertraut er sich Hafenarbeitern an. Er trinkt zu viel Bier, die Männer schenken nach, reden ihm seinen Fluchtplan aus. Als sie seine Eltern benachrichtigen, ist er zu betrunken, um zu protestieren. Am nächsten Tag sitzt er wieder im Zug nach Berlin – und kurz darauf am Rauchertisch im Zimmer des Vaters.

Es ist gegen Paul Laufers Prinzipien, seine Kinder zu schlagen. Die Befragungen in seinem Arbeitszimmer, von ihm handschriftlich protokolliert, sind Strafe genug. Doch bei seinem Ältesten hält ihre Wirkung nie lange vor. Schon ein halbes Jahr später macht er sich erneut auf den Weg: Mit einem Freund will er über die tschechoslowakische Grenze nach Österreich fliehen. Sie kommen nicht weit. Als sie im Bahnhof von Karl-Marx-Stadt übernachten, wird die Polizei auf sie aufmerksam. Sie landen für eine Nacht in der Zelle. Paul Laufer schickt einen Wagen, holt seinen Sohn zurück nach Berlin. Das Verhör übernimmt er selbst. »Er wollte mir, vielleicht auch sich selbst, die offizielle Vernehmung ersparen«, sagt Helmut Laufer heute. »Und letztlich hat mich sein Eingreifen vor dem Jugendwerkhof bewahrt.« In diese gefängnisähnlichen Heime kommen Jugendliche, die als schwer erziehbar gelten. Eine Straftat müssen sie dafür nicht begangen haben. Auch das Urteil eines Richters ist nicht erforderlich. Schon wer die Schule schwänzt, freche Fragen stellt oder in anderer Weise auffällt, kann zur »Umerziehung« in einen Jugendwerkhof eingewiesen werden – oft für mehrere Monate.

Die Fragen des Vaters sind kurz und genau, der Ton ist sachlich. Am Anfang ist Helmut noch mulmig zumute, doch mit der Zeit fasst er Vertrauen. Es ist beinahe wie früher, als der Vater ihn regelmäßig zu sich ins Zimmer holte, um ihm die Dinge des Lebens zu erklären: Wie Schnüre gedreht werden und wie man Nägel herstellt, was den Motor eines Autos antreibt und wieso es in Moskau kälter ist als in Berlin. Helmut hat diese Gespräche geliebt. Doch diesmal ist es ernst – nicht nur wegen der gescheiterten Flucht. Der Vater hat seine Sachen durchsucht: den Schreibtisch, den Ranzen, sämtliche Jackentaschen, das Portemonnaie. Hat das Schulheft mit den Frequenzen gefunden und den Zettel mit dem Buchstabencode. »Wofür ist das?«, fragt er. Helmut windet sich, gibt aber schließlich alles zu. Auch die Briefe an den RIAS. Der Vater schreibt mit. Er wirkt nicht überrascht, nur traurig. Schließlich legt er die Papiere zur Seite, nimmt die Brille ab, wischt sich über die Augen. »Zieh die Hose runter«, sagt er leise.

Es ist das erste und einzige Mal, dass Paul Laufer seinen Sohn schlägt. Und schon damals hat Helmut das Gefühl, die Prügel schmerzten den Vater mehr als ihn. Die nächsten Tage ist er vom Sportunterricht befreit: Sein Hintern ist grün und blau. »Diesmal habe ich dich verprügelt«, sagt der Vater. »Das nächste Mal verprügelt dich das Leben.«

Ein Jahr später, im Winter 1967, der dritte Fluchtversuch: Helmut ist siebzehn und mittlerweile Lehrling in Eisenhüttenstadt – die Eltern hatten gehofft, sein Leben käme außerhalb Berlins wieder in die richtige Spur. Sie irren sich. Zusammen mit vier Lehrlingskollegen bereitet er sich seit Wochen auf eine Flucht über die tschechoslowakisch-österreichische Grenze vor. Der alte Plan, diesmal soll er aufgehen. Die Jungen besorgen sich Landkarten, Fahrtenmesser, Verbandszeug und einen Kompass. Laufen zum Training durch den Wald, klettern über Hindernisse und robben durchs Dickicht. Als sie schließlich an einem nebligen Novembertag in den Zug steigen, fühlen sie sich bestens gerüstet. Weil sie keine Visa für die Tschechoslowakei haben, steigen sie in einem kleinen Ort an der Grenze aus und marschieren durchs Zittauer Gebirge Richtung Südosten. Sie laufen von morgens bis abends, nachts schlafen sie in Scheunen. Alles vergebens. Nach vier Tagen, kurz hinter Prag, werden sie verhaftet.

Als Helmut Laufers Fall im April 1968 in Frankfurt/Oder verhandelt wird, liegen dem Gericht auch die Befragungsprotokolle des Vaters vor. Dazu das Heft mit den Radiofrequenzen, der Code auf Millimeterpapier. »Der Beschuldigte nahm im Jahre 1966 in Kenntnis der gegen die DDR gerichteten verbrecherischen Tätigkeit der Agentenzentrale ›RIAS‹ zu dieser Verbindung auf«, heißt es in der Anklageschrift. »Diese Handlung beging er vorsätzlich. Er wollte damit seine gegen die DDR gerichtete Einstellung kundtun und durch den ›RIAS‹ bestätigt erhalten.« Nach zwei Tagen Verhandlung ergeht das Urteil »im Namen des Volkes«: zwei Jahre und zehn Monate Freiheitsentzug »wegen Verbindungsaufnahme zu verbrecherischen Organisationen sowie versuchten und vollendeten gesetzwidrigen Grenzübertritts«.

Während der Untersuchungshaft im Stasigefängnis Hohenschönhausen bekommt Helmut überraschend Besuch vom Vater. Man fährt ihn dafür in Handschellen in die Haftanstalt Magdalenenstraße, gleich neben der MfS-Zentrale. Helmut erschrickt, als er in die Besucherzelle kommt, wo der Vater ihn schon erwartet: Nur ein paar Wochen hat er ihn nicht gesehen, jetzt scheint er um Jahre gealtert. Die Haare ganz weiß, die Gesichtszüge müde. Beim Aufstehen stützt er sich auf dem Tisch ab. »Bitte lass mich in Frieden, Papa!«, sagt Helmut. »Mach du dein Ding, ich mache meins.« Den erschütterten Ausdruck im Gesicht des Vaters hat er noch heute quälend lebendig vor Augen: »Wenn meine Kinder so etwas zu mir sagen würden ...« – er bricht ab, schüttelt den Kopf. »Aber ich wollte ihn nur schützen damals. Ich neunmalkluger Siebzehnjähriger ...«

Danach sieht er seinen Vater noch ein einziges Mal: als Sterbenden im Krankenhaus.

Als Helmut im Juni 1969 auf Bewährung aus der Haft entlassen wird, versucht er, sich wieder einzuordnen. An einer Abendschule holt er sein Abitur nach – damals noch kein Privileg der Gradlinigen. Doch schon sein Wunsch, Physik zu studieren, scheitert am real existierenden Sozialismus: Die Humboldt-Uni verweigert ihm die Zulassung, da er, wie es im Ablehnungsschreiben heißt, »den hohen politischen Anforderungen, die ein Studienbewerber erfüllen muss«, nicht genüge. Mit 21 steht sein Entschluss wieder fest: Er muss raus aus diesem Land. Irgendeinen Weg muss es geben. Doch dann kommt ihm das Leben dazwischen: Er verliebt sich, wird Vater. »Und ich blieb«, sagt er, »versuchte, nicht mehr anzuecken.«

*

Jedes Jahr am Neujahrstag kommt hoher Besuch in die Wohnung an der Lichtenberger Straße: Altgediente Offiziere der Staatssicherheit erweisen Paul Laufers Witwe die Ehre. Es ist der Geburtstag ihres verstorbenen Mannes. Die Kinder werden herausgeputzt, Elli serviert Plätzchen und Kaffee, später Wodka und Likör. Man spricht vom »großen Paul«, erzählt Anekdoten, schwärmt von vergangenen Zeiten. Paul Laufer, schon zu Lebzeiten eine Legende, ist einer jener Männer, deren Ansehen das MfS auch nach ihrem Tod noch weiterpflegt – als Ansporn für die Mitarbeiter und Vorbild für die nachwachsende Tschekisten-Generation. Jochen Laufer erinnert sich gut an die Besuche der Genossen von der Stasi. An den Respekt, mit dem sie seiner Mutter begegneten – und die Würde, mit der sie ihn entgegennahm.

Außerhalb von zu Hause hingegen, das ist ihm als Teenager schmerzlich bewusst, ist es um das Ansehen der Staatssicherheit nicht zum Besten bestellt. »So lange ich denken kann, war die Stasi für mich negativ besetzt«, erzählt er. »Es fiel mir darum immer schwer zuzugeben, dass mein Vater dort hoher Offizier gewesen ist.« Dabei schämt sich Jochen gar nicht für ihn – im Gegenteil. Nur: Wie soll er den Leuten seine Sicht auf den Vater begreiflich machen? Wie erklären, dass es im MfS nicht nur Halunken gibt? Wäre er nicht so früh gestorben, hätte wohl auch er mit ihm den ein oder anderen Konflikt gehabt, vermutet Jochen heute – wenn auch nicht so extrem wie sein großer Bruder Helmut. »So aber überwog bei mir die Traurigkeit, den Vater verloren zu haben. Und der Wunsch, ihn zu verteidigen.«

In der Schule wird Jochen oft gesagt, er solle doch an seinen Vater denken – der habe gewollt, dass aus ihm ein wertvolles Mitglied der sozialistischen Gesellschaft werde. Jochen ärgert sich über solche Ermahnungen. Anpassen und stillhalten, fraglos gehorchen – das kann nicht das sein, was der Vater wollte. Jochen meint, seine wohlwollende Unterstützung zu spüren, wenn er im Geschichtsunterricht kritische Fragen stellt. »Man muss zu dem stehen, was man für richtig hält. Meiner Meinung nach war das die grundlegende Maxime meines Vaters«, sagt er heute. »Er hätte nicht gewollt, dass ich mich dem unterordne, was ich für falsch halte.«

Den kritischen Geist bekommt auch Mutter Elli zu spüren, die nach wie vor überzeugte Genossin ist. Je erwachsener ihr Sohn wird, je länger sein Haar, desto hitziger werden die Gespräche bei Tisch. Im Laufe der Zeit geht es dabei immer öfter auch um

Missstände und Ungereimtheiten des Systems. »Sie hatte es nicht leicht mit mir«, sagt Jochen. »Von meinem Vater hatte ich weiter ein durch und durch positives Bild, aber sie habe ich immer wieder infrage gestellt.«

Als er siebzehn ist und Bauarbeiterlehrling, spielt Jochen hin und wieder mit dem Gedanken, die DDR zu verlassen. Doch eine Flucht schließt er für sich aus – das Beispiel des großen Bruders ist allzu abschreckend. Auch mit Blick auf die Mutter: »Ich kann mich nicht erinnern, dass zu Hause jemals offen über Helmuts Verurteilung gesprochen wurde. Aber ich habe schon als Kind mitbekommen, wie meine Eltern darunter gelitten haben, dass er so anders war. Ich wollte meine Mutter nicht noch mehr belasten. Letztlich war sie ausschlaggebend für meine Entscheidung, doch in der DDR zu bleiben.«

Die Ereignisse im Herbst 1989 verfolgt Elli Laufer mit wachsender Sorge. Fassungslos sieht sie im Fernsehen die Bilder der Montagsdemos in Leipzig. Die Menschen, die da auf die Straße gehen, sind für sie Staatsfeinde – »die Konterrevolution«, wie sie sagt. Jochens Meinung, dass die DDR reformiert werden müsse, die Entwicklung seit Jahren schon in die falsche Richtung laufe, kann sie nicht teilen. Als die Mauer fällt, weint sie: »Jetzt geht verloren, wofür wir jahrzehntelang gekämpft haben.«

Unmittelbar danach sind Mitarbeiter des MfS, das jetzt offiziell Amt für Nationale Sicherheit heißt, auf Befehl Mielkes damit beschäftigt, brisantes Aktenmaterial zu beseitigen: Das gigantische Ausmaß der Überwachung soll vertuscht, die Verantwortlichen sollen geschützt werden. Als nach und nach durchsickert, dass massenhaft Unterlagen vernichtet werden, und aus etlichen Dienststellen sogar sichtbar Rauchschwaden aufsteigen, formieren sich Bürgerkomitees, um zu retten, was noch zu retten ist. Sie besetzen die Gebäude und versiegeln mit Hilfe von Polizei und Staatsanwaltschaft die Akten – erst in Erfurt, dann nach und nach im ganzen Land. Am 15. Januar 1990 steht schließlich auch die Zentrale in der Berliner Normannenstraße unter Aufsicht eines solchen Komitees. Noch am selben Abend stürmen Demonstranten das Gelände, reißen Schränke auf und verwüsten etliche Räume. Ob es sich dabei tatsächlich um einen spontanen Ausbruch des Volkszorns handelte, ist bis heute nicht geklärt. Manches deutet darauf hin, dass es zumindest teilweise auch eine von der Stasi gesteuerte Aktion gewesen sein könnte.

In den folgenden Monaten macht sich das Bürgerkomitee Normannenstraße daran, das Stasiarchiv zu sichten. Auch der 33-jährige Jochen Laufer, inzwischen Historiker an der Akademie der Wissenschaften, ist mit dabei: Sein Freund und Kollege Armin Mitter hat ihn um Unterstützung gebeten. »Mir war sofort klar, dass ich mitmachen will«, erzählt er. »Aber auch, dass ich dann sagen muss, wer mein Vater war.« Jochen weiß ja selbst nicht, welche Rolle er in der Stasi gespielt, ob er sich schuldig gemacht hat. Was soll er den anderen sagen? Wie werden sie hinterher über ihn denken?

Die Komiteemitglieder reagieren zwar überrascht, begegnen ihm aber zu seiner Erleichterung weiterhin ohne Vorbehalte. »Um darüber zu diskutieren, war keine Zeit«, erinnert sich Jochen Laufer. »Vielleicht auch kein Interesse. Es passierte ja so viel in diesen Wochen. Außerdem ging es uns vor allem um die Arbeit im Archiv. Wir wollten aufklären.« Und auch er selbst will mithelfen, die Funktionsweise des Sicherheitsapparates offenzulegen, für den Paul Laufer ein Leben lang geradestand.

Mit gemischten Gefühlen macht er sich an die Arbeit. Er hofft, im Archiv auch auf Spuren des Vaters zu stoßen – und fürchtet sich zugleich davor. Doch was er findet, macht ihm Mut: Oberst Laufer war zwar ein wichtiger Mann im MfS – in den Protokollen der Sitzungen bei Minister Mielke taucht immer wieder sein Name auf. Schuldig im strafrechtlichen Sinne scheint er sich aber nicht gemacht zu haben, stellt Jochen erleichtert fest.

Der düster-gegenwärtigen Vergangenheit aber, der er nun Tag für Tag in den Hinterlassenschaften der Stasi begegnet, kann sich der junge Historiker nur schwer entziehen. Wie kann es sein, fragt er sich, dass ausgerechnet diejenigen, die gerade erst selbst

Opfer von Repression und Gewalt geworden waren, sich am Aufbau eines Apparates beteiligten, der wieder der Einschüchterung und Unterdrückung Andersdenkender galt?

*

»Gratulieren zum zweiten Mann«, funkt Paul Laufer im Frühjahr 1957 verschlüsselt nach Frankfurt am Main, denn dort sind Christel und Günter Guillaume gerade Eltern geworden: Am 8. April wurde der kleine Pierre geboren. Nach gründlicher Vorbereitung hatte Major Laufer das Paar ein Jahr zuvor ins »Operationsgebiet« geschickt, wo es im Auftrag des MfS die SPD ausspionieren soll. Er ist hochzufrieden. Seine Idee, Christels Mutter Erna Boom teilweise einzuweihen und ihr schon vorher den Umzug nach Frankfurt zu ermöglichen, hat sich ausgezahlt: Als Günter und Christel ein paar Monate später hinterherzogen – angeblich als Flüchtlinge –, sah für die westdeutschen Behörden alles nach einer normalen Familienzusammenführung aus. Als zusätzliche Tarnung, auch das eine Idee des »großen Paul«, spendierte das MfS Mutter Erna das Startkapital für einen Tabakladen in der Frankfurter Innenstadt. »Den Leuten kann es noch so dreckig gehen, rauchen wollen sie immer«, wird Günter Guillaume ihn später in seiner Autobiografie zitieren.[85] Der 23 Jahre ältere Mann ist für ihn mehr als sein Führungsoffizier. Er bewundert und liebt ihn als eine Art Ersatz für den Vater, der sich 1948 das Leben nahm.

Für die HV A erweist sich das »Kundschafterpaar« Guillaume als Glücksgriff: Christel wird schon bald leitende Sekretärin im Staatssekretariat des hessischen Ministerpräsidenten. Günter arbeitet sich in der hessischen SPD nach oben, bis er als Fraktionsgeschäftsführer in der Frankfurter Stadtverordnetenversammlung sitzt. 1970 gelingt ihm der Sprung nach Bonn, 1972 schließlich wird er der persönliche Referent von Bundeskanzler Willy Brandt. Diesen Höhepunkt der operativen Karriere seines Zöglings erlebt Paul Laufer nicht mehr. So bleibt es ihm auch erspart, dessen Sturz mit ansehen zu müssen: Im April 1974 werden Günter und Christel Guillaume enttarnt. Es ist einer der größten Politskandale der deutschen Nachkriegsgeschichte. Pierre ist damals siebzehn.

Vom Doppelleben seiner Eltern hat er nicht das Geringste geahnt. Seinen Vater kennt er nur als überzeugten Sozialdemokraten mit deutlich konservativem Einschlag. Sein Geschimpfe über die DDR hat Pierre noch heute im Ohr: »Wenn wir in der Adventszeit das obligatorische ›Westpaket‹ für seine Mutter in Ostberlin packten, kriegten wir uns jedes Mal in die Wolle. Mein Vater hat sich aufgeregt, was denn von einem Staat zu halten sei, der nicht einmal in der Lage ist, seine Bürger mit anständigem Kaffee zu versorgen.« Pierre ärgern solche Kommentare. Es komme doch nicht allein auf die Versorgung mit Konsumgütern an, hält er seinem Vater entgegen. Viel wichtiger sei doch, dass es in der DDR keinen Faschismus mehr gebe. »Aber bei dem Thema kam er erst richtig in Fahrt«, erzählt Pierre.

Statt der braunen Diktatur der Nazis, doziert der Vater dann, herrsche in der DDR nun die rote Diktatur der Kommunisten. Das Gegenteil einer Diktatur sei aber nicht eine andere, sondern eine pluralistische Demokratie wie in der Bundesrepublik – die ja im Übrigen von einem ehemaligen Widerstandskämpfer regiert werde.

Als am 24. April 1974 früh um halb sieben das BKA vor der Tür der Bad Godesberger Wohnung steht, um seine Eltern und seine Großmutter zu verhaften, ist Pierre deshalb fest davon überzeugt, dass es sich um eine Verwechslung handelt. Er muss lachen, als ihm ein BKA-Mann erzählt, der Vater habe sich bereits selbst belastet: »Ich bin Bürger der DDR und ihr Offizier!«, soll er bei seiner Festnahme gesagt haben. »Die hätten auch behaupten können, dass er einem internationalen Drogenring angehört – ich hätte es genauso absurd gefunden.«

Erna Boom darf am nächsten Tag wieder nach Hause, die Eltern aber bleiben in U-Haft. Abends in der »Tagesschau« hört Pierre die Vorwürfe gegen seinen Vater nun schon aus dem

Mund des Generalbundesanwalts Siegfried Buback – und glaubt sie trotzdem nicht. »Ich hab sie gleich gewarnt«, murmelt Oma Erna, die neben Pierre auf dem Sofa sitzt. »Ich wusste immer, dass der Günter der falsche Mann für meine Kitta ist.« Wütend schreit Pierre sie an: »Hör auf damit! Das ist doch alles ein Irrtum!«

Vier Tage später macht der *Spiegel* die Topmeldung zum Aufmacher: »DDR-Spion im Kanzleramt« steht auf dem Titel, quer über den Fotos von Pierres Vater und Willy Brandt. Pierre liest die zwölf Seiten, hin- und hergerissen zwischen Widerwillen und Neugier. Viele Details stimmen. Wie haben es die Journalisten geschafft, in so kurzer Zeit so viel über seine Eltern herauszufinden? Mehr, als er selbst nach siebzehn gemeinsamen Jahren über sie weiß? Trotzdem: Es kann nicht stimmen. Der Vater, glühender Verehrer Willy Brandts, ein Topspion der Stasi? Völlig unmöglich. »Guillaume … hörte alles, sah alles, war immer dabei«, liest Pierre im *Spiegel*. »Die DDR war über Gedanken des Kanzlers, über Interna der Bundesregierung und der SPD rascher und umfassender unterrichtet als die Mehrzahl der Bonner Minister und Spitzen-Sozialdemokraten.« Ein Verfassungsschützer wird mit den Worten zitiert: »Guillaume ist eine dicke Nummer. Das war leider vorzügliche Arbeit Ost-Berlins.«[86]

Außer Pierre scheint niemand an der Schuld seines Vaters zu zweifeln, nicht einmal der Vater selbst: Als Pierre ihn im Untersuchungsgefängnis besucht, lässt Günter Guillaume mit keiner Geste erkennen, dass das Ganze ein Irrtum ist. Im Gegenteil: Er scheint fast ein bisschen stolz zu sein auf den Rummel, den er verursacht hat.

Wenn Pierre heute, mit 54, an damals zurückdenkt, wundert er sich, wie er so lange von der Unschuld des Vaters, der Eltern überzeugt sein konnte. Als Einziger weit und breit. »Ich glaube, es war Angst. Angst vor der Erkenntnis, dass mein Vater, dem ich mich sehr nahe fühlte, ein völlig anderer Mensch war als der, den ich bis dahin gekannt und geliebt hatte.«

Er macht einen Bogen um die Nachrichten, liest keine Zeitungen mehr. Beruhigt sich mit den Widersprüchen und Fehlern, die er in der *Spiegel*-Geschichte findet. Alles ein Irrtum. Alles ein Irrtum.

Am 7. Mai 1974, kurz nach Mitternacht, gibt es mit einem Schlag nichts mehr, woran Pierre sich noch festhalten könnte: Der NDR meldet den Rücktritt von Bundeskanzler Willy Brandt. Pierre hört die Nachricht in seiner Godesberger Stammkneipe. Einzelne Wörter bekommt er noch mit – »politische Verantwortung«, »Fahrlässigkeiten,»Spionageaffäre Guillaume« –, doch in seinem Kopf werden keine Sätze daraus. Seine Freundin Karin legt ihm die Hand auf den Arm, sagt irgendwas. Pierre schweigt. Starrt in die Leere, die sich vor ihm auftut.

Im Fernsehen laufen am nächsten Tag die Bilder aus der SPD-Fraktionssitzung: Vor Willy Brandt liegen fünfzig dunkelrote Rosen. Er bittet um Verständnis für seine Entscheidung. Die Partei stehe hinter ihm, sagt der Fraktionsvorsitzende Herbert Wehner, die Worte schon fast verschluckt vom Beifall. Viele Abgeordnete sind aufgestanden, klatschen minutenlang. Sonderminister Egon Bahr laufen die Tränen herunter. Er versucht, sich zu fassen, vergräbt schließlich das Gesicht in den Händen. Es ist wahr, denkt Pierre. Das alles passiert gerade wirklich.

»Plötzlich waren meine Eltern wildfremde Menschen für mich«, sagt er. Die Wohnung in Bad Godesberg, die Alben mit den Familienfotos, die ihm so vertrauten Möbel, seine Kindheit – alles Kulisse. Wie konnten sie dieses Geheimnis vor ihm verstecken? All die Jahre ein völlig anderes Leben leben? Und welche Rolle hatte er in diesem Schauspiel?

Pierre bleibt allein mit seinen Fragen und der Erschütterung, die sie für ihn bedeuten. Wie lange seine Eltern in Haft bleiben müssen, kann ihm niemand sagen. Bisher gibt es nicht einmal einen Termin für die Gerichtsverhandlung. Wenn er sie, einzeln und unter den aufmerksamen Augen und Ohren von Beamten des BKA, in der Vollzugsanstalt Köln-Ossendorf besucht, drehen sich die Gespräche um Belanglosigkeiten – über den Fall selbst dürfen sie nicht sprechen.

Bestens gelaunt erzählt Günter Guillaume seinem Sohn vom Gefängnisalltag, seiner neu erwachten Leidenschaft fürs Lesen. Pierre betrachtet den Mann mit den Geheimratsecken und den lebendigen braunen Augen. Nichts an ihm kommt ihm fremd vor. Vielleicht, hofft Pierre, als er wieder im Zug nach Bad Godesberg sitzt, ist er ja letztlich doch der, den er kennt. Dann müsste er nur noch den neuen, fremden Teil von ihm kennenlernen. »Ich fand es eigenartig, aber irgendwie auch beruhigend, dass mein Vater so selbstbewusst und fröhlich war. Denn danach konnte ich mir sagen: O. k., ich verstehe zwar noch nicht, warum er das gemacht hat, aber er wird schon seine Gründe gehabt haben.«

*

Das Leben geht weiter. Irgendwie. Schule, Freundin, Alltag. Oma Ernas Gurkengemüse wie ein Relikt aus verlorenen Zeiten. Und jede Woche Besuche im Gefängnis. Mittlerweile ist es Januar 1975. Seit einem Dreivierteljahr sind Christel und Günter Guillaume nun schon in Haft, und noch immer ist unklar, wann der Prozess beginnt. »Du musst die Dinge realistisch sehen«, sagt Horst-Dieter Pötschke, der Anwalt des Vaters, zu Pierre, der Ton väterlich-vertraulich. Früher oder später würden die Rücklagen seiner Eltern aufgebraucht sein, weitere Verdienste kämen auf absehbare Zeit nicht hinzu. Drüben aber wäre für ihn gesorgt. Pötschke macht eine Kunstpause. »Heißt das, ich soll in die DDR ziehen?«, fragt Pierre entsetzt. Der Anwalt verzieht keine Miene. »Es ist der ausdrückliche Wunsch deines Vaters. Schließlich werden deine Eltern nach ihrer Entlassung in die Heimat zurückkehren. Wenn du dich dafür entscheidest, hier zu bleiben, würden sie das als Entscheidung gegen sich empfinden.«

Pierre trifft der Satz ins Herz. Die Botschaft ist klar und der Druck gewaltig: Es geht um mehr als nur um Geld. Seine Loyalität als Sohn steht auf dem Prüfstand. Um nicht mit Vater und Mutter zu brechen, bricht Pierre mit seinem bisherigen Leben: Im Sommer 1975 zieht er allein nach Ostberlin.

Bis er die Eltern wiedersehen wird, vergehen noch volle sechs Jahre. Jahre, in denen Pierre versucht, seinen Platz in dem Land zu finden, für das Vater und Mutter einst alles aufs Spiel gesetzt haben. Einschließlich seiner selbst. Er geht auf die Erweiterte Oberschule Immanuel Kant, bis er es dort nicht mehr aushält, versucht sich als Volontär in der Druckerei des *Neuen Deutschland*. Das MfS bemüht sich, dem Sohn des legendären »Kundschafterehepaares« den Wechsel in den Sozialismus zu erleichtern. Die zu seiner Betreuung abgestellten Genossen verschaffen ihm eine Einraumwohnung mit Telefon in Lichtenberg, vermitteln Vorstellungsgespräche und schließlich sogar einen Studienplatz an der Fachschule für Werbung und Gestaltung. Doch Pierre merkt bald, dass er dort nur Student von Mielkes Gnaden ist – ihm fehlen sämtliche Voraussetzungen. Nach neun Monaten bricht er das Studium ab. Er will sein Fortkommen nicht der Stasi verdanken müssen.

Wie es aber mit ihm weitergehen soll, ist ihm schleierhaft: Als er fast zwei Jahre zuvor seinen Eltern zuliebe aus Bad Godesberg wegzog, stand er kurz vor dem Abitur. Jetzt sitzt er ohne Schulabschluss, mit einer abgebrochenen Lehre und einem halben Studium in Ostberlin. Auch das idealisierte Bild von Vater und Mutter, das er sich nach der Verhaftung zurechtgelegt hatte, bekam mittlerweile die ersten Knicke: »Als ich mich vom ersten Schock erholt hatte, war ich ja sogar ein bisschen stolz, dass meine Eltern bereit gewesen waren, für ihre Überzeugung ins Gefängnis zu gehen«, sagt er. »Und dass sie in der DDR gefeierte Helden waren, passte natürlich gut in dieses Bild.« Angesichts der real existierenden DDR aber fällt es Pierre zunehmend schwer, in ihrer Geheimdienstarbeit noch irgendetwas Gutes zu sehen.

Was er bisher hier erlebt hat an Militarismus, Drill, Gehorsam und Opportunismus, bedrückt ihn darum gleich doppelt. Dazu der alltägliche Mangel, mit dem sich die meisten hier arrangieren müssen, während für eine kleine Gruppe Auserwählter fast alles möglich ist – und das in einem System, das sich die Gleichheit auf die Fahnen geschrieben hat. Wie konnten sich die Eltern dafür nur hergeben?

Jener Günter Guillaume, der immer gegen die DDR gewettert hat – Pierre muss ihm im Nachhinein recht geben. Nur: Der Mann scheint nicht mehr zu existieren. Vielleicht hat es ihn sogar nie gegeben. Vielleicht war auch diese stets mit so großer Vehemenz vorgetragene Überzeugung bloß eine Tarnung. »Vater Nummer eins«, nennt Pierre heute jenen konservativen SPD-Mann, als den er Günter Guillaume die ersten siebzehn Jahre seines Lebens kannte. »Vater Nummer zwei«, das ist der Kämpfer für die gerechte Sache, der idealisierte Vater. Von ihm mag sich Pierre damals, im Frühjahr 1977, trotz allem noch nicht verabschieden: Hätte der gesehen, wie sein Sohn im Blauhemd zum Fahnenappell auf dem Schulhof angetreten ist – Pierre ist sich sicher, der Vater wäre von dem Schauspiel genauso entsetzt gewesen wie er. Es kann nicht anders sein: Die Verhältnisse in der DDR müssen sich während der letzten Jahrzehnte massiv verändert haben.

Das Oberlandesgericht Düsseldorf hat das Agentenpaar unterdessen wegen schweren Landesverrats zu acht und dreizehn Jahren Gefängnis verurteilt. Alle paar Monate besucht Pierre seine Eltern von der DDR aus im Gefängnis, wird Zeuge ihrer wachsenden Verzweiflung. Das Urteil, hatte es lange geheißen, sei nicht das letzte Wort, die Freilassung im Tausch gegen Häftlinge der DDR nur eine Frage von Wochen, allenfalls Monaten. Doch das, so Anwalt Pötschke knapp, werde »auf einer ganz anderen Ebene verhandelt«. Niemand kann Pierre sagen, wann seine Familie endlich wieder zusammen sein wird.

In den Augen der Mutter, eigentlich eine eher kühle, distanzierte Frau, hat er neulich Tränen gesehen, als sie sich zum Abschied noch einmal umdrehte. Und die fröhliche Souveränität des Vaters ist längst zorniger Ungeduld gewichen. »Ich habe mich geopfert, und jetzt lassen mich die Genossen hier schmoren«, klagt er bei einem von Pierres Besuchen. Er fragt nicht, wie es Pierre geht, allein in einem fremden Land, einem System, das nicht das seine ist. Stattdessen nennt er ihm eine Reihe von Namen: alte Kampfgefährten, mit denen Pierre »drüben« Kontakt aufnehmen soll, um ihnen von der Notlage des Vaters zu berichten. »Du musst die DDR-Öffentlichkeit mobilisieren! Du bist jetzt mein Anwalt in der Heimat!«

Eines Tages werden wir über alles reden können, tröstet sich Pierre jedes Mal, wenn hinter ihm das schwere Rolltor der Haftanstalt zugeschoben wird. Eines Tages hören sie mir zu. Dann sitzen wir alle zusammen und erzählen uns gegenseitig, was wir erlebt haben.

Doch je mehr Zeit ins Land geht, desto unwahrscheinlicher erscheint ihm diese Vision, desto belastender sind die Besuche im Gefängnis. Nur die Aussicht, in Bonn auch seine Freundin sehen zu können, macht die Fahrten noch erträglich. Seit Oma Erna ihm nach Ostberlin gefolgt ist und es die Wohnung in Bad Godesberg nicht mehr gibt, müssen Karin und er sich in einem Hotelzimmer treffen. Heimlich, denn ihre Eltern haben ihr den Umgang mit Pierre verboten: Ihr Vater ist Diplomat im Auswärtigen Amt – mit dem Verräter Guillaume will er unter keinen Umständen in Verbindung gebracht werden.

Vier Jahre sind sie nun schon zusammen, doch die frühere Unbeschwertheit ist unwiederbringlich dahin. Jedes Kaffeetrinken in der Bonner Innenstadt ist ein Risiko: Was, wenn man sie zusammen sieht? Auch Karins Besuche in Ostberlin überschattet die Angst, entdeckt zu werden, das Unbehagen, die Eltern belügen zu müssen. »Ich kann so nicht mehr weitermachen«, sagt sie eines Tages zu Pierre.

Am nächsten Morgen sitzt der Zwanzigjährige im Besuchszimmer der Strafvollzugsanstalt Rheinbach. Sein Vater geht auf und ab, doziert über die Bonner Ostpolitik, Bundeskanzler Helmut Schmidt und die RAF. Und über seine eigene Rolle als »politischer Häftling«, dem man die Anerkennung als »Kombattant« verweigere, auf die er laut Genfer Konventionen als Offizier des MfS aber ein Anrecht habe.

»Haben es die Antifaschisten, meine kommunistischen Vorbilder, die die Zuchthäuser und Konzentrationslager Hitler-Deutschlands überlebt hatten, nicht leichter gehabt?«, schreibt Günter Guillaume in seinen Erinnerungen, die 1988 im Militärverlag der DDR erscheinen. »Gewiss, auch sie mussten sich der Anfeindungen oder der Anbiederungen und Denunziationen Krimineller erwehren, mit denen sie zusammengesperrt waren. Aber unter sich bildeten sie doch eine verschworene Gemeinschaft.« Er beneide, heißt es weiter, die Häftlinge des NS-Regimes »um die Gespräche, die sie als Gesinnungsgenossen miteinander führen konnten, um ihre Solidarität und ihre Organisiertheit noch hinter Gitter und Stacheldraht. Wen im Gefängnisalltag hatte ich? Niemand!«[87]

Nach seinen Besuchen in Westdeutschland habe er jedes Mal mehrere Tage gebraucht, »um wieder einigermaßen ins Lot zu kommen«, erzählt Pierre. »Ich fühlte mich wie ein Wanderer zwischen den Welten.« Das klinge lediglich romantisch, schiebt er hinterher. Es ist nicht leicht, nirgendwo hinzugehören.

Im Herbst 1980, gut fünf Jahre nach seiner Übersiedlung, zieht er den Schlussstrich: Von der nächsten Fahrt in den Westen werde er nicht mehr zurückkehren, lässt er die Betreuer von der Stasi wissen. Das MfS reagiert erwartungsgemäß: »Weitere Besuche in der BRD sind derzeit nicht angeraten.« Nun ist die Mauer auch für Pierre unüberwindlich. Er empfindet es als Befreiung.

Ein paar Wochen später kündigt der 23-Jährige auch seinen Vertrag bei der *Neuen Berliner Illustrierten*, wo er seit anderthalb Jahren mit dem Segen des MfS eine Ausbildung zum Fotoreporter macht. Stattdessen fängt er in einer Druckerei als Hilfsarbeiter im Dreischichtbetrieb an. Die Genossen sind entsetzt: Auch auf die 400 Mark vom Konto der Eltern will ihr Schützling in Zukunft verzichten. »Ich wollte endlich mein eigenes Leben leben«, sagt Pierre. »Nicht mehr nur ›der Sohn von Guillaume‹ sein.«

*

»Auftrag erfüllt« heißt der Propagandafilm, den das MfS Ende 1981 zur Erbauung seiner Mitarbeiter drehen lässt. Er zeigt das Ehepaar Guillaume auf der Rückbank eines dunklen Wolga. Günter Guillaume ist gerade aus dem Gefängnis des Klassenfeindes in die Heimat zurückgekehrt – ein halbes Jahr nach seiner Frau. »Genossen, ihr werdet nicht oft besungen. Wir wissen schon, was ihr für uns tut«, singt ein Chor aus dem Off. »Ihr lebt mit einem Lächeln zwei Leben. Wer gibt euch nur diese Nervenkraft?«

Pierre ist dabei, als die Heimkehr seines Vaters in einem hochherrschaftlichen MfS-Gästehaus noch einmal nachgestellt wird: Generaloberst Markus Wolf persönlich empfängt das siegreiche Paar. »Günter, willkommen in der Heimat!« – »Mischa, ich danke dir für alles!«

Da steht sein Vater, den manche früher nicht zu Unrecht »Kommunistenfresser« nannten – und umarmt den Chef der DDR-Auslandsspionage.

Seine Mutter mimt, als die Kamera läuft, die glückliche Ehefrau, die ihrem Mann freudig in die Arme fällt. In Wirklichkeit war die Begrüßung zwischen den beiden eigenartig distanziert und verkrampft gewesen. Pierre ahnt, dass die Beziehung der Eltern auch vor der Verhaftung schon viele Jahre nur noch Fassade war.

Beim Sektempfang im großen Speisesaal erzählt Günter Guillaume nach den Dreharbeiten mit sichtlichem Vergnügen, wie er bei seinem Austausch mit einem Regierungshubschrauber von Bonn in die Hauptstadt der DDR geflogen worden sei. »Und wie früher, als ich mit dem Bundeskanzler unterwegs war, bin ich am Ende des Fluges zum Piloten vorgegangen und habe mich bedankt. Nur auf den sonst üblichen Obolus für die Bordkasse musste ich diesmal verzichten.« Die versammelte Stasi-Prominenz lacht und applaudiert, Günter Guillaume sonnt sich in der allgemeinen Aufmerksamkeit. Pierres Mutter verzieht keine Miene.

Der Vater sieht schlecht aus, findet Pierre. Doch hinter dem ungepflegten Vollbart und dem blassen, schmal gewordenen Gesicht kann er noch den Mann erkennen, der ihm von früher vertraut ist. Trotz allem. Sein leiser Humor, die schwungvolle, galante Art, mit der er sich Pierres neuer Liebe Iris vorstellt, sie in ein Gespräch verwickelt – Pierre ist erleichtert: Das ist sein geliebter Vater. Er hat ihn doch nicht verloren. Zumindest nicht ganz. Mit diesem Mann, da ist er sich sicher, wird er bald über alles sprechen können und eine neue, gemeinsame Basis finden.

Mit der Mutter ist ihm das in dem guten halben Jahr, das sie nun schon hier ist, noch nicht gelungen. Dabei hatte er sich alle Mühe gegeben, ihr zu zeigen, dass es ihm nicht darum geht, ihr Vorwürfe zu machen. »Ich wollte einfach nur endlich erzählen, wie es mir ergangen war in all den Jahren«, sagt er heute. »Und: die fremd gewordenen Eltern kennenlernen. Ihre Motive, ihre Ängste.«

Doch Christel Guillaume verschanzt sich zunächst hinter Selbstmitleid: »Ich hatte in der Haft jeden Tag ein schlechtes Gewissen für das, was ich dir angetan habe. Genügt das nicht?«, schreit sie ihren Sohn an. »Hast du nie darüber nachgedacht, was aus mir wird, wenn man euch enttarnt?«, fragt Pierre zurück. Die Mutter schüttelt unwillig den Kopf: »Wenn ich über eine Enttarnung nachgedacht hätte, hätte ich meine Arbeit im Operationsgebiet nicht tun können.«

Ein paar Wochen später lässt sich Christel Guillaume in der Normannenstraße von ihrem Führungsoffizier Oberst Gailat den »Kampforden des MfS in Gold« ans Revers stecken.

Die Fassaden der alten Mietshäuser sind grau und bröckelig, im Kopfsteinpflaster klaffen Schlaglöcher. In der Luft liegt der säuerliche Geruch von Braunkohle. Die ganze Straße macht einen trostlosen, verwahrlosten Eindruck. »Sieht ja scheußlich aus hier«, murmelt Günter Guillaume nach langem Schweigen. »Hier ist wohl seit Jahrzehnten nichts mehr gemacht worden.« Pierre weiß nicht, was er sagen soll. Letztlich spricht der Vater nur aus, wie es ist. Pierre hat ihn eingeladen, sich von ihm mit dem Trabi

Ostberlin zeigen zu lassen – seine neue, Vaters alte Heimat. Auch die Choriner Straße in Prenzlauer Berg, wo Günter Guillaume seine Kindheit verbracht hatte. »In dem Moment tat er mir leid«, erinnert sich Pierre. »Ich stellte mir vor, wie bitter es sein muss, nach sieben Jahren Knast in einen Staat zurückzukommen, den man so vielleicht gar nicht gewollt hatte. Sich fragen zu müssen: War es das wert?« Vielleicht, vielleicht, so hofft der 24-Jährige damals, ist aber auch genau diese Frage der Anfang für ein echtes Gespräch.

Als sie durch die Chausseestraße fahren, vorbei an der Ständigen Vertretung der BRD, deutet Pierre auf das Eckhaus gegenüber: »Hier hat Wolf Biermann gewohnt, bis er ausgebürgert wurde.« Der Vater schnaubt ein kleines verächtliches Lachen: »Nun muss der Herr Biermann nicht mal mehr über die Straße gehen. Er ist ja jetzt da, wo er hingehört.« Pierre sieht überrascht zur Seite, versucht den Ausdruck im Gesicht des Vaters zu ergründen. Das war kein Witz. Der Mann, der früher gegen Zensur und Kontrolle in der DDR gewettert hat, redet wie ein zynischer Parteitechnokrat.

Günter Guillaume scheint nicht zu bemerken, wie betroffen sein Sohn ist. »Jetzt möchte ich endlich mal wieder die Stalinallee sehen«, verkündet er fröhlich. Als sie kurz darauf die sozialistisch-klassizistische Prachtstraße hinunterfahren, die seit zwanzig Jahren Karl-Marx-Allee heißt, doziert er, die Bauten seien Zeugnis der »großen Zeit des sozialistischen Aufbruchs«. Den Aufstand vom 17. Juni 1953, der hier seinen Anfang nahm und blutig niedergeschlagen wurde, kommentiert er so, wie Pierre es schon oft von MfSlern und parteinahen Bürgern gehört hat: Letztlich habe die Bundesrepublik den Konflikt entfacht und gesteuert. »Und weil wir nicht wollen, dass uns so was noch mal passiert, haben sich Leute wie deine Mutter und ich entschlossen, dorthin zu gehen, wo du zur Welt gekommen bist.«

Es gibt ein Foto von jenem Tag im Oktober 1981. Günter Guillaume hat seinen Sohn gebeten, es zu machen: Es zeigt ihn vor dem Gebäude des Zentralkomitees der SED. Auf der Grünfläche hinter ihm hocken ein paar Möwen. Rechts über seinem Kopf schwebt an der Hauswand das Parteiemblem. Am Revers seiner Lederjacke dasselbe Motiv in klein. Dort, wo er jahrelang die Nadel der SPD trug.

Auf klärende Gespräche hofft Pierre vergeblich. Seine Mutter reagiert meist aggressiv, der Vater lässt Fragen einfach an sich abprallen. »Olle Kamellen« seien das, und schließlich wäre doch alles noch einmal gut gegangen. Im Übrigen sei es wohl legitim, dass er nach den Jahren der Haft und der Hetze der westdeutschen Medien endlich die Anerkennung seiner Heimat genießen wolle, ohne ständig an die Vergangenheit erinnert zu werden. Den Status als heimgekehrter Held genießt und zelebriert er. Nun ist er wieder wer, und das sollen alle sehen.

Mit Wohlwollen hat er zur Kenntnis genommen, dass Pierres zukünftiger Schwiegervater ebenfalls MfS-Offizier ist – eine standesgemäße Verbindung also. Pierres und Iris' Hochzeit im März 1982 gerät darum zur Feier des »Hauses«: Auf der Gästeliste stehen so viele Namen hochrangiger Geheimdienstler, dass das Brautpaar »aus Gründen der Konspiration« weder Freunde noch Arbeitskollegen einladen darf. Vom Ort der Feier, dem Palasthotel, über das Essen – Fasanenessenz, Kalbsmedaillon, zum Nachtisch frische Ananas mit Vanillecreme – bis zum Brautkleid – knöchellang, cremefarben, Schleierhütchen – wird alles für sie entschieden. »Wir hatten bei unserer Hochzeit nichts zu sagen«, erzählt Pierre.

Günter Guillaume lässt es sich nicht nehmen, seinem Sohn auch den Anzug auszusuchen. Gemeinsam fahren sie beim Exquisit in der Leipziger Straße vor – auf dem hinteren Parkplatz: für besondere Kunden. Im Büro des Verkaufsstellenleiters bemühen sich gleich mehrere Angestellte um die Prominenz, präsentieren ein Modell nach dem anderen. Pierres Vater ist keins davon gut genug. Jedes Mal winkt er das Personal mit unwirscher Geste wieder weg. »Der Anzug muss geschneidert werden«, verkündet er schließlich. Eine Viertelstunde später steht Pierre in einer Schneiderei Unter den Linden und lässt Maß nehmen. Sein Vater sitzt rauchend in einem Sessel und gibt dem Schneider Hinweise zu Schnitt und Stoffauswahl. »Selbstverständlich, Genosse Guillaume. Das lässt sich machen, Genosse Guillaume.«

Als Pierre heiratet, sind seine Eltern längst geschieden: Schon am Tag seiner Rückkehr hatte sich Günter Guillaume im MfS-Gästehaus Friedrichsroda in Thüringen bei der medizinischen Untersuchung in eine Krankenschwester verliebt. Seine Frau reichte sofort die Scheidung ein, als sie von der Affäre erfuhr. HV-A-Chef Markus Wolf bat sie daraufhin mehrfach zu Aussprachen in die Normannenstraße – eine Trennung des legendären Agentenpaares war so gar nicht im Sinne der MfS-Propaganda. Doch Christel Guillaume blieb hart.

Nach ihrer Rückkehr war sie in eine große Dreizimmerwohnung an der Karl-Liebknecht-Straße gezogen. Ihr Mann lebt jetzt in einer Villa am Bötzsee, ein paar Kilometer östlich von Berlin. Dort gehören neben Stasi-Größen nun auch hohe Militärs zu seinem Bekanntenkreis: Ganz in der Nähe, in Strausberg, ist das Hauptquartier der NVA. »Plötzlich hörte mein Vater am liebsten Marschmusik und interessierte sich für alles, was mit Armee zu tun hatte«, erinnert sich Pierre. »Schon wieder eine neue Seite.« Vater Nummer drei.

Pierre sind die Männer, mit denen sich sein Vater umgibt, fast ausnahmslos unsympathisch. Er hasst ihre derben Scherze und großspurigen Sprüche. Und die machtbewussten Reden über Staat und Gesellschaft bestätigen seine Bedenken gegenüber der DDR: So also sind sie, die hier das Sagen haben. Pierre staunt, wie unverblümt die Herren ihre Ansichten zum Besten geben: Die Gewerkschafter von der Solidarność sind für sie allesamt »Dreckskerle«, die in der DDR längst im Gefängnis säßen. Dass es überhaupt so weit kommen konnte, sei ein geradezu kriminelles Versagen der Sicherheitsorgane. »Wie konnten diese Idioten nur so blöd sein, das Kriegsrecht wieder aufzuheben? Da muss ein Riegel vor, und zwar zackig!« Man sehe ja an Ungarn, wohin es führe, wenn man die Zügel locker lasse. Günter Guillaume scheint sich an alledem nicht zu stören. Im Gegenteil: Betroffen hört Pierre, wie auch er »auf das konterrevolutionäre Pack« schimpft, das »alles aufs Spiel setzt, was wir erreicht haben«. Der »Schlimmste von allen« sei »dieser Michail Gorbatschow«. Glasnost und Perestroika – »vollkommen lächerlich!«

Bei anderen Gelegenheiten hört Pierre den Vater ausführlich von seiner großen Zeit in Bonn erzählen. Dann ist er plötzlich wieder der alte SPD-Mann, der seinem Vorbild Willy Brandt den Wahlkampf organisiert – und nicht der »Kundschafter für den Frieden«. Der Gegner ist die CDU, nicht der Klassenfeind im Westen. »Anfangs habe ich noch gehofft, dass das seine eigentliche Haltung und der sozialistische Hardliner nur aufgesetzt ist.«

Meistens aber gibt Günter Guillaume den linientreuen Bonzen, und Pierre streitet deswegen immer häufiger mit ihm. In den zehn Jahren, die er nun schon in der DDR lebt, hat Pierre viele Menschen kennengelernt, die noch immer auf einen gerechten, vielleicht sogar demokratischen Sozialismus hoffen. Auch er selbst teilt diese Hoffnung. Nun muss er zusehen, wie ausgerechnet sein Vater, mittlerweile Oberst des MfS und angeblich ein Kämpfer für die sozialistischen Ideale, genau diese Ideale verrät. Wie er sein privilegiertes Dasein für selbstverständlich hält und den DDR-Bürgern vorwirft, sie jammerten und forderten zu viel: »Was sind schon kleine Einschränkungen individueller Freiheiten gegen ein Leben in Frieden und Geborgenheit – mit sicheren Arbeitsplätzen und bezahlbaren Mieten?« Von Pierres idealisiertem Vaterbild ist mittlerweile nichts mehr übrig. Er geht sogar so weit, in die SED einzutreten - »um Leuten wie meinem Vater nicht die Definition des Sozialismus überlassen«, wie er heute sagt.

Das MfS lässt es den einstigen Kundschaftern an nichts fehlen. Sie leben gut, beziehen eine üppige Rente und kommen in den Genuss der stasieigenen Sonderversorgung. Christel Guillaume raucht Stuyvesant und fährt Citroën, ihr Exmann Peugeot. Sie sind Prominente, Helden, hochdekoriert. Aber gebraucht werden sie nicht mehr. Westagenten, die aus dem »Operationsgebiet«

zurückkommen, gelten im MfS als »verbrannt« – schließlich könnten sie inzwischen »verwestlicht« oder sogar »umgedreht« worden sein und nun für die Gegenseite spionieren. Bei ihrer Rückkehr waren die Guillaumes fest davon ausgegangen, wieder »fürs Haus« arbeiten zu können. »Mein Vater hatte geglaubt, er könne Honeckers außenpolitischer Berater werden«, erzählt Pierre. »Dass man ihn und meine Mutter stattdessen aufs Altenteil schob, muss für beide sehr bitter gewesen sein.«

Seine Mutter sieht Pierre fast nur noch mit Cognacglas in der Hand, und auch der Vater hat oft eine Fahne, wenn er ihm die Tür aufmacht. Mit seiner neuen Frau hat er sich mehr und mehr zurückgezogen, nur an Staatsfeier- und Geburtstagen hält er noch Hof in seiner Villa. Ansonsten verfolgt er das politische Geschehen über den Deutschlandfunk und sucht in den Todesanzeigen der *Frankfurter Rundschau* nach den Namen ehemaliger SPD-Kollegen.

Die Hoffnung auf ein echtes Gespräch mit ihm hat Pierre längst aufgegeben. Trotzdem klopft ihm das Herz, als er im Herbst 1986 einen Stapel eng bedruckter Schreibmaschinenseiten vor sich hat: das Manuskript zu den Memoiren seines Vaters. »Jetzt kannst du endlich erfahren, was dich schon so lange interessiert«, hatte der ihm versprochen. Pierre ist skeptisch. Zu Recht: Statt Antworten bringt die Lektüre nur noch mehr Fragen.

»Der Morgen des 24. April 1974, als Pierre schlaftrunken von seinem Zimmer aus die Verhaftung der Eltern miterlebte, muss für ihn ein Schlag gewesen sein, wie ich ihn mir schlimmer nicht vorstellen kann«, schreibt Günter Guillaume. Vor allem in den ersten Tagen habe Pierre sich mehr über seine Eltern anhören müssen, »als eigentlich zu verkraften war … Der Junge bereitete sich damals an einer Godesberger Oberschule auf das Abitur vor. Was sollte aus ihm weiter werden? … Wie sollte er mit dieser Zerrissenheit weiterleben: Die Eltern als Kommunisten entlarvt, die sich an der ›freiheitlich demokratischen Grundordnung‹ vergangen hatten?«[88]

Eine Frage, erfährt Pierre nun Jahre später, habe den Vater während der Untersuchungshaft »bis zur Schlaflosigkeit« bewegt: »Wie soll der Junge mit dem Konflikt fertig werden?« Er selbst sei schließlich »auf der Suche nach dem Sinn des Lebens zu einem Ziel gekommen und konnte nun dafür geradestehen.« Aber welchen Sinn konnte ihr Sohn »den Vorgängen abgewinnen? War für ihn nicht eine Welt zusammengebrochen, eine Welt, die ihm alles in allem heil erschien?«[89]

Ja, verdammt, genauso war es, denkt Pierre. All die Jahre hatte er vergebens darauf gehofft, solche Sätze aus dem Mund seines Vaters zu hören. Jetzt kann er sich nicht mehr darüber freuen. »Ich war viel zu enttäuscht, dass er es mir nicht selbst und vor allem nicht schon viel früher gesagt hat.« Schon damals vermutet er, dass diese Passagen aus der Feder des Koautors Günter Karau kommen. Der Journalist kennt Pierre aus dessen Zeit bei der *Neuen Berliner Illustrierten*. »Wenn es tatsächlich die Gedanken meines Vaters gewesen wären«, sagt Pierre heute, »warum hätte er mich dann bei jedem meiner Gesprächsversuche auflaufen lassen sollen?«

Jetzt ist Günter Guillaume vor allem damit beschäftigt, seinem Sohn Vorwürfe zu machen: Mit seiner kritischen Haltung werde er seine Familie ins Unglück stürzen. Immer wieder kämen ihm seine konterrevolutionären Äußerungen aus den Parteiversammlungen zu Ohren. »Damit schadest du meinem Ansehen und machst alles schlecht, wofür ich mein Leben lang gekämpft habe!«

An manchen Tagen kann Pierre darüber lachen, an weniger guten trifft es ihn. »Was mir aber wirklich zu schaffen machte, waren seine Versuche, sich in die Erziehung unserer Söhne einzumischen«, erzählt er. Sein vierjähriger Enkel David ist für Günter Guillaume »ein Kind der Deutschen Demokratischen Republik«, und dass er einmal Karriere bei den bewaffneten Organen machen wird, ausgemachte Sache. Stolz lässt er den Kleinen vor seinen versammelten Offiziersfreunden Parolen brüllen. Bis er auch Davids kleinen Bruder Fabian in seinem

Sinne bearbeiten wird, ist es nur eine Frage der Zeit. Pierre zieht die Notbremse. Für sich und seine Familie. Er bricht den Kontakt ab.

»Ich darf für mich in Anspruch nehmen, dass ich vieles, sehr vieles unternommen habe, um hier heimisch zu werden. Ich habe gearbeitet, habe immer neue Wege gesucht, mich beruflich und persönlich weiterzuentwickeln«, schreibt Pierre im Februar 1988 an Günter Schabowski, damals Chef der SED-Bezirksleitung. »Ich möchte mein Leben gemeinsam mit meiner Familie dort fortsetzen, wo ich – nicht durch mein Verschulden – fortgerissen wurde.«[90]

Iris und er haben sich entschieden. Nichts deutet darauf hin, dass sich in diesem Land jemals etwas ändern wird. Außerdem machen ihnen die familiären Konflikte mehr und mehr zu schaffen: Zuletzt war es zum Bruch mit Iris' Eltern gekommen, weil sie David und Fabian vom staatlichen in einen kirchlichen Kindergarten gegeben hatten. Auch die Versuche von Pierres Vater, die Kinder für die Armee zu begeistern, empfinden sie als immer bedrohlicher. Ihr Entschluss steht fest. Sie wissen aber auch, dass das MfS den Sohn des verdienten Kundschafterpaares wahrscheinlich nicht einfach so gehen lässt.

»Ihre Angelegenheit wird von höherer Stelle entschieden«, heißt es in der Behörde. Tatsächlich wird der Ausreiseantrag der jungen Familie zum geheimdienstlichen Politikum. Immer wieder müssen Iris und Pierre zu »Aussprachen« erscheinen. Mal in den Diensträumen der HV A, mal in Gästehäusern und anderen »konspirativen Objekten«. Wochenlang treten die Verhandlungen auf der Stelle. Das MfS fürchtet nicht nur peinliche Berichte der Westmedien, es sieht das junge Ehepaar Guillaume mit seinen umfangreichen Einblicken in »die Firma« auch als Sicherheitsrisiko für die eigenen Leute. Es nützt wenig, dass Pierre und Iris ihr Stillschweigen zusichern. Ein »Ausreisevorgang Guillaume« ist für die Stasi so oder so alles andere als rühmlich. So verhindert sie, dass der Antrag weiter bearbeitet wird. Durch die Behördenangestellten könnte bekannt werden, dass ausgerechnet der Sohn des ruhmreichen Kundschafterpaares der DDR den Rücken kehrt.

Schon oft hatten Iris und Pierre überlegt, den Familiennamen abzulegen, mit dem sie überall nur auffallen. Jetzt erweist sich der Gedanke als die rettende Idee: Das Paar nimmt den Mädchennamen von Pierres Mutter an. Ein paar Tage später gibt das MfS grünes Licht.

Christel Boom, wie sie seit der Scheidung wieder heißt, hatte sich bei den Genossen »im Hause« wochenlang für die Ausreise von Sohn und Schwiegertochter stark gemacht. »Sie wollte etwas wiedergutmachen«, sagt Pierre.

Eines Abends steht der Vater überraschend vor der Tür. Im ersten Moment hofft Pierre noch auf eine Geste der Versöhnung, doch schon nach ein paar Minuten wird klar, dass Günter Guillaume nur gekommen ist, um seinem Sohn erneut bittere Vorwürfe zu machen. Pierre lässt sie über sich ergehen und schweigt. Er hat seinem Vater nichts mehr zu sagen. Hilflos habe der damals 61-Jährige auf ihn gewirkt, erzählt Pierre. Rückblickend tut er ihm leid.

»Wenn's nach mir ginge«, sagt Günter Guillaume kurz vor Pierres Ausreise zu seinen Stasi-Kollegen, »sähe ich meinen Sohn lieber im Gefängnis als im Westen.« Pierre erfährt von dieser Äußerung durch seine Mutter. Trotz der großen Entfremdung zum Vater gibt sie ihm einen Stich. Heute, fast ein Vierteljahrhundert später, nimmt er sie nicht mehr so ernst: »Ich glaube, der Satz war Ausdruck seiner Verzweiflung und seines Unmuts – über mich natürlich, vor allem aber über sich selbst und seine Situation.«

»Unser Wunsch, die DDR zu verlassen, soll dieses Land nicht diskreditieren«, heißt es in Pierres Brief, mit dem er sich drei Monate zuvor an Günter Schabowski gewandt hatte. »Unser Ausreiseantrag darf nicht missverstanden werden als eine Infragestellung oder gar Herabwürdigung der geleisteten Arbeit meiner Eltern, auch wenn ich nicht verhindern kann, dass sie es für immer so deuten werden. ... Ich habe Anspruch auf eine eigene Identität. Ich bin erwachsen und treffe eine souveräne Entscheidung!«[91]

Am 13. Mai 1988 steigt Pierre Boom mit seiner Familie am Bahnhof Schönefeld in den Zug Richtung Westen.

Verdrängen

Die Wohnung. Daran erinnert sie sich. Sieben Zimmer. Ein endlos langer Flur, vorn die Bibliothek mit deckenhohen Regalen, das Schlafzimmer der Mutter, das des Vaters, ein großes Bad, zwei kleine. Das Esszimmer, die Teppiche, die edlen Möbel. Und das Leben darin? »Ich weiß es nicht«, sagt Anna Warnke. »Da war nichts.« Nie sieht sie die Eltern zusammen in einem Raum. Wenn der Vater überhaupt mal zu Hause ist, will er nicht gestört werden. Die Tür zu seinem Arbeitszimmer mit dem großen Kronleuchter unter der Decke ist immer zu.

Vielleicht habe es mal andere Zeiten gegeben, ganz, ganz früher. So muss es doch sein, sagt sie. Oder? Ihre Mutter hat ihr erzählt, dass der Vater an ihrem Bettchen gesessen und Schlaflieder gesungen habe. Vielleicht stimmt das. »Ich wünschte, ich könnte mich erinnern.« Als kleines Mädchen ist sie manchmal zu ihm reingegangen. Wenn sie sich auf die Zehenspitzen stellte, konnte sie gerade über den Schreibtisch gucken. »Spielst du mit mir, Vati?« Ein kurzer Blick: »Fass hier nichts an!«

Gemeinsame Mahlzeiten gibt es nicht. Höchstens am Wochenende – im noblen Johannishof an der Friedrichstraße. »Schrecklich steif und gezwungen«, erinnert sich Anna. Der Vater flirtet mit der hübschen Kellnerin, die Mutter starrt traurig auf die Tischkante. »Das ist das Erste, was mir einfällt, wenn ich an ihn denke«, sagt Anna. »Das Zweite: dass er nie da war.«

Die Sommerferien verbringt sie bei den Großeltern in einem kleinen Dorf in Mecklenburg. Sie leuchtet, wenn sie davon spricht. An jedes Detail erinnert sie sich, kann gar nicht aufhören, davon zu erzählen. Der Duft nach Holzleim und Sägespänen in der Werkstatt des Großvaters, die Seerosen im kleinen

Badeteich, Fahrrad fahren durch blühende Rapsfelder. Nach Hause kommen, wo schon das Essen auf dem Tisch steht: Kartoffelpuffer mit Apfelmus, Rouladen und Kartoffeln, zum Frühstück warme Brötchen mit Marmelade. Aus Schwerin kommen die Geschwister der Mutter, die Cousins und Cousinen, und alle sitzen sie in der Küche um den Tisch mit der geblümten Wachstuchdecke und lachen und reden. »Wir haben so viel geredet«, sagt Anna, »so viel geredet!« Nachmittags gibt es im Garten Kaffee und Kakao und Kirschkuchen mit Streuseln. Abends spielen sie Mau-Mau und »Mensch ärgere dich nicht«. Auf der Fahrt zurück nach Berlin weint sie sich jedes Mal die Augen rot.

Zu Hause in ihrem Zimmer hängen Poster von Madonna, Duran Duran und Depeche Mode – aus der *Bravo,* für 20 Mark vom Schwarzmarkt am Kulturpark Plänterwald. An Geld fehlt es nie. Und von seinen Auslandsreisen bringt der Vater ihr oft Sachen mit, um die ihre Klassenkameradinnen sie beneiden: Mickey-Mouse-Sweatshirt, Jeansrock, Glitzerarmreifen. Anna schämt sich, wenn sie Besuch von Freunden bekommt. Die große Wohnung ist ihr peinlich, die teuren Möbel, das vierfache Schloss an der Tür, das schicke Auto. »Ich wusste, dass wir mehr haben als andere. Warum das so war – darüber habe ich nie nachgedacht.«

Vom Balkon sieht man auf die Grenzanlagen, die abends in grelles Flutlicht getaucht sind. Die Türme mit den Wachposten, Hundelaufanlagen, Stacheldraht. Für Anna ist das normal. »Die Mauer war kein Thema«, sagt sie. Der Westen dahinter, Kreuzberg zum Greifen nah – »kein Thema«.

Auch über die Arbeit des Vaters wird zu Hause nicht gesprochen. Anna weiß nur, dass er Professor an der Humboldt-Universität ist. Ein geachteter Mann mit internationalen Kontakten. Doch das ist buchstäblich nur die halbe Wahrheit, denn außer seiner Professur hat Hermann Warnke noch eine weitere lukrative Beschäftigung: Er arbeitet für die Staatssicherheit als OibE, als »Offizier im besonderen Einsatz«. Als Anna 1972 geboren wird, ist er bereits Oberst.

Das MfS setzt OibE in wichtigen gesellschaftlichen Positionen ein: in Ministerien, bei der Polizei und in der Armee, als Leiter von Fabriken, als Sicherheitsbeauftragte von Betrieben oder eben an Hochschulen. Auch in den Auslandsvertretungen der DDR sitzen OibE. Wenn nötig, stattet sie das MfS mit einer »legendierten Biografie« aus, denn sie dürfen nicht als Stasimitarbeiter zu erkennen sein. Anders als IM stehen sie in direktem Dienstverhältnis, sind also vereidigt, und bekommen ein zusätzliches Gehalt vom MfS. Bei Annas Vater sind es zuletzt 1.850 Mark – für DDR-Verhältnisse ein kleines Vermögen.

In der Regel arbeiten OibE eigenverantwortlich und gewissermaßen als Einzelkämpfer. Umso wichtiger ist ihre politische Verlässlichkeit. OibE, heißt es in der entsprechenden Dienstordnung, sollen sich durch »bewiesene Treue und Ergebenheit zur Partei der Arbeiterklasse und feste Verbundenheit mit dem MfS auszeichnen« und »unter allen Lagebedingungen persönlich unantastbar« sein.[92]

So steht denn auch Annas Vater von Anfang an unter Beobachtung: »Im Wohngebiet ist bekannt«, heißt es in einem »Auskunftsbericht« der Hauptabteilung Kader und Schulung, »dass Dr. Warnke Mitglied der SED ist. Zu den jeweiligen Anlässen sind seine Fenster geschmückt, jedoch nimmt er am gesellschaftlichen Leben im Wohngebiet keinen Anteil.« Und die Disziplinarabteilung meldet 1967, man habe Hinweise bekommen, »dass in der Wohnung des Gen. Warnke laufend Ausländer verschiedener Hautfarben verkehren und an Hand des in der Wohnung dann herrschenden Lärms zu entnehmen war, dass bei solchen Anlässen gefeiert wurde. Dieser Hinweis wurde durch andere Bewohner, welche ebenfalls Angehörige des MfS sind, bestätigt. Von Seiten der Abteilung Schulung wurde diesbezüglich mit Genossen Warnke eine Aussprache geführt, wobei er die Verbindung zu den Ausländern bestätigte, jedoch das ›Feiern‹ ablehnte. Bei den Ausländern handelt es sich seiner Meinung nach um Studenten der Humboldt-Universität, die sich bei ihm Hilfe holen bzw. Literatur ausleihen.«

Insgesamt ist man beim MfS jedoch mit seiner Arbeit zufrieden. Genosse Professor Dr. Warnke zeichne sich »durch Zuverlässigkeit und strikte Wahrung der Geheimhaltung aus«, heißt es in einer Beurteilung. Er sei »ständig darum bemüht, die Lehre und Forschung auf der Grundlage des Marxismus/Leninismus ... zu organisieren und weiterzuentwickeln«. Mehrere »Diensteinheiten des MfS« hätten durch ihn »in ihrer politisch-operativen Arbeit wertvolle Unterstützung erhalten«. Im November 1979 dankt ihm sogar Erich Honecker persönlich in einem Brief für seine Verdienste.

Ostberlin, 1983. Anna geht in die fünfte Klasse der 18. Polytechnischen Oberschule. Der Checkpoint Charlie liegt gleich nebenan. Auch Erich Honeckers Enkel Roberto geht hier zur Schule. In Staatsbürgerkunde sagt die Lehrerin: »Heute wollen wir eine politische Diskussion führen.« Eine Weile lang geht es um die Bedeutung des »Antifaschistischen Schutzwalls« für den Frieden in der Welt, dann fragt eine Schülerin: »Warum gibt es in den Läden so viele Dinge nicht?« Die Lehrerin antwortet nicht. Sie setzt sich die Brille auf, macht eine Notiz. Danach geht der Unterricht weiter. Die Diskussion ist beendet.

Anna hat sich den Vorfall gemerkt, nachdenklich macht er sie erst 28 Jahre später. Damals, als Fünftklässlerin, gibt es für sie keinen Grund, an der DDR zu zweifeln. »Wir hatten ja alles«, sagt sie. »Und Leute, die das Ganze kritisch sahen oder abhauen wollten, gab es in unserem Umfeld nicht.«

Anna geht zu den Jungpionieren, später zur FDJ. Im Ferienlager auf Rügen fahren sie mit Armeefahrzeugen durch den Wald, vor den Bungalows schwelt eine Rauchbombe: Übung für den Ernstfall. Sie singen »Blue, Blue, Blue, Johnny Blue, welche Farbe hat die Sonne?« – es ist der Beitrag der Bundesrepublik zum aktuellen Grand Prix. »Das müsst ihr für euch behalten«, sagen die 16-jährigen Pionierleiter.

Mit den Eltern ist Anna oft auf Usedom im Haus Hubertus – einer Ferienanlage mit Swimmingpool, Sauna und Massagesalon. Für die Kinder werden Grillausflüge und Bootstouren veranstaltet, für die Erwachsenen Jagdessen. Im großen Kinosaal laufen »Der Name der Rose« und andere Filme aus dem Westen. Kellner servieren Himbeereis mit Fruchtstücken und Schirmchen direkt an den Kinosessel. »MfS« steht auf dem Besteck. »Ich hätte es wissen können«, sagt Anna. Es klingt wie ein Vorwurf.

Sosehr sie sich auch bemüht: An das Leben mit ihren Eltern kann sie sich kaum erinnern. »Da war nichts«, sagt sie immer wieder und schüttelt den Kopf. »Es gab kein Familienleben.« Auch Fotos helfen ihr nicht auf die Sprünge. Traurig sieht sie darauf aus. Traurig und auch ein bisschen verloren. »Stimmt«, Anna nickt. »Aber auch daran erinnere ich mich nicht.« Nur an das Gefühl, dieses vage, nicht greifbare, auch heute kaum zu benennende: Dass es etwas gab, das sie nicht wissen sollte. Einen doppelten Boden, vielleicht sogar mehrere. Schon als Kind ist sie sicher, dass es so ist. Der größte Teil der achtzehn Jahre, die sie in der elterlichen Wohnung verbracht hat, liegt im Nebel. »Fass hier nichts an!«

»Ich glaube nicht, dass es meinen Vater interessiert hat, was ich mache oder wie es mir geht«, sagt sie. »Vielleicht wäre es anders gewesen, wenn ich in der Schule richtig gut gewesen wäre. Er wollte unbedingt, dass ich studiere.« Den Gefallen habe sie ihm nicht tun wollen, sagt Anna. Im September 1989 beginnt sie im Palasthotel eine Ausbildung zur Hotelfachfrau. Der Vater hat ihr den Platz vermittelt – er ist mit dem Direktor befreundet. Das Haus mit den 600 Zimmern, zwölf Restaurants und Bars gehört zu den Interhotels, ist also westlichen Gästen vorbehalten. Für die Stasi ist es ein wichtiger Treffpunkt.

Am 4. November 1989 ist die siebzehnjährige Anna gerade dabei, in einer Suite frische Bettwäsche aufzuziehen, als sie von draußen Lärm und lautes Rufen hört. Sie geht ans Fenster, sieht hinunter auf die Straße: Eine nicht enden wollende Menschenmenge zieht dort über die Spreebrücke in Richtung Alexanderplatz. Hunderte, Tausende. Während der Feierlichkeiten zum vierzigsten Jahrestag der DDR vier Wochen zuvor waren Stasi und Polizei noch mit Knüppeln, Hunden und Wasserwerfern gegen die Demonstranten vorgegangen. Heute sieht man nur vereinzelt Uniformierte am Straßenrand stehen. »Zieht euch um und schließt euch an!«, rufen die Leute ihnen in Sprechchören zu. Viele tragen Transparente. »Freie Wahlen«, liest Anna, »Rücktritt ist Fortschritt« und »Mit Gefängnisaufsehern kann man nicht über Freiheit diskutieren«. Mehr als eine halbe Million Menschen demonstrieren an diesem Tag für eine neue, demokratische DDR. »Es war mir egal«, sagt Anna.

Fünf Tage später geht sie abends mit ihrer Freundin Hanka in einen Jugendclub in Marzahn. Es ist schon nach zehn. Um diese Zeit ist vor der Tür sonst oft schon eine lange Schlange, jetzt kommen die beiden Freundinnen sofort rein. Auch die Tanzfläche haben sie fast für sich allein. Der DJ spielt Pet Shop Boys, U2 und Michael Jackson – und zwanzig Kilometer stadteinwärts trifft MfS-Oberstleutnant Harald Jäger, Leiter der Grenzübergangsstelle Bornholmer Straße, eine eigenmächtige Entscheidung: Seit Stunden wartet eine ständig wachsende Menschenmenge darauf, die Grenze Richtung Westberlin passieren zu können. Vergeblich hatte Jäger auf eindeutige Befehle gewartet, wie mit der Situation zu verfahren sei. »Macht den Schlagbaum auf!«, ruft er schließlich.

Tausende Ostberliner strömen in dieser Nacht Richtung Westen. Anna und Hanka bekommen von alledem nichts mit. »Die Mauer ist auf!«, ruft ein Nachbar Anna zu, als sie am nächsten Morgen aus dem Haus geht. Auch auf der Straße hört sie den Satz immer wieder. Sie glaubt es nicht. Erst als sie in den fast leeren Klassenraum der Berufsschule kommt, dämmert ihr, dass da doch etwas dran sein muss. »Was macht ihr noch hier?«, fragt der Mathelehrer. »Jetzt aber rüber!«

Am Checkpoint Charlie drängen sich an diesem Morgen die Menschen – von Ost nach West, von West nach Ost. Dazwischen Vopos, Grenzer, Polizei aus Westberlin. Hupend fahren Kolonnen von Trabis Richtung Westen. Wildfremde Menschen fallen sich in die Arme, klatschen, jubeln, weinen. Geöffnete

Sektflaschen gehen von Hand zu Hand. »Ich fand's o. k.«, sagt Anna. »Aber es war mir alles nicht so wichtig.«

Heute kann sie es selbst nicht fassen, dass all das so spurlos an ihr vorüberging. »Schlimm, oder?«, fragt sie immer wieder, während sie erzählt.

*

Für Hermann Warnke bricht mit der »Wende« eine Welt zusammen. Als seine Stasi-Vergangenheit bekannt wird, entlässt ihn die Universität – in seinen Augen ein klarer Fall von »Siegerjustiz«. Wieso, schimpft er, dürfe er als international geachteter Wissenschaftler nun seine Arbeit nicht mehr tun? So etwas hätte es in der DDR nicht gegeben. Aber im Westen drehe sich ja ohnehin alles nur ums Geld. »Das Menschliche zählt nicht!« Über die Hintergründe seiner Entlassung sagt er nichts, und Anna stellt keine Fragen. »Schlimm, oder?«, sagt sie heute.

Im Frühjahr 1991 trennen sich Annas Eltern. Die Mutter hat die Affären ihres Mannes endgültig satt und zieht mit ihrer Tochter aus. Der Vater bleibt allein in der großen Wohnung, verschanzt sich hinter Büchern und dem Zorn auf »den Westen«. Hin und wieder versucht Anna, mit ihm zu reden – der Übergang in die neue Zeit fällt schließlich auch ihr nicht leicht. Seine immer gleichen Klagen gehen ihr aber bald auf die Nerven, und auch die Anekdoten von früher kann sie nicht mehr hören: Wie es ihm immer wieder gelungen ist, Planstellen und zusätzliche Mittel für das Institut zu ergattern. Wie ihm Erich Honecker bei einem Empfang eine Zigarette anbot, wo er doch gerade dabei war, sich das Rauchen abzugewöhnen. Auf ein persönliches Wort hofft sie vergebens. Schließlich bricht sie den Kontakt ab. Er lässt es geschehen.

Fast sechs Jahre herrscht Funkstille. Anna lebt eine Weile in England, zieht dann nach Hamburg. Im Sommer 1997 hat sie plötzlich eine Nachricht ihres Vaters auf dem Anrufbeantworter: Er wolle sie unbedingt sehen, würde dafür auch nach Hamburg kommen. Anna zögert, lässt ihn noch ein paarmal aufs Band sprechen. »Ich kann ja verstehen, dass du nicht rangehen willst«, hört sie ihn sagen. »Aber hab doch bitte etwas Mitleid mit einem alten Mann ...« Sie nimmt ab – und hört die Freude in seiner Stimme.

Dass sie ihn nicht mehr sehen wollte, habe ihm sehr wehgetan, sagt er, als sie sich ein paar Wochen später in einem Café gegenübersitzen. Er sei doch so stolz auf seine kluge und hübsche Tochter! »Ich hab geheult und geheult«, erzählt Anna, »und wenn ich wieder sprechen konnte, hab ich ihm Vorwürfe für sein Fremdgehen gemacht.« Stirnrunzelnd hört er ihr zu. Warum sie so aufgelöst ist, kann er nicht verstehen.

Danach schreiben sie sich Mails, telefonieren hin und wieder. Wenn sie sich sehen, macht Hermann Warnke seiner Tochter überschwängliche Komplimente. »Er konnte sehr charmant und lustig sein«, sagt Anna. »War ein süßer, älterer Herr. Typ verschrobener Professor.« Es lässt sie nicht kalt, wenn er sagt, dass es ihm leid tue, ihr früher seine Liebe nicht gezeigt zu haben. Zum ersten Mal in ihrem Leben empfindet sie für ihren Vater mehr als nur schmerzliche Sehnsucht. Doch die Skepsis überwiegt. Sie ist schon zu lange ein Teil von ihr.

Rastlos wechselt sie die Städte, zieht von Hamburg nach London, Dublin, Edinburgh, wieder nach Hamburg und schließlich nach München. Zu Hause fühlt sie sich nirgends. Wenn sie auf der Straße Väter mit kleinen Kindern sieht, steigen ihr Tränen in die Augen.

Sie würde gern irgendwo ankommen, sich zurücklehnen und vertrauen. Es gelingt ihr nicht. Immer auf der Suche nach Beweisen für vermeintliche Untreue durchsucht sie Hosen-, Hemd- und Jackentaschen ihres Freundes, kontrolliert sein Handy, liest heimlich seine Mails. Und hasst sich selbst dafür. Beim Spazierengehen folgt sie seinen Blicken: »Findest du die schön?« – jede Antwort ist verkehrt, kein Liebesbeweis je ausreichend. Und wenn sie auch nur ansatzweise das Gefühl hat, belogen zu werden, rastet sie aus. »Eine Beziehung nach der anderen habe ich auf diese Weise vor die Wand gefahren«, sagt sie. »Bis ich es selbst nicht mehr ausgehalten habe.« Im Juli 2009 geht sie zu einem Therapeuten.

Sie sei krankhaft eifersüchtig, erzählt sie in der ersten Sitzung, und sie wisse auch, woher das komme: von den Frauengeschichten ihres Vaters. Völlig klar. Der habe schließlich ihr Bild von den Männern geprägt, und nun könne sie keinem mehr vertrauen.

»Nach meiner Erfahrung sind die Zusammenhänge selten so simpel«, sagt der Psychologe. »Erzählen Sie mir mehr von Ihrer Familie.« Anna ist genervt. Was soll das bringen? Widerwillig fängt sie an zu erzählen. »Was hat das mit dem Thema zu tun?«, fragt sie in den nächsten Sitzungen immer wieder. »Genau das müssen wir herausfinden«, antwortet der Therapeut. Also erzählt sie weiter. Von der großen, stillen Wohnung in der Leipziger Straße, den Ferien bei den Großeltern, der Trennung der Eltern. Und bemerkt zum ersten Mal, wie viele Erinnerungen ihr fehlen. Wie wenig sie weiß.

»Warum«, fragt der Psychologe eines Tages, »gehen Sie Ihrem Vater nicht genauso auf den Grund wie Ihrem Partner? Wie wär's, wenn wir ihn einfach mal googeln?« Er deutet auf seinen Laptop. Anna wird schwindelig, einen kleinen Moment nur. Dann folgt sie dem Therapeuten hinter den Schreibtisch, gibt den Namen ihres Vaters ein. Gleich der erste Eintrag ist ein Treffer. Anna überfliegt die Seite, das Blut steigt ihr heiß in Gesicht und Hände. »... diente bis 1989 als ›Offizier im besonderen Einsatz‹ im Ministerium für Staatssicherheit«.

Ob die Sitzung noch weiterging, wie sie aus der Praxis herauskam – Anna weiß es nicht mehr. Der Schock hat auch diese Erinnerung geschluckt. Die nächsten Tage verbringt sie mit dem Internet. Mit Bauchweh und zittrigen Händen sucht sie alles über die Stasi, »Offiziere im besonderen Einsatz«, ihren Vater. Ihre Gefühle schwanken zwischen Empörung und Sorge: Er hat ein Doppelleben geführt, ist gar nicht der, als der er sich ausgegeben hat! Was hat er getan in seiner Eigenschaft als Stasioffizier? Hat er bewusst Menschen geschadet? Warum habe ich von alledem nichts geahnt? Oder wusste ich es – irgendwie? »Fass hier nichts an!«

Zu einer Aussprache kommt es nicht mehr: Eines Morgens ruft Hermann Warnke seine Tochter an. »Hallo Spätzchen, ich wollte dir nur sagen, dass ich im Krankenhaus bin. Irgendwas mit dem Herzen, vielleicht auch ein leichter Schlaganfall. Sie wissen es noch nicht. Ich bin im Café plötzlich umgekippt und hab mir die Tische von unten angeguckt.« Anna bekommt einen Schreck, lässt sich dann aber vom Humor des Vaters beruhigen: Es ist wohl alles noch glimpflich verlaufen.

Doch dann gibt es Komplikationen, die Ärzte versetzen Hermann Warnke in ein künstliches Koma. Als er zwei Wochen später aufwacht, kann er nicht mehr sprechen. Mehrere Monate liegt er auf der Intensivstation. Anna pendelt zwischen München und Berlin hin und her. Ihr Vater ist sehr schwach, dämmert die meiste Zeit vor sich hin. Wenn Anna kommt, scheint er sich zu freuen.

Anfang Februar 2010 sieht sie ihn zum letzten Mal. Ganz verloren sieht er aus in dem großen Bett. Krank und sehr alt. Um ihn herum brummen Pumpen, piepsen und leuchten Monitore. Ein Gewirr aus Kabeln und Schläuchen verbindet seinen Körper mit Apparaten voller Knöpfe und Regler. Über einen Tropf sickert eine durchsichtige Flüssigkeit in die Vene auf seiner Hand. In der anderen Hand hält er den kleinen Teddy, den Anna ihm neulich geschenkt hat. Als sie geht, winkt er ihr damit zu. Zum ersten Mal sieht sie ihn weinen. Er küsst den Teddy, winkt und weint.

Jedes Detail dieser Szene sieht Anna noch heute vor sich. Ihre Augen schwimmen in Tränen, während sie davon erzählt. »Ich konnte nichts mehr mit ihm klären. Zwei Tage später war er tot.«

Exkurs: Kühler Kopf und saubere Hände – Das Selbstbild der Tschekisten

Das spitze Bärtchen getrimmt, die schwarzen Augen entschlossen in die Ferne gerichtet – Feliks Edmundowitsch Dzierzynski ist in jeder Dienststelle des MfS zwischen Rostock und Dresden präsent. Als Foto, als Büste, als Halbrelief in Gips oder Bronze. Der Mann, der 1917 zusammen mit Lenin die sowjetische Geheimpolizei Tscheka gründete, ist der Stasi Mythos und Idol zugleich. »Heißes Herz, kühler Kopf, saubere Hände« – das ihm zugeschriebene Motto ist für die Mitarbeiter das kleine Einmaleins: Stolz nennen sie sich »Tschekisten« und verstehen sich als revolutionäre Avantgarde, die den Weg in eine bessere, sozialistische Gesellschaft bereitet. Mit allen Mitteln.

Schon allein die sorgsame Rekrutierung hebt das hauptamtliche Personal der Staatssicherheit vom Rest der Bevölkerung ab: Eingestellt werden nur »die besten Kräfte der Arbeiterklasse …, auf die man sich in allen Situationen voll verlassen kann«.[93] Auch sprachlich beansprucht das MfS Sonderstatus: Während der Begriff »Kader« sonst nur für leitende Positionen üblich ist, laufen bei der Stasi sämtliche Mitarbeiter unter dieser Bezeichnung – vor dem Hintergrund des Stalin-Zitats »Die Kader entscheiden alles«[94] kein unbedeutendes Detail.

Zum Tschekisten werde man nicht geboren, lernt der Nachwuchs gleich in den einführenden Lehrgängen, »sondern in den Arbeitskollektiven der Diensteinheiten … erzogen«. Die »Anforderungen an die tschekistischen Persönlichkeitseigenschaften« ergäben sich »aus den Erfordernissen des Kampfes gegen den oft … getarnt auftretenden Klassenfeind«.[95] Sich zu diesen »Kämpfern an der unsichtbaren Front« zählen zu dürfen, als die sie das »Tschekistenlied« besingt, ist Ehre und Auftrag zugleich.

Nicht zuletzt die Traditionspflege des MfS soll die Genossen stets daran erinnern, dass sie in direkter Übertragungslinie mit jenen Geheimdienst-Gründervätern stehen, die einst gegen die Nationalsozialisten kämpften. In den Texten der »Kreisarbeitsgemeinschaft schreibender Tschekisten«, einer Art interner Literaturzirkel, kommt dieses Selbstverständnis immer wieder zum Ausdruck: »Aus dem Erz – gewonnen in den Tiefen der revolutionären Illegalität, erschmolzen in der Glut der Klassenschlachten«, beginnt das Gedicht »Schwert der Partei«. Und weiter: »Aus dem Stahl – gehärtet in den Höllen der Folter und in der eisigen Umklammerung faschistischen Todes ... dem tückischen Feind entreißt du unbarmherzig die Maske ... kommst dem heuchelnden Verräter auf die Spur. Die Scharten des Kampfes machen dich nicht stumpf: ständig erneuerst du dich.« Geschärft und gestärkt gehe es aus seinen Schlachten hervor: »Schwert der Partei, sichtbar für alle bist du: ein sicherer Schutz für das friedliche Werden.«[96] Die Staatssicherheit, so der tagtäglich wiederholte Glaubenssatz, ist alleiniger Garant des Friedens. Als Mitarbeiter hierzu seinen Beitrag leisten zu dürfen wiege daher auch persönliche Opfer auf. In einem anderen Gedicht klingt das so: »Die Arbeit: verstellen, verstecken, erkunden, übermitteln, täuschen und schweigen. Der Lohn: Jahre Frieden.« Dabei weiß man sich Seite an Seite »in unsern gemeinsamen Schlachten« – auch mit den fernen Genossen »im Lager der Feinde«.[97] In »Rückkehr des Kundschafters« heißt es: »Damals Bruch mit allen und jedem. Der Auftrag. Danach lernen. Lernen reden wie SIE, lernen aussehen wie SIE. Lernen denken wie SIE, lernen sich zeigen wie SIE und immer sein – wie WIR.«[98]

Es ist das Wir-Gefühl einer Gruppe von Auserwählten, die überzeugt davon sind, im Recht zu sein, und sich durch ihre Arbeit immer wieder darin bestätigt sehen.

Das so weitergetragene Elitebewusstsein bleibt nicht ohne Wirkung: Kritik an der Überheblichkeit seiner Angehörigen ist für das MfS jahrzehntelang ein Dauerthema – und kommt sogar von ganz oben. »In letzter Zeit«, wettert Politbüro-Mitglied Hermann Matern schon 1962, »mehren sich die Fälle, wo sich Genossen der Staatssicherheit in Ausübung ihrer Arbeit überheblich gegenüber anderen Bürgern, Staatsorganen und zuweilen auch gegenüber Parteiorganen verhalten.«[99] Im Umgang mit Bürgerrechtlern, Ausreisewilligen und anderen »politisch-negativen Objekten« ist ein solches Auftreten indessen durchaus gewollt. Durchdrungen von der Gewissheit, Recht und Mittel auf ihrer Seite zu haben, verfallen Stasimitarbeiter gern in demonstratives Allmachtsgehabe. »Legen Sie sich nicht mit uns an«, bekommt beispielsweise der Schriftsteller Jürgen Fuchs zu hören, als er 1976 in Untersuchungshaft sitzt. »Wir finden Sie überall. Auch im Westen. Autounfälle gibt es überall.«[100]

Das Wissen, zum »Schutztrupp des Sozialismus« zu gehören, wie Gieseke es formuliert, liefert die Legitimation für jede »Maßnahme«. Es prägt den Korpsgeist und färbt den Blick auf alle, die nicht zum Kreis der Auserwählten gehören. Wer Feind ist und wer Freund, ist ein für alle Mal geklärt. Und dank der Abschottung nach außen bleibt das Weltbild genauso intakt wie das elitäre Selbstverständnis: Jeder Mitarbeiter, sagt Erich Mielke, »muss stolz darauf sein, zu einem Organ zu gehören, das vom Feind gehasst, aber vom Volk geachtet und geliebt wird«.[101]

Abhauen

»Hallo Tom, Du alter UNIONER! Ich hoffe ja, dass Du auch bald in unserem Teil von Berlin eintreffen wirst. Ich habe das Zuchthaus, außer einigen Gewichtsverlusten, ganz gut überstanden und fange jetzt langsam wieder an, in das normale Leben einzusteigen. Habe schon eine Menge Leute wiedergetroffen. Aus diesem Blickwinkel kann man die Mauer noch gerade so ertragen ...« – die Postkarte von seinem Kumpel Klaus, abgestempelt am 24. Oktober 1984 in Westberlin, wird Thomas Tröbner nie erhalten: Die Stasi fängt sie ab. Genau wie die Zeilen, die Reiner am 5. November 1984 an ihn und seine Freunde im Ostteil der Stadt richtet: »Ich sage nur ein Wort: TEMPO!! Noch mehr Anträge, noch mehr Power, meine Herren Kameraden! Warte immer noch auf die ersten richtigen Deutschen aus dem russischen Sektor UNSERER Stadt (nach mir!).«

Auf der Vorderseite der Postkarte ist der Potsdamer Platz zu sehen, damals noch Brachland des Todesstreifens. Dahinter der Fernsehturm am Alexanderplatz, ein Stückchen Rotes Rathaus, im Vordergrund die Mauer. »Für ein unabhängiges, vereintes, demokratisches Deutschland!«, hat jemand in großen, roten Buchstaben daraufgepinselt.

Thomas kann die Post seiner Freunde erst lesen, als er 1992 seine Stasiakte einsieht: Einen ganzen Stapel Briefe und Karten hat die Abteilung M des MfS, die Postkontrolle, zusammengetragen – und in einer Tabelle Poststempel, Absender und den »wesentlichen Inhalt« vermerkt. Seit der 26-jährige Thomas Tröbner im Mai 1984 einen Ausreiseantrag gestellt hat, steht er unter Dauerbeobachtung.

Fünf seiner engsten Freunde sind in den vergangenen Monaten in den Westen gegangen – einem war die Flucht gelungen, einer wurde von der Bundesrepublik aus der Haft freigekauft, dreien wurde der Antrag auf Ausreise nach jahrelangem Warten schließlich genehmigt.

Auch Thomas will weg. Seit Jahren schon. Nur seine Freundin Cordula und ihr kleiner gemeinsamer Sohn hatten ihn noch gehalten. Jetzt, nach der Trennung, ist sein Wunsch, das Land zu verlassen, wieder übermächtig geworden. Dass das für ihn besonders schwierig werden würde, weiß er aber auch schon seit Langem: Sein Vater ist Angehöriger des MfS. »Die werden dich nicht rüberlassen«, hatte Rolf Tröbner ihm immer wieder gesagt. Im Übrigen werde ein solcher Schritt unweigerlich zum Bruch mit Eltern und Geschwistern führen, da er dann gezwungen sei, sich von ihnen loszusagen. Genauso steht es dann auch in der »Stellungnahme zur Verhaltensweise meines Sohnes«, die Oberstleutnant Tröbner Anfang Juni 1984 an seine Vorgesetzten richtet: »Er weiß, dass bei Weiterbetreibung seines Antrages auf Ausreise aus der DDR er kein Elternhaus mehr hat.«

Völlig kalt habe ihn das nicht gelassen, erzählt der heute 53-Jährige. Vor allem seine Mutter habe ihm leidgetan. »Aber der Wunsch, aus der DDR rauszukommen, war einfach stärker.« Vergeblich versuchen die Eltern, ihn dazu zu bringen, den Antrag zurückzuziehen. Er habe seinem Sohn »klar gesagt«, schreibt Oberstleutnant Tröbner vier Wochen nach der ersten Stellungnahme, »dass, wenn er nach Ablehnung seines Ausreiseantrages erneut Antrag auf Ausreise stellt, wir geschiedene Leute sind und er die elterliche Wohnung nicht mehr zu betreten hat. Das entspricht auch meiner politischen Grundhaltung.« Die »Angelegenheit« berühre ihn zwar »schmerzlich«, er sei jedoch der Meinung, »dass ich bei einer derartigen Haltung meines Sohnes nicht allzu viel verloren habe«.

Seine Frau sei allerdings trotz mehrfacher Aussprachen »nicht bereit, die gleichen Konsequenzen zu ziehen«. Für sie sei »Thomas erst dann verloren, wenn er durch strafbare Handlungen mit den Gesetzen der DDR in Konflikt gekommen ist bzw. die DDR verlassen hat«.

Kurz darauf weist die Abteilung Inneres beim Rat Berlin-Lichtenberg Thomas' »Antrag auf Wohnsitzänderung« zurück. Er schreibt einen neuen. Und noch einen. Und noch einen. Bis Ende des Jahres sind es insgesamt fünf. Jeder wird abgelehnt. Warum zum Donner, flucht Thomas im Stillen, habe ich keinen Vater wie jeder andere? Warum kann er nicht Maler sein oder Bäcker?

Früher hatte seine Stellung ja hin und wieder auch ihr Gutes. Da hatte er für Thomas und dessen Freunde Karten für Fußballspiele besorgt, an die man normalerweise nicht rankommt – Hertha BSC gegen Dynamo Dresden zum Beispiel, einmal sogar SV Dynamo gegen Nottingham Forest. »Reißt euch zusammen«, schärfte er ihnen jedes Mal ein. »Im Stadion sitzen Kollegen von mir.« Auch wenn Thomas als Jugendlicher von der Polizei aufgegriffen wurde, was immer mal wieder vorkam, hatte es sich stets als hilfreich erwiesen, den Beamten das »Ministerium des Innern« als Arbeitsplatz des Vaters nennen zu können. Denn meist ließ sich das Ganze dann intern, über den kleinen Dienstweg, aus der Welt schaffen. »Den Ärger zu Hause hat mir das natürlich nicht erspart. Trotzdem: Mein Vater hat mich sicher einige Male vor dem Jugendwerkhof bewahrt.«

In den Augen der Eltern ist Thomas schon früh das »Problemkind« der Familie, ganz anders als seine jüngeren Geschwister Lutz und Sabine. Nicht zu bändigen, immer in Bewegung und kaum je dazu zu bringen, eine einmal begonnene Aufgabe zu Ende zu führen. Ruth Tröbner, die mit der Erziehung der drei Kinder mehr oder weniger allein ist, hat ihre liebe Not mit ihm. Hausarreste, Fernsehverbot – nichts will fruchten. Auch die großen Aussprachen, die ihr Mann sonntags mit ihm führt, zeigen keine Wirkung. »Du musst lernen, dich unterzuordnen«, predigt der Vater immer und immer wieder. »Du verbaust dir deine Zukunft!« Thomas ist das egal. Schon bei den Pionieren hat er sich gelangweilt, und bei der FDJ ist es nicht viel besser, findet er.

Wenn seine Freunde und er am Ersten Mai oder dem »Republik-geburtstag« geschniegelt und im Blauhemd zu den offiziellen Paraden antreten müssen, lassen sie sich immer nur kurz beim Sammelpunkt sehen und verdrücken sich dann so schnell wie möglich. »Während seiner gesamten Schulzeit«, berichtet Rolf Tröbner dem MfS, »gehörte Thomas zu dem Kreis von Schülern, die versuchten, sich der notwendigen Disziplin und Ordnung zu entziehen.«

Die Eltern seiner Kumpels hätten auch mal ein Auge zuge-drückt, erzählt Thomas. »Da hieß es dann: ›Soll der Brigadefüh-rer doch zu uns kommen, wenn er sich beschweren will.‹ So was hätten meine nie gesagt. Ich wusste immer: Wenn es rauskommt, dass ich mich gedrückt hab, krieg ich doppelt Ärger: in der Schule und zu Hause.« An der elterlichen Wohnung in Berlin-Karlshorst hängt zu sozialistischen Feiertagen in jedem Fenster die Fahne der DDR – »das volle Programm«, sagt Thomas.

Als die Jugendweihe bevorsteht, schickt der Vater Lutz und ihn zum Friseur. »Den kenn ich gut«, sagt er zu ihnen. »Der macht es so, wie ihr es wollt.« Von wegen, sagt Thomas heute: »Die haben uns da nebeneinandergesetzt, dass keiner abhauen konnte, und dann haben sie uns gleichzeitig die Haare geschnitten – aber so was von radikal kurz! Alles ab!« So war das eben, sagt er. »Was mein Vater wollte, wurde gemacht. Er war der Kommandant zu Hause. Wenn er da war, hatte auch meine Mutter nichts zu mel-den.«

Rolf Tröbner ist als Referatsleiter in der HV A zuständig für die »Bearbeitung« der CDU. Unter seinen Kundschaftern im Westen sind etliche »Topquellen«. Er geht früh aus dem Haus, kommt spätabends erst wieder – sechs Tage die Woche. Mindes-tens. Selbst Silvester und an den Weihnachtstagen ist die Familie kaum einmal vollzählig. Schon allein deswegen habe er nie eine wirkliche Beziehung zu ihm gehabt, erzählt Thomas. An Zärt-lichkeiten, und sei es eine im Vorbeigehen auf Kopf oder Schul-ter gelegte Hand, kann er sich nicht erinnern. »Da war nichts«, sagt er. Und Gespräche? Er zuckt mit den Schultern. »Höchstens über meine Leistungen in der Schule und meine mangelnde Disziplin.« Wenn Thomas von seinem Vater spricht, sagt er »mein Vater« oder »Rolf«. Ein Pendant zum liebevoll-weichen »Mudder« zu benutzen sei ihm nie in den Sinn gekommen.

»Zusammenfassend über die Kindheit von Thomas könnte man einschätzen: Durch Mangel an Ausdauer, Fleiß und Disziplin gelang es ihm nicht, positive Leistungen zu erbringen«, heißt es in Rolf Tröbners Stellungnahme.

Im September 1974 beginnt Thomas eine Lehre als Schornsteinmaurer. Sechzehn ist er damals, trägt mit Vorliebe Parka und schwere Stiefel und feilscht mit dem Vater um jeden Zentimeter Haarlänge. Er geht auf illegale Konzerte und zu den Spielen des 1. FC Union, dessen Anhänger größtenteils zur alternativen Szene gehören und darum stets im Visier der Stasi sind. Auch Thomas wird aktenkundig: »Im Rahmen der operativen Bearbeitung des negativen Anhangs des 1. FC Union Berlin«, meldet die Bezirksverwaltung des MfS, sei die »Person Tröbner, Thomas« bekannt geworden. Es »erfolgte die operative Erfassung im Vorgang ›Krakeeler‹«.

Vor Kurzem hat er sich mit Stopfnadel und blauer Tinte »STONES« auf den Oberarm tätowiert, dazu einen Mund mit rausgestreckter Zunge. Auf dem Unterarm prangt ein zehn Zentimeter großes Kreuz. Mit der Kirche hat Thomas überhaupt nichts am Hut – ihm gefällt die Provokation. Aus demselben Grund trägt er hin und wieder alte Nazi-Orden.

»Auch euch würde dieser Weg offenstehen«, hat Rolf Tröbner früher oft zu seinen Söhnen gesagt und damit den Weg in »den Apparat« gemeint. Mittlerweile hat er diese Hoffnung begraben, zumindest was Thomas betrifft. Zu oft legt ihm sein Vorgesetzter mit hochgezogenen Augenbrauen die Berichte über die neuesten Verfehlungen seines Ältesten auf den Tisch. Als Thomas aber auch noch verkündet, er wolle, wenn überhaupt, nur Dienst als Bausoldat tun, platzt dem Vater der Kragen: Wenn er sich tatsächlich vor dem Wehrdienst drücke, werde er höchstpersönlich dafür sorgen, dass Thomas nicht nur zu Hause, sondern auch aus Berlin rausfliege und in der hintersten Ecke der Provinz lande. Für die Familie sei er dann selbstverständlich gestorben.

»Da war klar, wer am längeren Hebel sitzt«, sagt Thomas. Im Mai 1978 tritt er in einer Kaserne bei Potsdam seinen Dienst an. »Ich glaube, mein Vater wusste es zu schätzen, dass ich mich überwunden hatte. Wahrscheinlich hoffte er auch, dass ich durch die Armee ein bisschen gezähmt würde.« Jedenfalls hilft er ihm in den anderthalb Jahren einige Male aus der Patsche, biegt Dinge gerade und deckt so manche Regelverletzung. Wenn Thomas trotz Urlaubssperre mal wieder das Wochenende zu Hause verbracht hat, fährt ihn Stasioffizier Tröbner sogar Montag früh in die Kaserne, damit er im Schutze der Dunkelheit in das Gebäude einsteigen und noch vor dem Wecken im Bett liegen kann – als wäre er nie weg gewesen. Und die dreißig Flaschen Bier und sechs Flaschen Schnaps, die Thomas als Mitbringsel vom illegalen Heimurlaub dabei hat, reicht er ihm noch über den Zaun hinterher. »Was hast du bloß immer mit deinem Vater?«, wundern sich die Kameraden auf der Stube. »Der ist doch schwer in Ordnung!«

Rolf Tröbner hätte es gern gesehen, wenn Thomas sich zu drei Jahren »Ehrendienst« verpflichtet hätte, doch er respektiert auch, dass das für ihn nicht infrage kommt. »Es war aber ein Fehler«, meint Thomas heute. »Ich hätte die blöde Verpflichtung unterschreiben sollen. Dann hätte ich mich zum Grenzdienst gemeldet, hätte mir auf Posten einen Weg gesucht und wäre abgehauen in den Westen.«

Seit dem 16. Jahrhundert wird in dem kleinen thüringischen Ort Wasungen Karneval gefeiert. Der SED-Führung ist er suspekt – schließlich könnten in den Büttenreden auch politische Witze fallen, verdiente Genossen verhöhnt werden. »Feindlich-negative Kräfte« könnten sich den traditionellen Umzügen anschließen und sie unversehens in Demonstrationen verwandeln.

Trotzdem dulden die Parteioberen das Geschehen »aus Gründen der örtlichen Tradition«. Zu ihren Bedingungen: Politiker als Pappfiguren wie auf dem Kölner Rosenmontagszug sind strikt verboten. Jede Rede, jedes Lied, jedes Plakat muss von der Ortsparteileitung Wochen im Voraus genehmigt werden. Und über den Rest wacht die Stasi: Der örtliche Karnevalsklub ist mit inoffiziellen Mitarbeitern durchsetzt, sogar der Präsident ist ein Informant des MfS.

Nun aber haben sich die Bedenken von Staatsführung und Staatssicherheit doch noch bestätigt: Der Wasunger Karneval hat sich seit Ende der Siebzigerjahre zu einem beliebten Treffpunkt für Jugendliche aus der ganzen Republik entwickelt. Sie tragen Lederjacken und grüne Parkas, Rucksäcke aus Armeebeständen und – als besonderes Erkennungszeichen – Stoffbeutel mit Hirschmotiv. Sie nennen sich »Blueser«, »Tramper«, »Punks« oder »Kunden«, für die Stasi sind es »Gammler mit negativ-dekadentem Äußeren«. Zu Hunderten fallen sie jedes Jahr im Februar in Wasungen ein. Auch Thomas Tröbner ist oft mit dabei.

Die Stadt mit den schmucken Fachwerkhäusern ist an diesen Tagen eine Festung im Ausnahmezustand. Hinterm Rathaus stehen Wasserwerfer bereit, sämtliche Zufahrtstraßen sind gesperrt, das gesamte Stadtgebiet weiträumig abgeriegelt. Volkspolizisten und Stasimänner in Zivil halten Autos an, sammeln Personalien, holen Jugendliche aus den Zügen. »Wir mussten uns immer wieder was Neues einfallen lassen, um doch noch in die Stadt zu kommen«, erzählt Thomas. »Wir sind stundenlang durch den Wald marschiert oder mit dem Taxi riesige Umwege gefahren. Einmal haben wir uns als Skifahrer verkleidet, beim nächsten Mal als Müllmänner. Einerseits war das alles sehr lustig, andererseits total deprimierend, weil man immer gesehen hat: Du darfst nicht machen, was du willst. Egal, wie harmlos es ist. Und du kannst dich nicht frei bewegen. Nicht mal in deinem eigenen Land.«

Reisen ins sozialistische Ausland sind ähnlich ernüchternd: Der Reiseverkehr in die Tschechoslowakei ist zwar offiziell visumfrei, doch wer tatsächlich rüber darf, liegt im Ermessen der Grenzer – und damit der Stasi. Als Thomas im Juli 1981 mit ein paar Freunden nach Prag fahren will, um ein Spiel von Hertha BSC zu sehen, werden sie am Grenzübergang zurückgewiesen. Ein paar Wochen später lässt man sie zwar als Zuschauer zum Motorradweltmeisterschaftsrennen nach Brno, ihr Besuch wird aber gewissenhaft notiert und findet Eingang in ihre Akten.

»Und wenn man dann endlich in den sogenannten Bruder-staaten war, wurde man fast überall behandelt wie ein Mensch zweiter Klasse.« Thomas' Tonfall ist anzuhören, wie sauer ihn das noch heute macht. »Das ging schon im Hotel los: Woher kommen Sie? Aus Deutschland. West oder Ost? Ost. Da haben wir nichts frei.«

Vierzig Jahre, rechnet der 24-jährige Thomas sich aus. Dann bin ich Rentner und darf auch mal ins »kapitalistische Ausland«. Vielleicht. Wenn sie mich lassen. Wenn ich bis dahin brav bin. Vierzig Jahre.

»No future« – mit dieser Parole bringen Punks im westlichen Teil der Welt ihren Pessimismus auf den Punkt. Für die Punks in der DDR sind deren Probleme purer Luxus: Vielleicht haben sie hin und wieder ein paar Schwierigkeiten mit ihren Eltern oder der Polizei. Und ja: Auch im Westen werden Leute mit bunten Haaren, zerrissenen Hosen und Sicherheitsnadeln im Ohr von manchen schief angeguckt, vielleicht sogar angefeindet. Aber dort kommt niemand ins Gefängnis, nur weil er Musik hört, die der Regierung nicht passt. Weil er seine Arbeit oder den Wohnort frei wählen will. Wer in der DDR nicht ins sozialisti-sche Korsett passt, sich mehr von seinem Leben erhofft, als die Staatsführung für ihn vorgesehen hat, aber nicht ständig Re-pressionen ausgesetzt sein will, dem bleibt nur eine Möglichkeit: Ruhe geben, mitmachen. Bis zur Rente. »Too much future« heißt darum das Motto der Ost-Punks. Es beschreibt auch Thomas' Lebensgefühl.

»Aber Thomas«, sagt seine Mutter oft und hat dabei manch-mal schon Tränen in den Augen, »es sind doch nicht alle jungen Leute todunglücklich hier!« – »Mag ja sein, aber ich bin es! Siehst du denn nicht, dass ich nicht hierher passe?« – »Du könntest dir mehr Mühe geben. Es gibt doch so viele Möglichkeiten! Auch für dich!«

»Am 22. August 1984«, vermerkt das MfS, »wurde dem Tröbner, Thomas die endgültige … Rückweisung seines Ersuchens mitgeteilt. Ihm wurde eingehend begründet, dass er nicht antragsberechtigt ist, was er jedoch nicht begreifen wollte. Er äußerte im Gespräch nach Widerlegung seiner vorgebrachten Argumente (Reisen, Angebotslücken, keine Berufschancen, Eingesperrtsein u. a.): ›Was Sie mir sagen, hat mein Vater mir auch schon alles gesagt.‹« Es wurde deutlich, »dass er feindlichen Argumenten unterliegt und diesen Glauben schenkt … Immer wieder zeigte sich Tröbner uneinsichtig und verbohrt.«

Drei Tage später sitzt Thomas erneut zwei Uniformierten gegenüber, diesmal bei der Kriminalpolizei Lichtenberg. Sein Vergehen: Aus dem Fenster seiner Wohnung hatte, so hält es das Protokoll fest, »in den frühen Morgenstunden« eine Fahne der BRD gehangen. Warum, wollen die Beamten wissen. »Weil ich auf Deutschland stehe«, antwortet Thomas und fügt hinzu: »Damit meine ich die Bundesrepublik Deutschland.« Er habe an diesem Abend Freunde zu sich eingeladen, um gemeinsam ein Rockkonzert zu sehen, das im Westfernsehen übertragen wurde.

Es ist nicht das erste Mal, dass der Kripo eine private Feier in Thomas' Wohnung missfällt. Erst vor ein paar Wochen hatte sie, »da T. auf Klopfen nicht öffnete und der Lärm nicht nachließ, nach Öffnen der Wohnungstür mittels Dietrich eine Personenkontrolle der anwesenden Personen vorgenommen«. Diese verließen daraufhin »einzeln und widerwillig die Wohnung … Eine Person sagte wörtlich: ›Na, ein Glück, wir sind ja bald im Westen!‹« Bei »den weiblichen Personen handelt es sich unbezweifelt um HWG-Personen«. HWG steht im Stasi-Jargon für »häufig wechselnde Geschlechtspartner«.

Am 27. August 1984 wird Thomas der Personalausweis entzogen. »Ausschluss vom pass- und visafreien Reiseverkehr« heißt das im Behördendeutsch, in Wirklichkeit ist es viel mehr: Wer statt des offiziellen Ausweises den sogenannten PM 12 bei sich trägt, ist als potentiell Verdächtiger stigmatisiert und muss bei jeder Kontrolle mit zusätzlichen Schwierigkeiten rechnen. Meist müssen sich PM-12-Inhaber regelmäßig bei der Polizei melden, dürfen auch innerhalb der DDR bestimmte Orte nicht betreten oder den Arbeitgeber wechseln. In Thomas' Fall heißt es im Protokoll, der »Entzug des PA« sei »auf Grund der am 25. 08. 1984 getroffenen Feststellung« erfolgt, »dass aus der Wohnung des Tröbner eine BRD-Fahne am Fenster gehangen hat, sowie der Tatsache, dass er ... ein gemeinsames BRD-Fernsehen organisierte und durchführte«. Im Übrigen sei er »als Antragsteller in Erscheinung getreten«. Abschließend vermerkt der zuständige Oberleutnant: »Der T. leistete der Vorladung pünktlich Folge und erschien in einem weißen T-Shirt mit der Aufschrift über die gesamte Brust (grün): Held der Arbeit.«

Als Ausreisewilliger und PM-12-Inhaber stellt Thomas in den Augen der Staatssicherheit ein Risiko dar. Anlässlich des »Sicherungseinsatzes« zum bevorstehenden 35. Jahrestag der DDR am 7. Oktober 1984 wird darum ein »Maßnahmeplan zur verstärkten Kontrolle des Tröbner« erarbeitet. Es müsse verhindert werden, heißt es in dem Papier, »dass von ihm Störhandlungen ausgehen«. Bei »auftretendem negativen Verhalten und Handlungen gegen die staatliche Ordnung« seien »sofort Maßnahmen einzuleiten, um diese im Anfangsstadium zu erkennen und unterbinden zu können«.

Dass verdächtige Aktivitäten umgehend gemeldet werden, liegt vor Ort in der Verantwortung mehrerer »Kontaktpersonen«. Im »Wohnbereich« hatte das MfS bereits vor einiger Zeit das Rentnerehepaar Lessing mit der Aufgabe betraut, den in der Wohnung über ihnen lebenden Thomas »während seiner Freizeit und seines Aufenthalts im Wohngebiet ständig unter Kontrolle zu halten«. Obligatorisch sind das »Festhalten der Zeiten, wann verlässt T. das Grundstück bzw. wann kommt er zurück und mit wem?«, sowie das »Notieren der PKW-Kennzeichen, deren Fahrer bzw. Insassen zu T. zu Besuch kommen«. Ob in der Wohnung dann Partys gefeiert werden, will die Stasi wissen und: »Anzahl der Personen, Personenbeschreibungen, was wird noch dazu festgestellt«. Außerdem sei die »periodische Kontrolle der Fenster der Wohnung des T.« vorzunehmen.

Die Lessings nehmen ihre Aufgabe ernst und berichten geflissentlich. Der T. trage »in der Öffentlichkeit Tigerhosen« und sei oft auch »völlig schwarz gekleidet« – sogar »an Staatsfeiertagen«. Als sie zum Ersten Mai »eine Beflaggung ihrer Fenster« vornahmen, habe »der T. seine schwarzen T-Shirts aus seinem Fenster« gehängt, sodass diese »unmittelbar über den Flaggen« hingen. Darüber hinaus verursache »der T. … in unregelmäßigen Abständen mit seinem Radio in seiner Wohnung ruhestörenden Lärm und stört somit in erheblicher Art und Weise das sozialistische Zusammenleben … im Wohnhaus«. Er höre »grundsätzlich nur Westsender, besonders den RIAS« – als ehemalige Mitarbeiterin des Rundfunks der DDR habe die Genossin Lessing »ein Gehör dafür, welcher Sender eingestellt ist«.

Thomas hat mittlerweile den fünften Antrag eingereicht – und wird deswegen erneut zu einer »Aussprache« vorgeladen. Es ist Anfang Dezember 1984. Die »Zielstellung«, ihn zur Rücknahme des Antrags zu bewegen, erreichen die beiden hohen Stasioffiziere nicht. »Tröbner, Thomas war allen Argumenten gegenüber uneinsichtig«, heißt es in ihrem Bericht. »Er begründete sein Motiv mit der ›großen Freiheit‹ und der ›freien Meinungsäußerung‹ in der BRD … Das Gesamtverhalten des Tröbner, Thomas war provokatorisch und anmaßend. Sein Anzug war liederlich unsauber und nach Art der Punk's. Es muss eingeschätzt werden, dass das gesamte Erscheinungsbild nicht darauf schließen lässt, mit dem Sohn eines Genossen unseres Organs zu sprechen.«

Unterdessen läuft die Überwachungsmaschinerie. Punkt für Punkt wird der »Operativplan« abgearbeitet. In einer »Verbindungsspinne« werden, grafisch übersichtlich dargestellt, sämtliche Personen erfasst, mit denen Thomas zu tun hat – geschiedene Ehefrau, Schwester, Bruder, Mutter, Brigadier, Kaderleiter. Farbige Kreise kategorisieren die aufgelisteten Namen als »Parteiteilnehmer«, »Verwandte«, »Antragsteller« oder »Ausgereiste«.

Aus Thomas' Privatleben kennt die Stasi inzwischen viele Details. Sie weiß, dass sein Freund Frank Steeger seinen Spitznamen »Inge« der westdeutschen Schauspielerin Ingrid Steeger verdankt, dass Thomas »Langer« genannt wird, gern im Jägerstübchen Bier trinken geht und »eine hochwertige Hi-Fi-Anlage« besitzt. IM »Finger« liefert verlässlich Informationen über den gesamten Kreis. Er ist einer von Thomas' ältesten Freunden – 1992 wird er seine Berichte in den Akten finden. Darunter auch den kurzen Dialog über die Straßenkarte von Gesamtberlin, die sich Thomas über sein Bett gehängt hat: »Befragt über den Grund des Anbringens der Karte äußerte der Tröbner dem IM gegenüber, dass er so bei seinem späteren Aufenthalt in Westberlin nicht mehr ortsunkundig wäre.«

Ab Anfang des Jahres 1985 wird Thomas rund um die Uhr bewacht. Sein Telefon wird abgehört, minutengenaue Beobachtungsprotokolle verzeichnen jeden seiner Schritte.

Sein Freund Christian, der schon seit vier Jahren in Westberlin lebt, nimmt für ihn Kontakt zu einem professionellen Fluchthelfer auf. Auch Frank »Inge« Steeger will sich der Aktion anschließen: Sein Vater leitet die Akademie für Staat und Recht, an der die SED ihre Nachwuchskader ausbilden lässt. »Mach dir mal keine Hoffnungen, dass du legal ausreisen kannst«, bekommt Frank immer wieder von ihm zu hören. Jetzt will er die Flucht riskieren. »Natürlich wusste ich, dass ich beobachtet werde«, sagt Thomas. »Aber ich musste es einfach versuchen, sonst wäre ich hundertprozentig ein paar Wochen später wegen irgendetwas im Knast gelandet. Ich hab' der Sache 50/50 gegeben.« Tatsächlich aber sind ihre Chancen gleich null: Das MfS weiß Bescheid und muss nur noch zugreifen.

Am Abend des 14. April 1985 quetschen sich Frank und Thomas in den Kofferraum eines Mercedes mit Westberliner Kennzeichen. Die beiden Männer, die den Wagen fahren, sehen sie zum ersten Mal – sie gehören zur Gruppe des Fluchthelfers Jürgen Fürch. Nach einer Dreiviertelstunde hören sie gedämpft die Geräusche des Grenzübergangs. Befehle, Hundegebell, stoppende und wieder startende Motoren. Dann spüren sie, wie der Wagen wendet. Unverständliche Wortfetzen, dann Klopfen von außen, erst dumpf wie mit der flachen Hand, dann metallen. Thomas und Frank lauschen angestrengt ins Dunkel. »Tack, tack, tack« rund ums Auto, Motor an, Motor aus. Dann öffnet sich der Kofferraum. Grelles Scheinwerferlicht und vier auf sie gerichtete Maschinenpistolen.

»Auf der Grundlage operativer Erkenntnisse zu einer von der kriminellen Menschenhändlerbande Fürch organisierten Schleusungsaktion und daraufhin eingeleiteter zentraler Maßnahmen erfolgte am 14. 4. 1985 gegen 22.30 Uhr an der Grenzübergangsstelle Staaken die Festnahme der Einwohner von Berlin (West), des Schleuserfahrers Doll, Hans-Dieter und des als Beifahrer fungierenden Schmieder, Volker sowie der im Kofferraum des PKW zum Zwecke der Ausschleusung versteckten Bürger der DDR Tröbner, Thomas (26) und Steeger, Frank (25).« Viereinhalb Jahre Haft lautet das Urteil für Thomas.

Seine Mutter gibt während der Vernehmung zu Protokoll: »Auch wenn ich seine Ansichten nicht teile und seine Handlungsweise verurteile, möchte ich doch den Kontakt zu ihm, solange er sich in unserer Republik befindet, nicht abbrechen und Thomas nicht abschreiben.« Es ist ihr ernst damit. So oft man sie lässt, besucht sie ihn in der Untersuchungshaft. Später im Strafvollzug ist ihm nur eine »Besuchsperson« gestattet. Er entscheidet sich für seine Freundin Kerstin. Über sie hält Ruth Tröbner weiter Kontakt zu ihrem Sohn. Hin und wieder dürfen sie sich schreiben.

An seinem Entschluss, die DDR zu verlassen, hat sich nichts geändert. Obwohl seine Mutter und auch die Vernehmer ihn immer wieder davon überzeugen wollen, den Antrag zurückzuziehen, ihm von Seiten des MfS sogar Strafmilderung zugesagt wird – Thomas bleibt bei seiner Haltung. Nach Verbüßung seiner Haftstrafe will er in die BRD.

»Für mich ist die DDR ein absoluter Polizeistaat, was ich hier in der U-Haft des MfS nur bestätigt finde«, schreibt er, als man ihn auffordert, zu seinen Gründen Stellung zu nehmen. »Mich kotzt an, dass man Leuten, die hier absolut fehl am Platz sind, die Ausreise verwehrt. Jeder sollte das Recht haben, in dem Land zu wohnen, wo er sich seiner Meinung nach am rechten Platz fühlt. Ich möchte die Ausbeutung des Menschen durch den Menschen kennenlernen. Am Aufbau des Sozialismus liegt mir nichts. Sollen ihn die Leute aufbauen, die sich hier zu Hause fühlen.«

*

Im November 1987 wird Thomas nach zweieinhalb Jahren vorzeitig aus der Haft entlassen: Um vor Honeckers Staatsbesuch in Bonn mögliche Konfliktfelder aus dem Weg zu schaffen, hat die SED-Führung eine umfassende Amnestie für mehrere Zehntausend Gefangene verkündet. Auch die bevorstehende KSZE-Konferenz in Wien spielte bei dieser Entscheidung eine Rolle, denn dort will sich die DDR als Land präsentieren, das keine politischen Häftlinge hat. Dabei gibt es diese aus SED-Sicht ohnehin nicht, schließlich ist jeder in der DDR Inhaftierte nach geltendem Recht verurteilt.

Thomas Tröbner, mittlerweile 29, muss nach seiner Entlassung zurück in seinen alten Betrieb, zurück in die Wohnung zu seiner Freundin, die inzwischen einen anderen hat. Er ist mehrfach vorbestraft und nach wie vor nur in Besitz eines PM 12. Bei den Eltern hat er immer noch Hausverbot. Mit seiner Mutter trifft er sich im Café oder für einen Spaziergang im Park. Mehr denn je will er nur noch eins: raus aus der DDR.

Über den Mann seiner Schwester Sabine lässt der Vater Thomas ausrichten, er solle doch bis Jahresende »die Füße still halten«. Markus Wolf persönlich habe ihm zugesichert, dass er dann in Rente gehen könne. Danach sei ihm alles egal.

Im März 1988 kommt der Bescheid: Thomas darf die DDR in Richtung Westen verlassen. Vor der Entlassung aus der Staatsbürgerschaft muss er aber noch einen Haufen Papierkram erledigen. Unter anderem, so will es die Vorschrift, braucht er eine Bestätigung der Großeltern, dass er ihnen kein Geld schuldet. Thomas hat die Eltern seines Vaters früher oft im Altersheim besucht. Als er sich jetzt am Empfang meldet, lässt die Schwester ihn nicht durch: »Beim Ehepaar Tröbner sind als Enkel nur Lutz und Sabine eingetragen«, sagt sie, nachdem sie eine Weile in einem zerfledderten Heft geblättert hat. »Einen Thomas hab ich hier nicht.« Erst nach längerem Hin und Her lässt sie sich erweichen und Thomas darf zu seinen Großeltern. Was er dort zu hören bekommt, kann er kaum glauben: »Der Rolf war damals da«, erzählt die Oma, »und hat zu uns gesagt: Ab jetzt habt ihr nur noch zwei Enkel. Thomas existiert nicht mehr. Der ist gestrichen.«

Bis Vater und Sohn wieder miteinander reden, vergehen Jahre – auch nach dem Mauerfall. Wenn sich eine Begegnung nicht vermeiden lässt, wie bei Geburtstagen oder Familienfesten, nicken sie sich kurz zu.

Als Thomas im September 1993 von einer Reise nach Schottland zurückkommt, hat er eine Nachricht auf dem Anrufbeantworter. Zwei Wochen ist sie schon alt: »Hier ist dein Vater«, die Stimme klingt brüchig und zögernd. »Bitte ruf doch mal an. Deine Mutter hatte einen Herzinfarkt.« Thomas macht sich sofort auf den Weg nach Karlshorst, fährt mit dem Vater ins Krankenhaus. Alt ist er geworden, denkt Thomas, und die Sorge über den Zustand seiner Frau ist ihm anzumerken. Irgendetwas ist da. Etwas Weiches, Verletzliches, etwas, das er noch nie an ihm gesehen hat.

Später sitzen sie sich im Wohnzimmer der Eltern gegenüber. Neun Jahre ist es her, dass der Vater das Hausverbot ausgesprochen hat. Fast alles sieht hier noch aus wie früher: die Schrankwand mit den russischen Sammeltassen, die Deckenlampe aus Glasblumen, die grüne Couchgarnitur, der höhenverstellbare Tisch. Nur ein großer Fernseher von Samsung ist dazugekommen. Der Vater raucht, wie immer. Auch Thomas steckt sich eine an. »Dass ich mich damals von dir losgesagt habe …«, sagt Rolf Tröbner und zögert. »Ich musste das tun, sonst wäre ich rausgeflogen aus dem Apparat.« Hör mir damit auf, liegt es Thomas schon auf der Zunge. Doch im Blick des fast 70-Jährigen ist wieder dieser Ausdruck, der Thomas schon auf dem Weg ins Krankenhaus aufgefallen war. »Ihm lag wirklich daran, dass ich ihn verstehe«, erinnert er sich. »Also hab ich erst mal zugehört.«

Der Vater erzählt. Von seiner Arbeit und was sie erforderte. Und davon, wie wichtig sie war. Auch ihm persönlich. Einen Beitrag leisten für den Frieden in der Welt. Und dem Land etwas von dem zurückgeben, was er ihm verdankte. Er habe eben einmal A gesagt und dann auch B sagen müssen. »Du hast den Krieg nicht erlebt, Thomas. Du kannst dir nicht vorstellen, wie das ist.« Und dass die im Politbüro so verantwortungslos waren, wisse man schließlich erst jetzt. Er sei immer davon überzeugt gewesen, das Richtige zu tun. »Und was hat das alles mit mir zu tun?«, fragt Thomas. »Mein einziges Verbrechen war, dass ich nicht hier leben wollte!« Der Vater zuckt mit den Schultern. »Ich hab dir immer gesagt: Was du da vorhast, ist ungesetzlich. Dafür wirst du früher oder später eingesperrt.«

Es ist das erste echte Gespräch zwischen Vater und Sohn. Keine Versöhnung. Aber ein Anfang.

Leben

Thomas Tröbners Mutter Ruth hat Kaffee gekocht, sein Vater sitzt schon in seinem Sessel. Sie stellt Tassen auf den Tisch mit dem Spitzendeckchen, die Zuckerdose, ein Kännchen mit Milch. Aus der Schrankwand holt sie eine Schale mit geschwungenem Blümchenrand, drapiert sorgfältig Kekse darauf. »Als der Thomas in Haft war«, sagt sie und legt mit einem tiefen Seufzer die Hände in den Schoß, »das war furchtbar!« Jede Nacht, jeden Tag habe sie sich gefragt, wie es ihm wohl gehe. »Er war doch so ein freier Vogel, ständig unterwegs – und dann das.« Ihr Mann habe immer gesagt: Der wusste doch, welcher Gefahr er sich aussetzt.

Rolf Tröbner nickt. »Ich hab's dir immer gesagt, Thomas. Dafür wirst du eingesperrt. An dir hängt doch der ganze Apparat schon dran! Warte, bis ich in Rente bin.« Thomas verdreht die Augen. Er sitzt im Schneidersitz auf dem kleinen Sofa am Fenster. »Aber Hoppe, jetzt überleg doch mal: Du sagst zu einem 24-Jährigen, er soll sechs Jahre warten, vielleicht sogar noch länger, in einem Land, in dem er unglücklich ist? Ein 24-Jähriger mit einem PM 12, der nichts mehr zu verlieren hat?« Thomas' Vater zuckt mit den Schultern. »Ich hab dir gesagt, dass es so kommt.«

Es ist Herbst 2011. Das Wohnzimmer der Tröbners sieht fast genauso aus wie zu DDR-Zeiten. Die Schrankwand, der höhenverstellbare Sofatisch, die Lampe aus Glasblumen – alles noch da. Und auf der Kommode stehen die gerahmten Fotos der Enkel. Thomas ist oft bei den Eltern. Sie sind beide schon weit über achtzig, der Alltag macht ihnen Mühe.

Früher habe sie davon geträumt, einmal den Vesuv zu sehen, erzählt Ruth Tröbner. Und den Kölner Dom, denn der stand als Bronzeguss auf dem Schreibtisch ihres Großvaters. »Aber wenn es darum gegangen wäre, all das zu sehen oder für den Sozialismus zu arbeiten – ich hätte mich immer für den Sozialismus entschieden.« Sie habe einiges in der DDR nicht in Ordnung gefunden, sich aber immer wieder gesagt, es würde schon seine Richtigkeit haben. »Das war eben meine Überzeugung. Die werfe ich doch nicht einfach über Bord.« Und ohne bewachte Grenze wäre die DDR wohl schon früher untergegangen. Ihr Mann nickt: »Ausgeblutet.«

Thomas beugt sich vor: »Was ist das denn für ein Land, das seine Leute einsperren muss, damit sie bleiben?« Aber es hätten doch nicht alle so empfunden, wirft der Vater ein. »Und du hättest auch noch Chancen gehabt«, sagt die Mutter. »Hättest zum Beispiel Abitur machen können. Du warst einfach zu faul!« Thomas legt ihr die Hand auf den Arm. »Ruthchen, erzähl mir das nicht! Du weißt doch, dass immer bloß zwei pro Jahrgang auf die Oberschule durften.« – »Ich weiß. War ja lange genug im Elternkollektiv. Aber Sabine hat das Abitur später ja auch noch machen können.« – »Genau: später. Im Westen hätte sie es sofort machen können.«

Das Politische, schaltet sich Rolf Tröbner ein, habe eben immer an erster Stelle gestanden. »In der Diktatur ist das so!« Er selbst sei »im Apparat« oft angeeckt, weil er zu denen gehört habe, die ihre Meinung sagten. Und wegen Thomas habe er sich beim Kaderleiter so einiges anhören müssen. »Dem hab ich dann immer gesagt: Ich kann meinen Sohn nicht ändern. Er entscheidet selbst. Und das hast du dann ja auch getan, nicht?« Thomas lacht kurz und bitter. »Wenn du das Entscheidung nennen willst …« Der Vater fährt unbeirrt fort: »Und das wurde natürlich bestraft. Und weil du der Sohn eines MfS-Mitarbeiters warst, zählte es doppelt. Das hast du dann auch noch mit auf den Pelz gekriegt. Aber das hast du alles gewusst!«

»Thomas«, sagt die Mutter, »hast du eigentlich an die Kartoffeln gedacht? Dann können wir nachher das Gulasch essen.« Thomas steht auf. »Die sind noch oben. Ich kann sie ja schon mal schälen.«

Ruth Tröbner räumt das Kaffeegeschirr zusammen, Thomas

geht die Treppe hoch – in seine Wohnung. Seit sechs Jahren lebt er mit Vater und Mutter unter einem Dach. »Es hat sich so ergeben«, sagt er achselzuckend. »Ich hatte damals gerade günstig dieses Haus gekauft, und sie mussten aus ihrer Wohnung raus. Also hab ich das Erdgeschoss behindertengerecht ausgebaut und in die Decken eine fette Schallisolierung eingezogen, damit ich weiter Musik hören kann.« Es klappe gut mit dem Zusammenleben. Besser sogar, als er vorher gedacht habe. »Für meine Eltern ist es eine Erleichterung«, sagt Thomas. »Aber ich selbst bin auch froh, dass ich mich damals so entschieden habe. Es ist schön so, wie es ist.«

*

Die Äste der alten Apfelbäume sind über und über mit weißen Blüten besetzt, die Buchen schon hellgrün. Sanft geschwungene Hügel, der Bodensee glitzernd und weit, gemächlich grasende Kühe, Kirchlein und Dörfer wie für die Modelleisenbahn, dahinter schneebedeckte Bergketten. Frank Dohrmann kann noch immer nicht glauben, dass er hier lebt: »Das war alles gar nicht vorgesehen für mich«, sagt er. An guten Tagen kann er es genießen, tief in sich einatmen, die ganze Pracht, das wiedererwachende Leben. Viel zu oft aber kommt das liebliche Außen nicht gegen die Finsternis in seinem Innern an. Dann holt Frank die Angst wieder ein, die sowieso nie ganz weg ist.

Er hat lange gebraucht, um einen Ort zu finden, an dem er es aushält. Einigermaßen zumindest. Vor fünf Jahren hat sich der heute 42-Jährige in ein Dorf am Bodensee zurückgezogen. Große Städte werden ihm schnell zu viel. Ihrer Fülle, ihrem Tempo fühlt er sich nicht mehr gewachsen. Zugleich sehnt er sich nach seinen früheren Oasen im quirligen Berlin, nach alten Bandkollegen und Freunden. Die Puppenstuben-Idylle, die sauber gekehrten Wege – eigentlich ist es nicht seine Welt. »Ich bin eben auch Sex und Rock 'n' Roll und im Herzen rebellisch«, sagt er. »Manchmal mag ich es laut und ungeordnet.«

Die erste Zeit nach 1989 ist genau das sein Leben: Der Mauerfall hat ihm ein volles Jahr NVA erspart. Jetzt lässt er sich durch Berlin treiben, staunend und überbordend dankbar dafür, frei zu sein. Das Begrüßungsgeld investiert er in Doc-Martens-Stiefel und eine Platte von Neil Young. »Was sonst noch passierte, hat mich nicht sonderlich interessiert«, erzählt er. »Und auf Demos bin ich nur gegangen, um dabei zu sein.« Bisher hatte die Mauer für ihn keine Rolle gespielt – so mächtig war das Gefängnis seines Elternhauses gewesen. Erst jetzt, wo er nach Lust und Laune von einer Welt in die andere wechseln kann, wird ihm bewusst, wie eingesperrt er wirklich war. Er übernachtet in besetzten Häusern, hört Punkkonzerte in improvisierten Kellerclubs und schlägt sich mit Kneipenjobs durch. Alles ist möglich, und er ist mittendrin. Bis eines Tages die Angst zurückkommt.

Erst spürt er sie nur im Bus oder in der U-Bahn, dann immer öfter auch draußen. Auf der Straße, zu Hause, im Zusammensein mit den Kumpels oder der Freundin. Selbst am Meer kann er ihr nicht entfliehen. Eine Weile lang helfen noch Schnaps, Wein und Bier, dann nur noch Tabletten. Seine Beziehungen zerbrechen, Jobs hält er nie lange durch. Warum das so ist, kann er sich nicht erklären. Er fängt an, Musik zu machen, hat regelmäßig Auftritte mit seiner Band – ein Kindheitstraum, überraschend lebendig. »Mein Lebenslicht«, sagt Frank. »Die traurigsten Lieder der Stadt«, sagen seine Freunde. Keine Zeile ist erfunden: 1995 geht er freiwillig in die Psychiatrie. Es bleibt nicht bei diesem einen Mal.

Hin und wieder sieht er seine Eltern. Zu DDR-Zeiten hat der Vater auf die Polen geschimpft, jetzt trifft sein Hass Juden und Türken. Frank graut vor den Besuchen, innerlich ist er ständig in Alarmbereitschaft. Doch er hat noch immer das Gefühl, etwas wiedergutmachen zu müssen.

Zum endgültigen Bruch kommt es erst, als auch seine Schwester mit Angstzuständen in der Klinik landet: Er habe Tanja gegen sie aufgebracht, werfen die Eltern ihm vor. »Du wirst dich in Zukunft von ihr fernhalten und lässt dich auch bei uns nie wieder blicken«, ist der letzte Satz, den Frank von seinem Vater hört.

Auch die Mutter straft ihren Sohn mit Eiseskälte: Er hätte sich eher überlegen müssen, ob er Wert auf sein Elternhaus legt.

Mit der Zeit hat Frank für sich zu einer Art wackligem Gleichgewicht gefunden. Er malt und schreibt wieder Lieder – seine kleine Wohnung ist Atelier und Tonstudio zugleich. »Musik ist das Einzige, was hilft«, sagt er. »Und Natur. Die Weite.« In seinem Auto liegen auf allen Sitzen CDs, mit und ohne Hüllen, die meisten handbeschriftet. Er schiebt eine davon in den Player: sein neuestes Stück. »Ist nur ein Versuch«, sagt er. Erst hört man seine dunkle Stimme. Ruhig, sich langsam vorwärtstastend. Dann eine zweite, auch das ist Frank. Die Gitarre setzt ein, eine dritte Stimme kommt hinzu, melodisch versetzt, schließlich die vierte. Jedes Mal ein bisschen anders, jedes Mal Frank. Und immer die eine Zeile: »There is an empty space, my ship is burning out …«

*

Bei ihrer Verhaftung habe sie »ein Kind verloren und nach der Entlassung einen jungen Mann wiederbekommen«, sagt Pierres Mutter Christel einmal. Als sie und ihr Ehemann 1981 nach sieben Jahren Gefängnis in die DDR zurückkehren und ihren Sohn wiedersehen, haben sie tatsächlich einen Erwachsenen vor sich. Mit eigenem Kopf und eigenem Leben, mit Plänen für die Zukunft und einer eigenen Haltung zur DDR. »Damit umzugehen war wohl für beide nicht leicht«, sagt Pierre Boom.

»Die Generationen müssen miteinander ins Reine kommen. Da darf es keine Drückebergerei geben«, schreibt Günter Guillaume in seiner Autobiografie. Er meint damit seinen Vater und dessen Mitgliedschaft in der NSDAP: Von ihm wolle er sich ein Bild machen, »das weder verklärt noch verkliert. Wo komme ich her? Was hat mich geprägt?«[102] Sein Sohn Pierre schlägt sich mit ganz ähnlichen Fragen herum, Günter Guillaume müsste ihn eigentlich verstehen. Trotzdem verweigert er ihm das Gespräch. Er fühle sich »wie neugeboren«, sagt er nach seiner Rückkehr in die DDR immer wieder. Für Pierre ist dieser Satz weit mehr als eine Floskel: »Mein Vater wollte mit der Vergangenheit nichts mehr zu tun haben. Da ich aber auch dazugehörte, traf sein Verdrängen letztlich auch mich.« Eine schmerzliche Enttäuschung. Auch heute noch.

Offenheit habe er sich gewünscht, sagt Pierre, »aber schlicht auch Informationen«. Doch was er über die Arbeit der Eltern wissen will, muss er sich aus zweiter und dritter Hand zusammensuchen. Der Vater blockt ab, die Mutter schweigt.

Pierre hat in den Jahren viel über all das nachgedacht, recherchiert, gefragt und gelesen. In Zusammenarbeit mit dem Journalisten Gerhard Haase-Hindenberg ist ein Buch dabei herausgekommen, »Der fremde Vater«, mehr als 400 Seiten stark, und doch sind für ihn noch immer viele Fragen offen. Vor allem die eine: Warum? Aus welchen Gründen haben sich Christel und Günter Guillaume für die riskante Arbeit als »Kundschafter« entschieden – damals, Ende der Vierziger-, Anfang der Fünfzigerjahre? Welche Rolle spielte ihr Führungsoffizier Paul Laufer dabei? Was genau wusste Oma Erna? Und: Warum war das alles auch dann noch ein solches Geheimnis, als es die DDR schon längst nicht mehr gab? »Vielleicht ist das sogar die wichtigste Frage«, sagt Pierre. »Auf die werde ich aber erst recht keine Antwort finden. Nur wie soll ich etwas aufarbeiten, wenn ich gar nicht recht weiß, womit ich es zu tun habe?«

Nach dem Mauerfall trifft Pierre seinen Vater noch hin und wieder zum Mittagessen, wirklich nah kommen sie sich nicht mehr. Von der Beerdigung des 68-Jährigen am 19. April 1995 erfährt der Sohn nur durch Journalisten – weder er noch seine Mutter wurden benachrichtigt. Es wird ein Aufmarsch der alten Tschekisten-Garde. Auch Markus Wolf und sein Nachfolger in der HV A, Werner Großmann, erweisen ihrem einstigen Topspion die letzte Ehre.

Christel Boom wäre es ohnehin zuwider gewesen, zwischen den ehemaligen Kollegen zu stehen, die die Zeit am liebsten zurückdrehen würden. Sie hat sich in den letzten Jahren mehr und mehr von den Geheimdienst-Kreisen distanziert – auch innerlich. In Gesprächen mit Pierre äußert sie sich bis zu ihrem Tod im März 2004 immer wieder kritisch über die DDR und die Staatssicherheit. Was ihre eigene Rolle betrifft, bleibt sie jedoch »nebulös«, wie Pierre heute sagt. Den Gefallen einer Erklärung – und sei es auch nur versuchsweise – tut sie ihrem Sohn nicht.

»Aber immerhin war es möglich, überhaupt mit ihr zu sprechen«, sagt Pierre. Der Vater hingegen bleibt für ihn bis zuletzt nicht wirklich greifbar. Lange hat Pierre das Gefühl, eine Entscheidung treffen zu müssen, an welchen Vater er sich erinnern will: An den vor der Verhaftung? An das idealisierte Bild, das er sich zum Selbstschutz danach von ihm zurechtgelegt hatte? Oder an jenen systemtreuen Exagenten, als den er ihn in der DDR erlebte?

»Erst dachte ich, meine Suche habe zu keinem Ergebnis geführt, weil ich nicht wie gehofft den einen Vater finden konnte«, erzählt Pierre. »Inzwischen sehe ich das anders. Wenn ich heute an meinen Vater zurückdenke, habe ich ein vielschichtiges Bild vor Augen, das aus ganz unterschiedlichen Phasen des Erlebens, der Auseinandersetzung und der Erinnerungen besteht. Es ist mir nicht gelungen, ihn auf den einen Vater zu reduzieren. Aber das ist o. k. Damit kann ich inzwischen ganz gut leben.«

*

Im Dezember 1998 wird Martin Kramer Vater. Er liebt seinen Sohn Lukas von der ersten Sekunde an, will immer für ihn da sein, sich an allem beteiligen. Auch im Kreißsaal ist er dabei. Nur erziehen, Regeln aufstellen, Grenzen zeigen – das müsse sie übernehmen, sagt Martin seiner Frau noch während der Schwangerschaft. Er könne das einfach nicht. Es ist mehr als der Widerwille gegen den autoritären Ton, den er als Kind erlebt hat. Martin fürchtet sich auch vor dem emotionalen Erbe seines Vaters: Wie viel von dessen Jähzorn und Verbitterung schlummert in ihm? Es dauert Jahre, bis er merkt, dass er seine eigene Art hat, Vater zu sein.

Vielleicht war es dafür nötig, sich innerlich vom Vater loszusagen. Die beiden haben seit Langem schon keinen Kontakt mehr. Dabei sah es nach dem Mauerfall für kurze Zeit so aus, als könnte es auch anders laufen: Die *taz* hatte umfangreiche Listen mit den Namen von Stasimitarbeitern veröffentlicht – hauptamtlichen und inoffiziellen, mit Klarnamen und vollständigen Adressen. Gerd Kramer wird danach auf der Straße beschimpft und angespuckt. Im Garten landen leere Flaschen, an der Hauswand zerplatzen Farbbeutel.

Martin tut der 51-Jährige damals leid: »Für ihn ist eine Welt zusammengebrochen, und das sah man ihm auch an. Er hat es mir hoch angerechnet, dass ich auf ihn zugekommen bin.« Als Martin aber anfängt, dem Vater Fragen nach dessen Arbeit beim MfS zu stellen, ist es schnell vorbei mit der Annäherung. »Geheimdienste gibt es überall« – mehr ist aus Gerd Kramer nicht rauszukriegen.

Der einstige Oberstleutnant fasst schnell Fuß in der neuen Zeit. Sitzt als Vertreter der ehemaligen Staatssicherheit am Runden Tisch, lässt sich seine Ausbildung an der Hochschule des MfS als Jurastudium anerkennen und wird bei einer großen Versicherung angestellt. Später fliegt er mit seiner neuen Frau nach Südafrika – »als wär's nie anders gewesen«, sagt Martin. Eine Weile bemüht er sich noch um Gespräche. Er möchte verstehen, warum sein Vater sich für die Stasi entschieden hat. Möchte wissen, wie er jetzt darüber denkt und ob er sich auch heute noch von ihm lossagen würde. Irgendwann gibt er es auf.

Es wäre sowieso nichts dabei rausgekommen, tröstet er sich heute. »Das ist der alte Korpsgeist. Der geht noch vor dem eigenen Fleisch und Blut. Leute wie mein Vater haben 'ne Flasche Schnaps in der Hand und sagen: Das ist 'ne Brause.«

Seine Mutter, erzählt Martin, dränge ihn oft, er solle zum Therapeuten gehen, um die Beziehung zum Vater aufzuarbeiten. »Aber was soll ich da aufarbeiten? Der Mann erzählt ja nichts!« Er habe keine Probleme mit alledem, sagt Martin immer wieder. »Der Mann beschäftigt mich nicht, ist gar nicht mehr drin in meinem Kopf. Ich müsste dafür erst ein neues Zentrum im Gehirn aufbauen.«

Und Lukas? »Der weiß, dass es den Opa Gerd gibt. Mehr nicht. Und er fragt auch nicht.« Eines Tages werde er ihm das aber wohl alles erklären müssen, sagt Martin leise. »Ich weiß noch nicht, wie.«

*

Um eine Beziehung kämpfen zu müssen, hielt Edina Stiller lange Zeit nicht nur für völlig normal, sie war sogar fest davon überzeugt, es so und nicht anders zu brauchen. Immer wieder verliebte sie sich in Männer, die in erster Linie mit sich selbst beschäftigt waren, um deren Zuneigung sie sich Tag für Tag aufs Neue bemühen musste. Das Beste geben, sich beweisen. Wer sie auf Händen trug, war ein Langweiler. »Ich konnte nicht anders«, sagt die heute 40-Jährige, »obwohl ich daran fast kaputtgegangen bin.« Und wenn es doch mal etwas länger hielt, quälte Edina sich und ihren Partner mit Eifersucht und Selbstzweifeln.

Im Frühjahr 2006 lernt sie Jan kennen – und merkt plötzlich, dass sie das Kämpfen gar nicht mehr braucht. Sie kann sich zurücklehnen und alles genießen, wie es ist. Vertraut ihm. Und endlich auch sich selbst. Alles ist anders. Auch nach Monaten noch und bis heute. Die beiden heiraten am 29. November 2008 in einem kleinen Dorf in Brandenburg. Edina hat auch ihren Vater zur Hochzeit eingeladen. Er lebt noch immer in Budapest, sie sehen sich nur selten. Jetzt soll er Zeuge ihres Glücks werden. Werner Stiller sagt zu – und kommt nicht.

Es ist nicht die erste Enttäuschung, die Edina mit ihm erlebt, und immer noch nicht die letzte. Aber doch eine der schmerzhaftesten. Sie hat sich angewöhnt, nichts mehr von ihm zu erwarten. Dass er nicht einmal zu ihrer Hochzeit kommen würde, hätte sie nicht gedacht. Doch auch diesmal gibt sie ihm wieder eine neue Chance. »Es war, als könnte ich nicht anders«, erzählt sie. »Ich hab mich selbst schon angekotzt dabei.«

Irgendwann, zwischen der hundertsten und der 123. Chance,

weiß Edina, dass es vorbei ist. Plötzlich ist es klar und tut nicht einmal mehr weh. Von ihrem Vater will sie nichts mehr wissen. Es bedarf keiner großen Erklärungen, seine Mails kommen ohnehin nur noch sporadisch. Edina antwortet nicht mehr. Wenn sie heute von ihm spricht, sagt sie nur noch »mein Erzeuger«.

Im Herbst 2010 erscheint Werner Stillers Autobiografie. Auf 242 Seiten breitet der ehemalige Doppelagent darin sein Leben aus: seine Arbeit für die HV A; die jahrelange Vorbereitung seines Übertritts; die fuchsschlauen Finten, mit denen er den mächtigen Dienstherrn austrickste; die Flucht und ihre Schockwirkung innerhalb des MfS. Die Liste der durch ihn gefährdeten oder enttarnten Westagenten füllt fast 25 Buchseiten. Trophäensammlung der eigenen Waghalsigkeit. »Es gilt«, schreibt Werner Stiller im Vorwort, »von einem bewegten Leben zu berichten, in dem sich die Schicksalslinien der Geschichte wohl gleich mehrfach gekreuzt haben.«[103]

Edina hadert lange mit sich, ob sie das Buch lesen soll. Schließlich tut sie es doch. »Es war ein Schlag in die Magengrube.« Was sie immer gespürt hat, hier liest sie es schwarz auf weiß: Im abenteuerlichen Leben des Vaters sind ihr Bruder und sie nur Statisten.

Werner Stiller bringt die Veröffentlichung noch einmal die Aufmerksamkeit der Medien. Eines Abends sieht Edina ihn zufällig als Zeitzeugen in einer Fernsehdokumentation – kein Wort des Bedauerns oder auch nur des Zweifels. Stattdessen dieselben großspurigen Heldengeschichten. Sie greift zur Fernbedienung und schaltet ab.

*

Als Nicole Glockes Vater am 1. Oktober 2011 beerdigt wird, liegen rote Rosen auf seinem Sarg, darunter aber nicht die rote Fahne der Arbeiterbewegung, sondern ein Kreuz: Während seiner langen, schweren Krankheit ist Karl-Heinz Glocke gläubig geworden. Obwohl sie selbst nicht christlich ist, freut sich Nicole darüber, denn das Kreuz ist mehr als das Zeichen seines wiedergefundenen Glaubens: Ihr Vater hat am Ende seines Lebens auch seine Vergangenheit als Stasispion kritisch gesehen. Heute würde er sich dagegen entscheiden, sagte er in seinen letzten Wochen oft: »Es hat sich nicht gelohnt.«

Dass er mit diesem »es« auch die Verletzungen meinte, die er seiner Familie zugefügt hat, kann Nicole nur vermuten – sie hat mit ihm nicht mehr darüber sprechen können. Seine innere Wandlung aber konnte sie bei den Besuchen in Bochum immer wieder spüren. »Wir sind im Frieden auseinandergegangen«, sagt sie. Man hört ihr an, wie sehr sie das erleichtert.

Der Versöhnungsprozess hatte schon vor einigen Jahren begonnen. Lange Zeit blieb er einseitig. Nicole hat sich allein durch das Thema Geheimdienst gekämpft, nach Antworten gesucht und schließlich eine Haltung zum Vater gefunden. Dabei, das ist ihr wichtig, sei es nie die Spitzelarbeit selbst gewesen, die ihr zu schaffen gemacht habe, sondern die Kränkung, dass der Vater nicht auf sie eingegangen sei, ihre Verzweiflung nicht gesehen habe. Ausgerechnet Markus Wolf, der einstige Leiter der DDR-Auslandsspionage, hatte ihr dabei geholfen, das Vergangene ruhen zu lassen.

Er war nach dem Erscheinen von »Verratene Kinder« auf sie zugekommen. Mehrmals hatte er sich mit ihr und Edina Stiller getroffen. Über die Probleme der Kinder seiner Kundschafter habe er nie nachgedacht, gestand er den beiden. »Er interessierte sich wirklich für uns und unsere Geschichte. Hat sich viel Zeit genommen, Fragen gestellt und zugehört«, erzählt Nicole. Damals war sie noch voller Zorn auf den Vater, der ihr das Gespräch verweigerte. »Sie sind sehr hart mit ihm«, sagte Markus Wolf bei einem ihrer Treffen. Der Satz hat sie nachdenklich gemacht. Etwas in ihr bewegte sich.

Was passiert ist, wird nicht durch Zauberhand weniger schmerzhaft, aber Nicole kann es lassen, wie es ist. Jeder ist selbst für sein Leben verantwortlich. Die Vergangenheit ist abgeschlossen, Nicole lebt wieder im Jetzt. Und in diesem Jetzt möchte sie nicht mehr über die Arbeit ihres Vaters wahrgenommen werden, sondern über ihre eigene. Gerade ist ihr Buch über drei Volkskammerabgeordnete fertig geworden, jetzt schreibt sie über den Alltag von Familien an der Armutsgrenze. »Das Thema Spionage«, sagt sie, »habe ich gründlich satt.«

*

Thomas Raufeisen ist 22, als er im Oktober 1984 nach fast sechs Jahren DDR wieder zurück nach Hannover darf. Drei Jahre hat er im Knast gesessen. Vierzehn Monate in Hohenschönhausen, 22 in Bautzen II. Er hat noch nie mit einer Frau geschlafen, hat keinen Job, kein Abitur, kein Vertrauen. Zu sich selbst nicht und zum Rest der Welt erst recht nicht. Doch Thomas wird schnell klar, dass er das mit sich ausmachen muss. Denn in seiner Umgebung stößt er allenfalls auf oberflächliches Mitleid, meistens aber auf Unverständnis: Die links-alternative Szene will sich ihr positives Bild von der DDR nicht vermiesen lassen.

Auch mit seinem Bruder kann er über all das nicht reden: Michael fühlt sich schuldig, weil er als Einziger rechtzeitig ausreisen konnte. Sich anzuhören, was der kleine Bruder im Gefängnis erlebt hat, erträgt er nicht. Früher, in einem anderen Leben, von dem nichts mehr übrig ist, waren Thomas und er sich sehr nah. Jetzt liegt die Katastrophe von damals als Minenfeld zwischen ihnen. Es dauert Jahre, bis sie es überwinden.

Mit der Zeit gelingt es Thomas, das verpasste Leben wieder aufzuholen. »Normale Erlebnisse sammeln«, nennt er es heute. Er macht an einer Abendschule das Abitur nach und studiert in Hannover Vermessungswesen. Wenn sein Vater nicht heimlich für das MfS spioniert hätte und nicht mit ihnen in die DDR geflohen wäre, könnte er den Abschluss schon längst in der Tasche haben. Wenn, wenn, wenn – das Wort tut weh und vergiftet die Gegenwart. Meistens schafft Thomas es, nicht so zu denken. Ganz abstellen kann er es nicht. »Der Verlust von Jahren, Verlust von Vertrauen – manchmal macht mich das bitter«, sagt er.

Was den Vater, wie Thomas sagt, »geritten hat, für die Stasi zu spionieren«, kann er sich bis heute nicht erklären. Mit ihm selbst konnte er nicht mehr darüber sprechen. Die wenigen Male, die sie sich im Gefängnis sehen durften, standen sie unter strenger Beobachtung der Wachmänner, und danach gab es keine Gelegenheit mehr: Im Oktober 1987 können Thomas und Michael in Hannover nur noch die Urne ihres Vaters in Empfang nehmen.

Heute ist Thomas 49 und lebt mit seiner Familie in Berlin-Lichterfelde. Die Kinder sind fünf und acht – »auch das kam bei mir eben mit Verspätung«, sagt er. Auf dem Weg zur Gedenkstätte Hohenschönhausen, wo er als Zeitzeuge Führungen macht, fährt er manchmal an dem Hochhaus in der Leipziger Straße vorbei, in dem die Stasi ihnen damals die Wohnung zuwies. Dass es sie noch gibt, ist ein merkwürdiger Gedanke. Einmal hat Thomas sich ins Treppenhaus gestellt – es roch noch genauso wie damals. Es ist der gleiche Geruch, der im einstigen Osten noch immer in vielen Gebäuden hängt. Vor Kurzem hat Thomas gelesen, es liege an den Lösungsmitteln, die in der DDR für die Bodenbeläge verwendet wurden. 200 Jahre soll es dauern, bis sie nichts mehr ausdünsten.

Seit einiger Zeit liegt auf Thomas' Schreibtisch ein Zettel mit einer Telefonnummer. Sie gehört dem ehemaligen Stasimann »Horst«, der damals zu ihrer Betreuung abgestellt war. Über die Gedenkstätte ist Thomas an Name und Adresse gekommen. Ein paarmal war er schon kurz davor, die Nummer zu wählen, und hat sich dann doch nicht getraut. Eines Tages aber werde er es machen. Im Moment fehle ihm noch der Mut: »Ich habe Angst, dass der Kerl meinen Vater in den Dreck zieht.«

*

Ein paar Wochen nach dem Mauerfall ruft Stefan Herbrich bei seinen Eltern an. »Aus Übermut«, erzählt er. »Eigentlich ahnte ich schon, was kommen würde. Aber es hätte ja auch sein können, dass da inzwischen was passiert ist. War es aber nicht. Stattdessen klang alles verdammt nach 1945.« Wenn man von alldem gewusst hätte, monologisiert der Vater, man hätte ja niemals … oder zumindest nicht so … aber wer konnte denn ahnen, dass die da oben einen so täuschen und ausnutzen würden? Kein Wort zu Loslösung und Kontaktabbruch. Stefan hört schon nach einer Minute nicht mehr zu. »Schade um die zwanzig Pfennige«, sagt er heute.

Danach beschränkt der damals Dreißigjährige den Kontakt auf Weihnachts- und Geburtstagskarten. Auch mit der Schwester hat er sich nicht allzu viel zu sagen. Er ist wohl noch immer der Sonderling in der Familie, vermutet er. Vielleicht auch die unbehagliche Erinnerung an eine Vergangenheit, die so vorbei sein soll, als hätte es sie nie gegeben. Stefan ist froh, dass er sich in Berlin längst sein eigenes Leben aufgebaut hat. Er arbeitet weiter als Altenpfleger, ist mittlerweile Vater von vier Kindern.

Nach ein oder zwei Jahren besucht er die Eltern wieder ab und zu, bringt manchmal auch einen der Enkel mit. »Es gehören immer zwei dazu, wenn etwas schiefläuft«, sagt er. »Ich dachte, vielleicht liegt's an mir.« Schon als Kind habe er immer versucht, beide Seiten zu sehen – seine eigene und die seines Vaters. Meistens habe er es geschafft, sich in den Vater hineinzuversetzen. Jetzt will es ihm nicht mehr gelingen: Stefan erlebt ihn bei seinen Besuchen als einen Mann, der mit nichts zu erkennen gibt, Fehler gemacht zu haben. Der sich um keinerlei Erklärung bemüht, geschweige denn sich entschuldigt, zuhört oder Fragen stellt. Der als Vermögensberater arbeitet, ein Wochenendhäuschen am Waldrand besitzt, in ein paar Jahren seine Rente bekommen wird – und gleichzeitig von einer Hexenjagd spricht, der ehemalige Angehörige der Staatssicherheit ausgesetzt seien. Die leisen Zweifel aus der Zeit nach dem Mauerfall sind den altbekannten Antworten von früher gewichen. Das Weltbild stimmt wieder, auch wenn man es nicht mehr leben kann.

»Wär' schön gewesen, wenn ich mit meinen Vorurteilen falsch gelegen hätte«, sagt der heute 52-jährige Stefan. »Aber das Leben ist halt kein Ponyhof.« Mit dieser Maxime hat er zu leben gelernt.

Als würde er sich immer wieder selbst mit einem »Stell dich nicht so an!« zur Ordnung rufen. Man muss genau hinhören, um zu erahnen, was das Erlebte in ihm angerichtet hat. Er ist kein harter Hund.

Vor ein paar Jahren hat es den endgültigen Bruch mit den Eltern gegeben: Seit er einem Autor seine Geschichte erzählt hat, ist Stefan für sie gestorben. Mails unterschreibt er mit »st« oder »icke hier«. Seinen Vornamen mag er nicht sehen und nicht hören – der Ton seiner Kindheit klebt daran: das wütend gezischte »Stefffan!«, das drohend langgezogene »Ste-faaaan!«, das donnernde, unerbittliche »STEFAN!«.

Als er vor zwei Jahren gefragt wurde, ob man seinen Fall in eine Ausstellung aufnehmen dürfe, hat er ja gesagt. Aber eigentlich ist es ihm unangenehm. Er sieht sich selbst nicht als Widerständler oder Opfer, macht sich im Gegenteil Vorwürfe, nicht deutlich genug seine Meinung gesagt zu haben. »Ich hätte mutiger sein müssen«, sagt er, und das ist keine Koketterie. Was ihm passiert sei, nun ja, »war nicht schön«. Aber anderen sei es viel schlimmer ergangen. »Meine Geschichte … ach. Ab Gulag kann man drüber reden.«

*

»Je älter ich werde, desto näher fühle ich mich meiner Mutter«, sagt Silke Ziegler. Vom Vater habe sie sich innerlich schon vor langer Zeit entfernt. »Diese Rechthaberei und das Immer-das-letzte-Wort-haben-Müssen – ich ertrage es nicht mehr. Bei ihm scheint sich überhaupt nichts bewegt zu haben.« Ganz anders die Mutter: Sie habe sich im Laufe der Zeit »um 180 Grad gedreht«, sei liebevoll und mitfühlend geworden und könne heute auch zugeben, sich in manchem geirrt zu haben. Dass sie aber ihr Leben in der DDR und die Arbeit für das MfS nicht im Nachhinein als großen Fehler betrachten will, kann Silke gut verstehen. Schließlich hat auch ihr der Sozialismus lange Zeit viel bedeutet.

Wenn sie rückblickend etwas quält, geht es deshalb mehr um

Persönliches als um Politik: Ihr werde jedes Mal »heiß und kalt«, wenn sie daran denke, wie hart sie früher mit ihrem Kind umgegangen sei, sagt sie. »Zum Glück empfindet Marie es nicht so. Wir verstehen uns sehr gut.«

Mehr durch Zufall hatte Silke begonnen umzudenken. »Aus Erschöpfung« habe sie irgendwann die Zügel locker gelassen und überrascht festgestellt, dass es mit der Kleinen danach viel besser lief. Den Hang zur Härte gegen sich selbst aber, den Anspruch, die Beste zu sein – das habe die heute 24-Jährige wohl leider von ihr: »Sie hat meinen Ansprüchen ja lange nicht genügt«, sagt Silke.

Dass sie als Kind selbst ganz Ähnliches erlebt hat, wird ihr erst nach und nach bewusst – vor allem durch die Gespräche mit ihrer Schwester. Das Verhältnis zu Petra war nie besonders eng gewesen, und in den ersten Jahren nach dem Mauerfall hatten sie sich vor allem auf ihre beruflichen Karrieren konzentriert und sich etwas aus den Augen verloren. Doch dann sitzen sie eines Abends zusammen, haben zu viel getrunken. Es ist spät und wird immer später, aber sie reden und reden. Und entdecken zum ersten Mal, dass sie beide um die Anerkennung der Eltern gekämpft und sich gegenseitig beneidet haben, weil jede glaubte, die andere werde bevorzugt. »Bahnbrechend« nennt Silke diese Gespräche heute.

Den Eltern haben sie nie davon erzählt. »Wenn wir sie besuchen und die Rede auf unsere Kindheit kommt, sind Petra und ich immer sehr diplomatisch. Dann sehen wir uns an und denken: Wenn die wüssten …!«

Sie müssen aber auch nicht wissen, findet Silke. Entscheidender sei, dass sie selbst eine Haltung gefunden hätten. »Ich bin nicht gerade stolz darauf, so reibungslos funktioniert zu haben«, sagt sie. »Aber wir sind eben unter einer Käseglocke groß geworden. Ich war keine Heldin und hätte auch nie eine sein wollen. So war das eben.«

Letztlich sei in ihrem Leben immer alles so gelaufen, dass Mutter und Vater zufrieden sein konnten. »Im Grunde bin ich immer noch die Angepasste.« Ihrer eigenen Tochter aber habe sie versucht zu vermitteln, worauf es ihrer Meinung nach ankomme: die Dinge zu hinterfragen und selber zu denken.

*

Auf dem Tischchen neben Anna Warnkes Bett stapeln sich Bücher zur Geschichte der DDR und der Stasi. Biografien, Erfahrungsberichte, Nachschlagewerke. Seit sie weiß, dass ihr Vater nicht nur der Wissenschaftler war, als den sie ihn kannte, sondern auch Offizier des MfS, hat sich die 39-Jährige Nachsitzen verordnet. Denn vorher, sagt sie, habe sie das alles überhaupt nicht interessiert. Nur »aus egoistischen Gründen« sei sie zum Thema gekommen. Sie schämt sich dafür. Und liest nun alles mit doppeltem Blick: mit dem der Tochter, die wissen will, welcher Art von Regime der Vater gedient hat, worin seine Schuld bestehen könnte, und mit dem der Zeitzeugin, die ihre eigene Ahnungslosigkeit nicht fassen kann, weil sie noch bis vor Kurzem dachte, die DDR sei im Großen und Ganzen o. k. gewesen.

Ihre Recherche beschränkt sich nicht auf Bücher: die Mutter, sämtliche Tanten, Onkel, Cousins und Cousinen, Freunde der Eltern – alle werden von Anna mit Fragen nach dem Vater gelöchert. Eine Tante erinnert sich, mit ihm im Auto unterwegs gewesen zu sein. Sie hätten es eilig gehabt und seien in eine Straßensperre gekommen. Dort habe der Hermann einen Ausweis vorgezeigt, und sie konnten weiterfahren. »Da hat man sich schon seinen Teil gedacht …« Genaues aber habe man nicht gewusst, und es wurde ja auch nicht darüber geredet. Im Übrigen sei Hermann Warnke mit Leib und Seele Professor gewesen – Anna hört es von allen Seiten. Und ist jedes Mal dankbar dafür. Mit der Stasi, erzählt schließlich auch ihre Mutter, habe er nur zusammengearbeitet, um Vorteile für sein Institut rauszuschlagen. Mehr könne aber auch sie nicht dazu sagen.

Während der Therapiesitzungen hat Anna gelernt, dem Vater seine persönlichen Defizite zu verzeihen. »Er hat mich geliebt«, sagt sie, »er konnte es bloß nicht zeigen. Er war eben kein Gefühlsmensch.« Umso kostbarer sind ihr die wenigen liebevollen Sätze, die ihr von ihm geblieben sind: Weder seine Mails noch seine SMS hat sie bisher gelöscht. Und doch ist da noch immer dieses Unbehagen: Wer war dieser Mann wirklich? Was hat er getan? Hat er Menschen geschadet? Anna fürchtet sich vor den Antworten. Es kostet schon Mut, die Fragen zu stellen. Was sie bisher in den Akten lesen konnte, hat sie ein wenig beruhigt. Die Ungewissheit konnte es ihr nicht nehmen. Es ist nicht egal, woher man kommt.

Seit dem Tod des Vaters steht in Annas Wohnung eine große lederne Reisetasche. Der Reißverschluss geht nicht mehr zu, so voll ist sie. Es sind Briefe, Fotos, Papiere, Dokumente aus seinem Nachlass. Die Tasche steht mitten im Zimmer. Anna hat sich noch nicht getraut hineinzusehen.

*

Wenn Jochen Laufer von seinem Vater erzählt, spricht er langsam und mit großen Pausen, wählt jedes Wort mit Bedacht. Er will ihm nicht unrecht tun. Und er weiß um die Skepsis und die Vorurteile, mit denen die meisten Gesprächspartner dem Thema Stasi begegnen. Vor allem die aus dem Westen. »Die Unschuldsvermutung«, sagt er, »sollte – bis zum Beweis des Gegenteils – auch für die ehemaligen Mitarbeiter der Staatssicherheit gelten.« Im MfS habe es zweifellos Menschen gegeben, die sich schuldig gemacht hätten. Begriffe wie »Schuld« und »Täter« dürfe man aber erst verwenden, wenn die persönliche Verantwortung tatsächlich auch nachgewiesen sei.

Der 55-Jährige ist Historiker, sein Spezialgebiet die Außenpolitik der Sowjetunion. Jede Quelle bedarf der kritischen Überprüfung – der Grundsatz gehört zu seiner Arbeit. Auch für die Bewertung der Rolle seines Vaters innerhalb des MfS will er ihn eingehalten wissen. »Bei der heutigen Beurteilung der Stasi geht es auch und vor allem um die Frage, ob wir den Lauf der Geschichte, der zur Gründung der DDR und des MfS führte, anerkennen oder nachträglich beklagen. Als Sohn und Historiker muss ich akzeptieren, dass mein Vater zu denen in Deutschland gehörte, die einen radikalen, kommunistischen Neuanfang für unumgänglich hielten – genau wie dessen Schutz.«

Jochen Laufers Bruder Helmut sieht die Dinge kritischer: »Unser Vater stand zu zweihundert Prozent hinter dem System. Auch hinter dem der Staatssicherheit. Durch seine Arbeit hat er mit dazu beigetragen, es am Laufen zu halten. Das damit verbundene Unrecht hat er zumindest in Kauf genommen.« Dass er, geprägt durch die Erfahrung des Nationalsozialismus, überzeugt davon war, das Richtige zu tun, mache seine Verantwortung nicht kleiner. »Inzwischen aber«, schiebt Helmut Laufer hinterher, »habe ich allen alles verziehen. Es ist die verflossene Zeit, die zwar nicht die Tatsachen, aber die Gefühle von damals vergessen macht.«

Die DDR hat er bis zu ihrem Ende leidenschaftlich abgelehnt. Nur der Familie zuliebe arrangierte er sich mit ihr. Nach außen zumindest: Seine Töchter sind mit der »Sesamstraße« groß geworden. Ostfernsehen war tabu – wie für ihn einst der RIAS.

Das Verhältnis zum Vater aber blieb für ihn immer quälend ungeklärt. Bis heute, sagt er, plage ihn »die Schuld«, ihm nicht gerecht geworden zu sein – »politisch nicht und menschlich wohl auch nicht«. Dass er dessen Anschauungen nicht nur nicht teilen konnte, sondern auch unterlief und sabotierte. »Wenn meine Kinder so werden, wie ich damals war, nehme ich mir das Leben«, hat er früher oft gesagt.

Heute, mit 61, geht Helmut Laufer etwas weniger streng ins Gericht mit dem Jungen, der er einmal war. Die Erinnerung an den Tod des Vaters aber ist noch immer eine offene Wunde. Dessen Besuch in der U-Haft, der Abschied im Krankenhaus, die Trauerfeier im Krematorium – »ein schwarzes Kapitel«, sagt Helmut.

*

Gleich nach dem Mauerfall wird Vera Lengsfeld in den Strudel der Ereignisse gezogen: Im Dezember 1989 sitzt sie in der Kommission des Runden Tisches, die eine neue Verfassung erarbeitet, im März 1990 wird sie als Abgeordnete für die Grüne Partei in die Volkskammer gewählt. Es sind die ersten freien Wahlen der DDR – und die letzten: Schon im August beschließt das neue Parlament den Beitritt des Landes zur BRD. Die 38-Jährige ist nun Mitglied des Deutschen Bundestages und zieht von Berlin in ihren Thüringer Wahlkreis nach Sondershausen. Während der Sitzungswochen wohnt sie in einer provisorisch eingerichteten Einzimmerwohnung in Bonn.

Die Eltern sind stolz, dass ihre Tochter im neuen Deutschland ganz vorne dabei ist. Vera hört es am Klang ihrer Stimmen, wenn sie zu Hause anruft. Es ist eine aufregende Zeit voller Aufbruch, Hoffnung und Neubeginn. Bis heute empfindet es Vera Lengsfeld als großes Glück, dass sie Teil davon sein durfte. Und doch mischt sich jedes Mal Wehmut in die Erinnerung, dass sie mit dem Vater nicht mehr über die Vergangenheit sprechen konnte. Als Politikerin war sie zu viel unterwegs, später war er schon zu krank.

In seinen letzten Lebensjahren setzt sich Franz Lengsfeld intensiv mit der DDR und seiner Rolle darin auseinander – selbstquälerisch und gründlich. Mehrmals liest er die Doppelbiografie »Hitler und Stalin« des britischen Historikers Alan Bullock und äußert sich, auch Vera gegenüber, immer wieder erschrocken über die Parallelen zwischen den beiden Diktaturen. Dass er diese selbst so lange übersehen hat, beschämt ihn. Er habe dem falschen System gedient, sein Leben verfehlt, sagt er oft. Vera hört es über den Schwiegervater, der sich ähnliche Vorwürfe macht und ihrem Vater auf diese Weise ein wichtiger Gesprächspartner geworden ist. »Heute habe ich die allergrößte Hochachtung vor meinem Vater, dass er den Mut zu einer derart schonungslosen Bilanz hatte«, sagt Vera Lengsfeld. »Denn zu dem Zeitpunkt konnte er ja nichts mehr daran ändern.«

Ihre eigenen Stasiakten hat sie gleich 1991 eingesehen – zusammen mit anderen Bürgerrechtlern. Zwischen den Seiten stieß sie auch auf Spuren ihres Vaters: Der HV-A-Offizier hatte wegen seiner »staatsfeindlichen« Tochter jahrelang Schwierigkeiten im Dienst. Ihr gegenüber hat er darüber nie ein Wort verloren – auch das rechnet Vera Lengsfeld ihm hoch an. Bisher war sie davor zurückgeschreckt, sich seine Akte anzusehen. Jetzt hat sie bei der BStU Einsicht beantragt: Ihre Söhne hätten sie dazu gedrängt, erzählt die 59-Jährige. »Sie wollen wissen, wer ihr Großvater war.«

Anhang

Anmerkungen

1 Autorenkollektiv: Wohnraumfibel. Berlin 1963, S. 23
2 Siegfried Suckut (Hrsg.): Wörterbuch der Staatssicherheit. Berlin 1996, S. 291
3 Jens Gieseke: Die Stasi. 1945–1990. München 2011, S. 72
4 ebd., S. 115
5 ebd., S. 163
6 ebd., S. 72
7 Jens Gieseke: Die DDR-Staatssicherheit, Bonn 2001, S. 75
8 Jens Gieseke: Die Stasi. 1945–1990, S. 186
9 Richtlinie 1/76. Zitiert ebd., S. 200 f.
10 Thomas Auerbach: Vorbereitungen auf den Tag X. Die geheimen Isolierungslager des MfS. Berlin 1995, S. 5 und 24
11 Zehnter Tätigkeitsbericht der BStU, Berlin 2011, S. 18
12 Zitiert in: Manfred Görtemaker: »Der Weg zur Einheit«. Bonn 2009, S. 15
13 http://www.berlinonline.de/berliner-zeitung/archiv/.bin/ dump.fcgi/1995/1208/reporter/0001/index.html
14 Aus dem Abschlussbericht OV »Geier« vom 4. 7. 1974. BStU, MfS, 9112/82. Zitiert in: Bernd Eisenfeld: Bausoldaten im Visier des MfS. In: *Horch und Guck*. Heft 46/2004, S. 9
15 Vertrauliche Verschlusssache: Bestimmungen für die Arbeit mit den Angehörigen des Ministeriums für Staatssicherheit. MfS 016–177/69, BStU, Blatt 753
16 Jens Gieseke: Die hauptamtlichen Mitarbeiter der Staatssicherheit. Personalstruktur und Lebenswelt 1950–1989/90, Berlin 2000. S. 129, 112, 540, 113
17 ebd., S. 352

18 Zitiert in: Jens Gieseke: Die DDR-Staatssicherheit. Schild und Schwert der Partei. Bonn 2001, S. 20

19 Jens Gieseke: Die hauptamtlichen Mitarbeiter der Staatssicherheit. Berlin 2000, S. 330

20 Zitiert in: Günter Förster: Die Juristische Hochschule des MfS. In: Anatomie der Staatssicherheit (MfS-Handbuch Teil III/6). Hrsg. BstU, Berlin 1996, S. 27 f.

21 Als Faksimile in: Jens Gieseke: Die DDR-Staatssicherheit, S. 50

22 Siegfried Suckut (Hrsg.): Das Wörterbuch der Staatssicherheit. Hier: Stichwort »Vertrauensverhältnis«, S. 405

23 Jens Gieseke: Die hauptamtlichen Mitarbeiter der Staatssicherheit. Berlin 2000, S. 543 und 334 ff.

24 Aus der Aufzeichnung der erweiterten Kollegiumssitzung am 19. 2. 1982. Auf: Joachim Walther: Erich Mielke – ein deutscher Jäger. Audio-CD. München 1997

25 Bestimmungen für die Arbeit mit den Angehörigen des Ministeriums für Staatssicherheit, BStU, Blatt 781, Blatt 779

26 Jens Gieseke: Abweichendes Verhalten in der totalen Institution, in: Engelmann/Vollnhals: Justiz im Dienste der Parteiherrschaft. Rechtspraxis und Staatssicherheit in der DDR. Berlin 1999, S. 536

27 Hinweise zur individuellen Einflussnahme auf junge Angehörige des MfS bei der Partnerwahl, BStU, MfS-HA KuSch, Nr. 273, Blatt 296 f.

28 Ein technisch-operativer Leiter, zitiert in: Ariane Riecker/Annett Schwarz/Dirk Schneider: Stasi intim. Gespräche mit ehemaligen MfS-Mitarbeitern. Leipzig 1990, S. 154

29 Hans-Joachim Maaz: Der Gefühlsstau. Psychogramm einer Gesellschaft. München 2010, S. 35

30 Werner Stiller: Der Agent. Mein Leben in drei Geheimdiensten. Berlin 2010, S. 33

31 ebd., S. 40

32 Dieter Wulf: »Der Spion, der mein Vater war – Kinder von Agenten im Kalten Krieg«. Deutschlandradio Berlin, 29. 2. 2004

33 Jens Gieseke: Die hauptamtlichen Mitarbeiter der Staatssicherheit. Anatomie der Staatssicherheit. MfS-Handbuch. Teil IV/1. Berlin 1995, S. 139 ff.

34 ebd., S. 365

35 ebd., S. 62

36 Vertrauliche Verschlusssache MfS VVS-0008. BStU Blatt 195 f.

37 Jens Gieseke: Die hauptamtlichen Mitarbeiter der Staatssicherheit. MfS-Handbuch. Teil IV/1. Berlin 1995, S. 61

38 ebd., S. 61

39 Uwe Bastian: »Postraub«, in: *Wochenpost*, 17. 8. 1995

40 Zitiert in: Christina Wilkening: Staat im Staate. Auskünfte ehemaliger Stasi-Mitarbeiter. Berlin und Weimar 1990, S. 41

41 Zitiert in: Jens Gieseke: Die hauptamtlichen Mitarbeiter der Staatssicherheit. Berlin 2000, S. 290

42 Zitiert ebd., S. 367

43 Zitiert ebd., S. 367

44 Zitiert in: Thomas Moser: Verschlusssache Werner Stiller. *Horch und Guck*. Heft 55/2006, S. 40

45 Nicole Glocke: »Werner Stiller – Versuch eines Porträts«, in: *Zeitschrift des Forschungsverbundes SED-Staat der FU Berlin*. Heft 11/2006, S. 102–110

46 ebd., S. 103

47 »Die Stasi – das Patriarchat im Patriarchat. Interview mit einer ehemaligen Hauptamtlichen zur Arbeit von Frauen im MfS«, in: *taz*, 8. 3. 1993, S. 3

48 Jens Gieseke: Die hauptamtlichen Mitarbeiter der Staatssicherheit. MfS-Handbuch. Teil IV/1. Berlin 1995, S. 53 f.

49 ebd., S. 54

50 »Einschätzung zum Stand der Arbeit mit den attestierten weiblichen Angehörigen der Verwaltung für Staatssicherheit Groß-Berlin«. BStU BF Dokumentation 46, Blatt 83. Zitiert in: Jens Gieseke: Die hauptamtlichen Mitarbeiter der Staatssicherheit. Berlin 2000, S. 352

51 BStU, ZA, MfS HA KuSch Nr. 602, Blatt 4

52 Rede von Margot Hecker auf der Kreisdelegiertenkonferenz der SED im MfS 1967, zitiert in: Jens Gieseke: Die hauptamtlichen Mitarbeiter der Staatssicherheit. MfS-Handbuch. Teil IV/1. Berlin 1995, S. 56

53 Angela Schmole: Frauen im Ministerium für Staatssicherheit. *Horch und Guck*. Heft 34/2001, S. 15

54 Auszug aus der vom Genossen Minister auf der Kollegiums-
    sitzung am 2. 7. 1986 behandelten »Vorlage ...« BStU, ZA,
    SdM 1904, Blatt 46, zitiert in: Jens Gieseke: Die hauptamt-
    lichen Mitarbeiter der Staatssicherheit. Berlin 2000, S. 394 f.
55 Innendienstordnung Nr. 8/82, BStU, Blatt 627 f., Blatt 621
56 »Die Stasi – das Patriarchat im Patriarchat. Interview mit
    einer ehemaligen Hauptamtlichen zur Arbeit von Frauen im
    MfS«, in: *taz*, 8. 3. 1993, S. 3
57 Zitiert in: Stefan Wolle: Grundwissen DDR. Berlin 2009, S. 45
58 Zitiert in: Daniela Münkel: Die DDR im Blick der Stasi 1961.
    Die geheimen Berichte an die SED-Führung. Göttingen 2011
59 Zitiert in: Thomas Flemming/Hagen Koch: Die Berliner
    Mauer. Grenze durch eine Stadt. Berlin 2000, S. 12
60 Günter de Bruyn: Vierzig Jahre. Ein Lebensbericht.
    Frankfurt am Main 1996, S. 109 f.
61 MfS Verwaltung Groß-Berlin, A 1142/5, Stadtarchiv Berlin,
    Bericht 7/65, Blatt 16. Zitiert in: Hans-Hermann Hertle/
    Stefan Wolle: Damals in der DDR. Der Alltag im Arbeiter-
    und Bauernstaat. München 2004, S. 131
62 *Neues Deutschland,* 17. 10. 1965, S. 12
63 http://www.jugendopposition.de/index.php?id=2893
64 Reinhard O. Hahn: Ausgedient. Ein Stasi-Major erinnert sich.
    Leipzig 1990, S. 9
65 Innendienstordnung. MfS. BStU. Blatt 631
66 MfS Ordnung Nr. 1/83 über die Wohnraumversorgung der
    Angehörigen und Zivilbeschäftigten des Ministeriums für
    Staatssicherheit. BStU ZA. Blatt 596
67 Halbrock, Christian: Mielkes Revier, S. 159 f., 164
68 BStU, MfS KS 22 829/90, Blatt 33. Zitiert in: Hans-Michael
    Schulze: In den Villen der Agenten, S. 104
69 Reinhard O. Hahn: Ausgedient. Ein Stasi-Major erinnert sich.
    Leipzig 1990, S. 72
70 Zitiert in: Jens Schöne, Mitarbeiter der LStU Berlin: »Das
    doppelte Stadtjubiläum: 750 Jahre Berlin«. Vortrag für das
    Museum Nikolaikirche am 14. Mai 2007, S. 6
71 Zitiert in: »Eine Kelle Mauerwerk fürs Gemüt«, in: *Der Spiegel,*
    Heft 13/1986

72 HA KuSch, Leiter: Hinweise zur individuellen Einflussnahme auf junge Angehörige des MfS bei der Partnerwahl. MfS-HA KuSch, BStU 273, Blatt 296

73 HA KuSch, Leiter: Hinweise zur individuellen Einflussnahme auf junge Angehörige des MfS bei der Partnerwahl. MfS-HA KuSch, BStU 273, Blatt 283 f.

74 Rolf Bauer/Wolfgang Härtling: Einige Gesichtspunkte für die klassenmäßige Erziehung politisch-operativer Mitarbeiter des MfS, insbesondere der Linie II unter den neuen politisch-operativen Lagebedingungen. Diplomarbeit JHS Potsdam-Eiche 1975. BStU, ZA, GVS JHS MfS 74/75, S. 40. Zitiert in: Jens Gieseke: Die hauptamtlichen Mitarbeiter der Staatssicherheit. Berlin 2000, S. 372

75 HA KuSch, Leiter: Hinweise zur individuellen Einflussnahme auf junge Angehörige des MfS bei der Partnerwahl. MfS-HA KuSch, BStU 273, Blatt 293

76 HA KuSch, Leiter: Zu Problemen der Ehescheidungen von Angehörigen des MfS (Kollegiumsvorlage), 10. 3. 1976. BStU, ZA SdM 1576, Blatt 40. Zitiert in: Jens Gieseke: Die hauptamtlichen Mitarbeiter der Staatssicherheit. Berlin 2000, S. 359

77 ebd., S. 358

78 Konzeption für die Errichtung einer Ehe- und Sexualberatungsstelle im Ministerium für Staatssicherheit. BStU, ZA, MfS RS 20. Zitiert in: Angela Schmole: Frauen im Ministerium für Staatssicherheit. *Horch und Guck.* Heft 34/2001

79 HA KuSch, Leiter: Zu Problemen der Ehescheidungen von Angehörigen des MfS (Kollegiumsvorlage), 10. 3. 1976. BStU, ZA SdM 1576, Blatt 47. Zitiert in: Jens Gieseke: Die hauptamtlichen Mitarbeiter der Staatssicherheit. Berlin 2000, S. 359

80 Jens Gieseke: Abweichendes Verhalten in der totalen Institution. Delinquenz und Disziplinierung der hauptamtlichen MfS-Mitarbeiter in der Ära Honecker. In: Engelmann, Roger/Vollnhals, Clemens: Justiz im Dienste der Parteiherrschaft, S. 537 ff.

81 HA KuSch, Leiter: Hinweise zur individuellen Einflussnahme auf junge Angehörige des MfS bei der Partnerwahl. MfS-HA KuSch, BStU 273, Blatt 287

82 ebd., Blatt 292. Hervorhebung im Original

83 ebd., Blatt 295

84 Ariane Riecker/Annett Schwarz/Dirk Schneider: Stasi intim, S. 45

85 Günter Guillaume/Günter Karau: Die Aussage. Berlin 1988, S. 60 f.

86 *Der Spiegel,* Heft 18/1974, S. 19–31

87 Günter Guillaume/Günter Karau: Die Aussage, S. 397

88 ebd., S. 380

89 ebd., S. 380

90 Zitiert in: Pierre Boom/Gerhard Haase-Hindenberg: Der fremde Vater. Der Sohn des Kanzlerspions Guillaume erinnert sich. Berlin 2004, S. 368

91 Zitiert ebd., S. 374

92 Zitiert in: Jens Gieseke: Die hauptamtlichen Mitarbeiter der Staatssicherheit. MfS-Handbuch. Teil IV/1. Berlin 1995, S. 25

93 Günter Ganßauge, einer der maßgeblichen Kaderpolitiker des MfS. Zitiert in: Jens Gieseke Die hauptamtlichen Mitarbeiter der Staatssicherheit. Berlin 2000, S. 363

94 Zitiert in: ebd., S. 35

95 Schulungsmaterial der HA KuSch. Zitiert in: ebd., S. 363 f.

96 Wir über uns. Anthologie der Kreisarbeitsgemeinschaft »Schreibende Tschekisten«. Gedichte und Linolschnitte von Angehörigen des Ministeriums für Staatssicherheit. Nur für den Gebrauch im MfS bestimmt. O. J., Reprint als Faksimile: Verlag Haus am Checkpoint Charlie. Berlin 1990, S. 9

97 ebd., S. 51

98 ebd., S. 52

99 Zitiert in: Jens Gieseke: Die hauptamtlichen Mitarbeiter der Staatssicherheit. Berlin 2000, S. 283

100 Jürgen Fuchs: Vernehmungsprotokolle, November 76 bis September 77, Reinbek 1978, S. 124

101 Zitiert in: Jens Gieseke: Die hauptamtlichen Mitarbeiter der Staatssicherheit. Berlin 2000, S. 360

102 Günter Guillaume/Günter Karau: Die Aussage, S. 54

103 Werner Stiller: Der Agent, S. 9

Literatur

Auerbach, Thomas: Einsatzkommandos an der unsichtbaren Front. Terror- und Sabotagevorbereitungen des MfS gegen die Bundesrepublik Deutschland. Berlin 1999

ders.: Vorbereitung auf den Tag X. Die geplanten Isolierungslager des MfS. BStU Analysen und Berichte 1/95. Berlin 1995

Behnke, Klaus/Jürgen Fuchs: Zersetzung der Seele. Psychologie und Psychiatrie im Dienste der Stasi. Überarbeitete Neuauflage. Hamburg 2010

Boom, Pierre/Gerhard Haase-Hindenberg: Der fremde Vater. Der Sohn des Kanzlerspions Guillaume erinnert sich. Berlin 2005

Bruyn, Günter de: Vierzig Jahre. Ein Lebensbericht. Frankfurt am Main 1996

Bundesbeauftragte für die Unterlagen des Staatssicherheitsdienstes der ehemaligen DDR (BStU): Stasi. Die Ausstellung zur DDR-Staatssicherheit. Katalog und Aufsätze. Berlin 2011

dies.: Entmachtung und Verfall der Staatssicherheit. Ein Kapitel aus dem Spätherbst 1989. In: BF informiert 5/1994. Berlin 1994

dies.: Zu Struktur, Charakter und Bedeutung der Unterlagen des Ministeriums für Staatssicherheit. In: BF informiert 3/1994. Berlin 1994

Drander, B.: Seelen-Flucht. Mein Kampf gegen die Betonfesseln. Norderstedt 2009

Engelmann, Roger/Clemens Vollnhals (Hrsg.): Justiz im Dienste der Parteiherrschaft. Rechtspraxis und Staatssicherheit in der DDR. Berlin 1999

Erler, Peter/Hubertus Knabe: Der verbotene Stadtteil. Stasi-Sperrbezirk Berlin-Hohenschönhausen. Berlin 2005

Flemming, Thomas/Hagen Koch: Die Berliner Mauer. Grenze durch eine Stadt. Berlin 2000

Florath, Bernd/Armin Mitter/Stefan Wolle (Hrsg.): Die Ohnmacht der Allmächtigen. Geheimdienste und politische Polizei in der modernen Gesellschaft. Berlin 1992

Förderverein Schloss Hohenschönhausen e. V. (Hrsg.):

Hohenschönhausen gestern und heute. Zeitenwende – Wende-
zeiten. Hohenschönhausen von 1985 bis 1995. Berlin 2010

Förster, Ernst: Die Juristische Hochschule des MfS. MfS-Handbuch, Teil III/6, BStU (Hrsg.)

Förster, Günter: Die Juristische Hochschule des MfS. In: Anatomie
der Staatssicherheit (MfS-Handbuch Teil III/6), BStU (Hrsg.).
Berlin, 1996

Fricke, Karl Wilhelm: Die DDR-Staatssicherheit. Entwicklung,
Strukturen, Arbeitsfelder. Köln 1989

ders.: MfS intern. Macht, Strukturen, Auflösung der DDR-Staatssicherheit. Analyse und Dokumentation. Köln 1991

ders.: »Jeden Verräter ereilt sein Schicksal«. Die gnadenlose
Verfolgung abtrünniger MfS-Mitarbeiter. In: *Deutschland-
Archiv* 27/1994, S. 258–265

ders.: Memoiren aus dem Stasi-Milieu. Eingeständnisse, Legenden,
Selbstverklärung. In: *Aus Politik und Zeitgeschichte*,
B 30–31/2001, S. 6-13

Fuchs, Jürgen: Vernehmungsprotokolle, November 76 bis
September 77. Reinbek 1978

Gast, Gabriele: Kundschafterin des Friedens. 17 Jahre Topspionin
der DDR beim BND. Berlin 2000

Gauck, Joachim: Die Stasi-Akten. Das unheimliche Erbe der DDR.
Reinbek 1991

Gieseke, Jens: Die DDR-Staatssicherheit. Schild und Schwert der
Partei. Bonn 2001

ders.: Die hauptamtlichen Mitarbeiter der Staatssicherheit. Anatomie
der Staatssicherheit. MfS-Handbuch, Teil IV/1. Berlin 1995

ders.: Die hauptamtlichen Mitarbeiter der Staatssicherheit.
Personalstruktur und Lebenswelt 1950–1989/90. Berlin 2000

ders.: Die Stasi. 1945–1990, überarbeitete Neuauflage von »Mielke-
Konzern« (München 2001), München 2011

ders.: Zwischen Privilegienkultur und Egalitarismus. Zu den Ein-
kommensstrukturen des Ministeriums für Staatssicherheit.
In: *Deutschland Archiv* 43 (2010) 3, S. 442–453

ders. (Hrsg.): Staatssicherheit und Gesellschaft. Studien zum Herr-
schaftsalltag in der DDR (Analysen und Dokumente).
Göttingen 2007

Girke, Jochen: »Heute sage ich: Das ist Missbrauch der Psychologie«. Gespräch mit dem ehemaligen Stasi-Psychologen. In: *Psychologie heute*, Heft 09/1994

Glocke, Nicole/Edina Stiller: Verratene Kinder. Zwei Lebensgeschichten aus dem geteilten Deutschland. Berlin 2003

Görtemaker, Manfred: Der Weg zur Einheit. In: *Informationen zur politischen Bildung* Nr. 250/2009. Bonn 2009

Grafe, Roman: Die Schuld der Mitläufer: Anpassen oder Widerstehen in der DDR. München 2009

Großbölting, Thomas (Hrsg.): Friedensstaat, Leseland, Sportnation? DDR-Legenden auf dem Prüfstand. Berlin 2009

Guillaume, Günter/Günter Karau: Die Aussage. Berlin 1988

Hahn, Reinhard O.: Ausgedient. Ein Stasi-Major erinnert sich, Leipzig 1990

Halbrock, Christian: Stasi-Stadt. Die MfS-Zentrale in Berlin-Lichtenberg. Ein historischer Rundgang. Berlin 2009

ders.: Mielkes Revier. Stadtraum und Alltag rund um die MfS-Zentrale in Berlin-Lichtenberg. Berlin 2011

Hartewig, Karin: Das Auge der Partei. Fotografie und Staatssicherheit. Berlin 2004

Haus am Checkpoint Charlie (Hrsg.): Wir über uns. Anthologie der Kreisarbeitsgemeinschaft »Schreibende Tschekisten«. Berlin 1990

Hertle, Hans-Hermann/Stefan Wolle: Damals in der DDR. Der Alltag im Arbeiter- und Bauernstaat. München 2004

Hesse, Hans: Ich war beim MfS. Berlin 1997

Karau, Gisela: Stasiprotokolle. Gespräche mit ehemaligen Mitarbeitern des Ministeriums für Staatssicherheit der DDR. Frankfurt am Main 1992

Knabe, Hubertus, u. a.: West-Arbeit des MfS. Das Zusammenspiel von »Aufklärung« und »Abwehr«. Berlin 1999

ders.: Die unterwanderte Republik. Stasi im Westen. Berlin 1999

Knauer, Gerd: Innere Opposition im Ministerium für Staatssicherheit? In: *Deutschland-Archiv* 7/1992, S. 718–727

Labrenz-Weiß, Hanna: Die Hauptabteilung II: Spionageabwehr. MfS-Handbuch, Teil III/7, BStU (Hrsg.). Berlin 1995

Lengsfeld, Vera: Von nun an ging's bergauf … Mein Weg in die Freiheit. München 2002 dies. (Wollenberger): Virus der Heuchler. Innenansicht aus Stasi-Akten. Berlin 1992

Lorenzen, Jan N./Christian Klemke: Das Ministerium für Staatssicherheit. Alltag einer Behörde. (DVD) 2003

Maaz, Hans-Joachim: Der Gefühlsstau. Psychogramm einer Gesellschaft. München 2010

ders.: Die Entrüstung. Deutschland, Deutschland, Stasi, Schuld und Sündenbock. Berlin 1992

Maennel, Annette: Auf sie war Verlass. Frauen und Stasi. Berlin 1995

Mitter, Armin/Wolle, Stefan (Hrsg.): Ich liebe euch doch alle! Befehle und Lageberichte des MfS Januar–November 1989. Berlin 1990

Moser, Thomas: Verschlusssache Werner Stiller. In: *Horch und Guck*, 55/2006, S. 37–40

Mothes, Jörn, u. a. (Hrsg.): Beschädigte Seele. DDR-Jugend und Staatssicherheit. Rostock und Bremen 1996

Müller-Enbergs, Helmut: Agentenkinder. In: *Deutschland-Archiv*, 1/2006. S. 99–105

Münkel, Daniela: Die DDR im Blick der Stasi 1961. Die geheimen Berichte an die SED-Führung. Göttingen 2011

Raufeisen, Thomas: Der Tag, an dem uns Vater erzählte, dass er ein DDR-Spion sei. Eine deutsche Tragödie. Freiburg im Breisgau 2010

Redlin, Jane: Sekuläre Totenrituale: Totenehrung, Staatsbegräbnis und private Bestattung in der DDR. Münster 2009

Reinicke, Gerd: Öffnen – Auswerten – Schließen. Die Postkontrolle des MfS im Bezirk Rostock. Schwerin 2004

Richter, Holger: Die operative Psychologie des Ministeriums für Staatssicherheit der DDR. Frankfurt am Main 2001

Riecker, Ariane/Annett Schwarz/Dirk Schneider: Stasi intim. Gespräche mit ehemaligen MfS-Angehörigen. Leipzig 1990

Sabrow, Martin (Hrsg.): Erinnerungsorte der DDR. München 2009

Sälter, Gerhard: Interne Repression. Die Verfolgung übergelaufener MfS-Offiziere durch das MfS und die DDR-Justiz (1954–1966). Dresden 2002

Schnell, Gabriele: Jugend im Visier der Stasi. Brandenburgische Landeszentrale für politische Bildung (Hrsg.). Potsdam 2001

Schöne, Jens: Das doppelte Stadtjubiläum: 750 Jahre Berlin. Rede im Museum Nikolaikirche vom 14. Mai 2007

Schulze, Hans-Michael: In den Villen der Agenten. Die Stasi-Prominenz privat. Berlin 2003

Schwarz, Josef: Bis zum bitteren Ende. 35 Jahre im Dienst des Ministeriums für Staatssicherheit. Eine DDR-Biografie. Schkeuditz 1994

Seidler, Christoph/Froese, Michael (Hrsg.): Traumatisierungen in Ost-Deutschland. Bonn 2006

Simon, Annette: Bleiben will ich, wo ich nie gewesen bin. Versuch über ostdeutsche Identitäten. Gießen 2009

Stiller, Werner: Im Zentrum der Spionage. Mainz 1986

ders.: Der Agent. Mein Leben in drei Geheimdiensten. Berlin 2010

Suckut, Siegfried (Hrsg.): Das Wörterbuch der Staatssicherheit. Definitionen zur »politisch-operativen« Arbeit. Berlin 1996

Süß, Sonja: Politisch missbraucht? Psychiatrie und Staatssicherheit. Berlin 1998

dies.: Repressive Strukturen in der SBZ/DDR – Analyse von Strategien der Zersetzung durch Staatsorgane der DDR gegenüber Bürgern der DDR. In: Materialien der Enquete-Kommission (13. Wahlperiode), Band II

Tanzscher, Monika: Hauptabteilung VI: Grenzkontrollen, Reise- und Touristenverkehr. MfS-Handbuch, Teil III/14. Berlin 2005

Walther, Joachim: Sicherungsbereich Literatur. Schriftsteller und Staatssicherheit in der DDR. Berlin 1996

ders.: Utopia – oder Nahschuss ins Hinterhaupt. MDR-Radio-Feature 2009

Wanitschke, Matthias: Methoden und Menschenbild des Ministeriums für Staatssicherheit der DDR (Dissertation). Köln, Weimar, Wien 2001

Wilczek u. a. (Hrsg.): Berlin – Hauptstadt der DDR 1949–1989. Zürich und Baden-Baden 1995

Wilkening, Christina: Staat im Staate. Auskünfte ehemaliger Stasi-Mitarbeiter. Weimar 1990

Wolf, Markus: Spionagechef im Kalten Krieg. Erinnerungen. Düsseldorf und München 1997

Wolle, Stefan: Die heile Welt der Diktatur. Alltag und Herrschaft in der DDR 1971–1989. Bonn und Berlin 1998

ders.: Der Traum von der Revolte. Die DDR 1968. Berlin 2008

ders.: Grundwissen DDR, Berlin 2009

Worst, Anne: Heißes Herz – Kühler Verstand? Ein Leben im Dienste der Stasi. In: Bernd Wilczek (Hrsg.): Berlin – Hauptstadt der DDR 1949–1989. Utopie und Realität, Zürich und Baden-Baden 1995, S. 113-135

Die nicht gekennzeichneten Zitate sind den Akten der Interviewpartner und -partnerinnen und ihrer Eltern entnommen, die sich im Archiv der BStU befinden. Alle Zitate aus Akten, die weitere Personen betreffen, sind anonymisiert.

Danksagung

Viele Menschen haben mich bei meiner Arbeit an diesem Buch unterstützt. Ohne sie wäre es immer noch bloß eine Idee. Ihnen allen möchte ich von Herzen danken. Vor allem ...

... den »Kindern«, die bereit waren, mir ihre Geschichte zu erzählen – für ihre Offenheit und das Vertrauen, das sie mir entgegengebracht haben.

... Dr. Jens Gieseke, der das Projekt von Anfang mit seinem Fachwissen bereichert und begleitet hat.

... der BStU – insbesondere Astrid Möser und Gudrun Heuts, die mir über Jahre hinweg geholfen haben, im Aktendickicht die entscheidenden Dokumente zu finden. Und Stefan Wolf für geduldiges Antworten.

... Dr. Matthias Wanitschke von der Landesbeauftragten für die Stasiunterlagen in Thüringen, der zu den Ersten gehörte, die an das Thema glaubten. Seine Beratung und tatkräftige Unterstützung waren eine große Hilfe für mich.

... Dr. Siegfried Gans von der BStU-Außenstelle Thüringen für geduldige, freundliche und unbürokratische Hilfe bei der Suche nach Akten.

... Hans-Michael Schulze und Andrea Moll von der Gedenkstätte Hohenschönhausen für kostbare Hinweise und Gespräche.

... dem Berliner Psychotherapeuten Karl-Heinz Bomberg und Prof. Dr. Harald Freyberger von der Universität Greifswald für ausführliche Gespräche über die Auswirkungen der Stasitätigkeit eines Elternteils auf die Psyche der Kinder.

... den Psychotherapeuten Annette Simon und Dr. Hans-Joachim Maaz für ausführliche Gespräche über die möglichen psychischen Folgen der Arbeit für das MfS.

… Dr. Jane Redlin, Kustodin am Museum Europäischer Kulturen Berlin, für ihre Hinweise zu Trauerritualen im MfS-Milieu.

… Sylvia Englert, Frank Jakobs und der Agentur Landwehr & Cie. fürs Dranglauben und Mutmachen.

… Karin Schneider für sorgsames Lektorieren und konstruktives Mitdenken.

… meinem Mann, meinem Sohn und meinem Vater, ohne die überhaupt gar nichts gegangen wäre.

Bildnachweis

Die Filme zum Buch

Videogutschein im Internet: www.zeitzeugen-tv.com/Stasikinder

Mit dem Videogutschein können Sie kostenlos Interviews mit der Autorin Ruth Hoffmann und mit einigen Stasikindern sehen. Außerdem können Sie hier auch den MDR-Film als DVD bestellen. In diesem Film verfolgt der Regisseur Thomas Grimm gemeinsam mit der Autorin Ruth Hoffmann die Geschichten von Familie Tröbner, Vera Lengsfeld und anderen bis heute weiter. Erstmals spricht eine ganze Familie vor der Kamera darüber, was es für sie bedeutet hat, dass der Vater bei der Stasi war. Private 8mm-Aufnahmen zeigen DDR-Alltag aus sehr persönlicher Perspektive. Der Film erzählt bewegende Geschichten von Liebe und Verrat, von Selbstbehauptung und Vergebung.

www.zeitzeugen-tv.com – das Biografienportal

Das erste audiovisuelle Who is Who zeigt Lebensgeschichten, Porträts, biografische Interviews und Gespräche von Künstlern, Schriftstellern, Politikern, Unternehmern, Wissenschaftlern und Zeitzeugen der Geschichte. Sie geben Auskunft über ihr Leben und ihre Arbeit. Und vermitteln Erfahrungen aus beinahe hundert Jahren deutscher Geschichte. Eine Suchmaschine verknüpft die Personen und Schlagworte aus ihren Erinnerungen, so dass der Nutzer Filme sowohl nach Namen als auch nach Sachthemen auswählen kann.